la galerie des
maris disparus

Jack Rosenblum rêve en anglais, Calmann-Lévy, 2011
Le Manoir de Tyneford, Calmann-Lévy, 2012

...MONS

la galerie des maris disparus

roman

*Traduit de l'anglais
par Lisa Rosenbaum*

calmann-lévy

Titre original anglais :
THE GALLERY OF VANISHED HUSBANDS
Première publication : Sceptre (Hodder & Stoughton)
Londres, 2013

© Natasha Solomons, 2013

Pour la traduction française :
© Calmann-Lévy, 2014

COUVERTURE
Maquette : cedric@scandella.fr
Adaptation : Constance Clavel
Photographie : © Thordis Rüggeberg/Plainpicture

ISBN 978-2-7021-5396-3

« La cartographie d'un visage montre des choses
dont la géographie pourrait s'inspirer. »

Patrick Hayman, *Notes d'un peintre*

« ... ce qui importe, c'est de saisir la nature des choses
... ce qui est en question, c'est leur signification. »

Platon : Philèbe, Phèdre ou du Beau.

ARTICLE I DU CATALOGUE

« Femme au compotier de pommes » (ou « Le frigidaire »),
Charlie Fussel, huile sur toile, 66 cm x 116 cm, 1958.

C'ÉTAIT LE JOUR de son trentième anniversaire. Même si Juliet admettait que d'autres femmes dans sa situation auraient pu mal le vivre, cet événement ne la troublait pas outre mesure. Examinant ses réactions avec sa franchise habituelle, elle conclut qu'en se levant ce matin à six heures trente elle avait eu l'esprit aussi brouillé que la veille et qu'en habillant les enfants pour l'école elle n'avait pas ressenti le besoin de se jeter sur la bouteille de xérès. À trente ans, une femme était au zénith de sa beauté, se dit-elle. Bon, elle n'avait plus l'éclat de son adolescence ni la démarche assurée de ses vingt ans, mais elle regardait choses et gens bien en face. Du moins, c'était ce qu'elle faisait, elle, Juliet Montague. Elle savait exactement ce qu'elle voulait.

Et ce qu'elle voulait, c'était acheter un frigidaire.

Ce matin-là était humide et d'une fraîcheur inhabituelle pour la saison. Juliet essaya de ne pas le prendre pour un affront personnel. Recevoir de la flotte pour son anniversaire n'est pas drôle. Cependant, tous les jours quelqu'un fête son anniversaire et, s'il ne pleuvait jamais, l'Angleterre serait un désert et Leonard ne pourrait pas jouer avec son petit voilier. Résignée, Juliet boutonna son imper, noua son foulard autour du cou. Contournant les flaques couleur de thé au lait, elle se hâta vers la gare, se demandant si elle attraperait son train. Tout comme son père répandait la monnaie amassée au fond de ses poches, Juliet avait l'habitude d'égarer les minutes, voire les heures. La pluie glaciale lui cinglait les joues et le vent retourna bientôt son parapluie.

Toutefois, à l'arrivée en gare de Charing Cross, la matinée hivernale s'était muée en un après-midi de printemps. Un ciel lavé, d'un bleu uniforme, recouvrait Trafalgar Square. Des pigeons s'alignaient sur le bras étendu de Nelson, se séchant au soleil comme autant de paires de chaussettes. Très haut dans l'azur voguaient des petits nuages blancs semblables à ceux des dessins de Leonard que Juliet punaisait sur le panneau en liège de la cuisine. Jetant un coup d'œil à sa montre, Juliet se demanda si elle avait le temps de faire un tour à la National Gallery, histoire de voir quelques vieux amis avant d'entreprendre ses courses. Lors de sa dernière visite au musée, captivée par un tournesol, elle avait « égaré » le reste de l'après-midi. Au bout d'un moment, la peinture jaune de la toile s'était mise à vibrer et à trembler telles des vagues de soleil liquide. Sur le chemin du retour, Juliet avait acheté un bouquet de tournesols. Assises à la table de la cuisine, Frieda et elle avaient contemplé les fleurs pendant près d'une heure pour voir si toute couleur jaune frémissait si vous l'observiez assez longtemps.

Sentant sa résolution faiblir, elle sauta dans le premier bus qui passait et s'aperçut trop tard qu'il allait dans la direction opposée à celle où elle voulait aller. Tant pis, se dit-elle. Il faisait si beau! Une promenade le long du parc n'était-elle pas l'occupation rêvée pour un anniversaire? Pensant aux beaux billets d'une livre accompagnés d'une poignée de pièces, rangés dans son porte-monnaie, elle éprouva une bouffée de bonheur. Vingt et une guinées! Elle n'avait jamais eu autant d'argent depuis que George était parti. Le jour de son anniversaire, justement. Alors qu'elle sautait de côté pour éviter d'être éclaboussée par un taxi, elle se rappela que cet anniversaire-là n'avait pas si mal commencé : elle ignorait que George ne reviendrait pas. Elle avait seulement été un peu fâchée qu'il eût oublié de le lui souhaiter. Pas de carte, pas même une fleur du jardin. L'année précédente, il lui en avait offert. Des tulipes noires. Ses fleurs préférées. Elle avait été touchée par cette attention jusqu'au moment où, regardant par la fenêtre, elle s'était aperçue que son mari avait coupé toutes les tulipes qu'elle cultivait dans des pots, près de la porte de derrière. Ses pensées empruntèrent un chemin familier. Si seulement George lui avait laissé un mot ! À l'intérieur d'une carte de vœux, il aurait pu écrire, faisant d'une pierre deux coups : « Bon anniversaire, ma chérie. À propos, je te quitte… » Pour se calmer, Juliet lissa son foulard de soie, résolue à penser à autre chose. Rien ne devait lui gâcher cette journée. Après avoir épargné penny après penny, elle allait enfin devenir une femme moderne, ou disons moins en retard sur son époque. Finies la glacière peu pratique, l'exposition de bouteilles de lait sur le rebord de la fenêtre en hiver et l'obligation d'acheter de la viande ou du poisson l'après-midi du jour où on voulait les consommer. Elle savait combien Leonard désirait une télévision : cela faisait quelque temps que ses copains en avaient une. Lorsqu'il revenait de chez eux, les joues rouges, il était très silencieux. Il frottait ses petites lunettes rondes sur la cravate de son école encore plus souvent que d'habitude, repassant dans sa tête les merveilles qu'il avait vues. Mais Juliet restait ferme : aussi passionnante que fût une télé, c'était un luxe. Un frigidaire, en revanche, était une nécessité. Chaque week-end, Frieda et Leonard, l'air solennel, la regardaient jeter une autre poignée de pièces dans la vieille boîte à biscuits rangée sur l'étagère supérieure du garde-manger. Au début, cela ne les avait guère intéressés. Pour Leonard, les économies servaient à l'achat de voitures miniatures et de télévisions. Quant à Frieda, qui dépensait le jour même tout son argent de poche en bonbons, elle voyait le contenu de la boîte en fer-blanc en termes d'une rangée de caramels qui s'étendrait jusqu'à Bognor Regis, un endroit qu'elle ne parvenait pas à trouver sur une carte, mais qui, pour elle, était à une distance incommensurable de Chislehurst. Frieda avait raison : l'argent de la boîte à biscuits correspondait à toutes sortes de plaisirs non consommés. Ils avaient pris des places de théâtre bon marché pour *Peter Pan*. Lorsque Leonard s'était tassé sur son siège, frustré d'être incapable de voir le héros, un couteau entre les dents, se balancer d'un bout à l'autre de la scène, Juliet en aurait presque pleuré. Ensuite, pendant un mois, ils n'avaient mangé de la viande que trois fois par semaine (dont une chez la grand-mère, le vendredi soir). Juliet avait essayé d'aller en cachette chez le boucher ordinaire de la rue principale pour en acheter – de la viande moins chère et non casher – mais Mrs Epstein l'avait vue en ressortir et en avait parlé à Mrs Greene. Bouleversée à l'idée que sa fille risquait son âme pour un collet de mouton, celle-ci avait fait promettre à la coupable de ne plus recommencer. Frieda et Juliet avaient besoin de renouveler leur garde-robe, mais pas leurs sous-vêtements : Juliet acceptait toutes sortes de privations à condition de pouvoir porter de jolis slips, même si personne ne les voyait jamais. Elle refusait de faire partie de ces femmes qu'une Mrs Epstein regardait en murmurant d'un ton presque satisfait : « Ach ! elle était si jolie autrefois, mais depuis ses problèmes avec son mari, elle se néglige. » Lorsque l'une de ces commères l'examinait maintenant avec une pitié hostile, elle pensait à ses dessous en soie et lui rendait son sourire.

Au dîner du samedi soir, ses parents lui avaient donné les dernières dix guinées manquantes. Mr Greene avait glissé les billets sur la table en direction de Leonard (« Garde-les pour ta mère… ») tandis que Mrs Greene regardait sa fille, l'air un peu malheureux, et demandait entre deux bouchées de poulet : « Vraiment ? Tu ne préférerais pas un petit bijou comme cadeau d'anniversaire ? » Décidée à se montrer raisonnable, Juliet avait secoué la tête. Elle savait que son tout nouveau sens pratique attristait ses parents. D'une part, ils étaient fiers de la façon dont elle se débrouillait. « À ton courage, Vibrion », disait son père en levant vers elle son verre de schnaps hebdomadaire. De l'autre, ils regrettaient la disparition de cette fille peu réaliste qui rêvait de leçons de tennis pendant une semaine et d'un jardin potager où cultiver la rhubarbe pendant la suivante. Ils auraient voulu la voir couverte de colifichets en or et non en train d'économiser sur tout pour s'acheter un frigo. Un vendredi soir, Mrs Greene confia à sa fille qu'elle se sentait responsable de ce qu'elle appelait « cette malheureuse affaire ». Après avoir bu exceptionnellement un verre de xérès, elle déclara que tout cela était arrivé à cause du nom qu'elle lui avait donné. Son mari et elle avaient eu l'intention de l'appeler Ethel, prénom adéquat pour une jeune femme sérieuse qui aimait désherber son jardin, portait des chaussures marron et n'oubliait jamais de téléphoner à sa mère avant *shabbes*. Cependant, dans le tourbillon euphorique qui avait suivi la naissance de leur unique enfant, Mrs Greene, prise d'un accès de sentimentalité (le seul dont elle eût jamais souffert, à vrai dire), avait nommé son bébé Juliet. Avec un nom pareil, sa fille était promise à vivre un genre particulier de drame – comment l'appelait-on encore ? Un *iambique*. Oui, les Juliet étaient prédestinées à vivre des drames iambiques, ce dont les Ethel étaient préservées.

Juliet appréciait beaucoup Bayswater Road. La vieille grille de fer établissait une sorte de frontière enchantée entre la rue et Hyde Park. Des branches entrelacées surgissaient tels des doigts d'entre les barreaux et le chant des oiseaux se répandait dans la ville. À l'époque où il y avait encore un George et où les après-midi libres n'avaient rien d'extraordinaire, Juliet aimait emmener ses enfants dans ce havre de silence au cœur du vacarme de Londres. Maintenant encore Leonard adorait la statue de Peter Pan cachée dans un bouquet de frênes. Il faisait semblant de l'avoir oubliée pour le plaisir de la retrouver. Des hommes en costume regagnaient leurs bureaux en chassant des miettes de pain de leurs revers à rayures, des dactylos vêtues de stricts manteaux de laine se promenaient bras dessus bras dessous dans les allées après avoir pique-niqué sur l'herbe. À leur âge, l'argent était fait pour être dépensé, l'amitié censée durer toute la vie. Et chacune continuait à croire qu'elle épouserait Cary Grant.

Erreur, se corrigea Juliet. Ça, c'était quand elle avait dix-huit ans. Aujourd'hui, les filles rêvaient d'Elvis Presley ou de James Dean.

Pour Juliet, le dimanche après-midi était le moment idéal pour se rendre dans Bayswater Road. Changée de frontière en lieu de destination, la grille était alors festonnée de tableaux de toutes les couleurs, de tous les styles et talents. Peu lui importait que certains artistes fussent franchement mauvais, les paysages le plus souvent des pastorales boueuses sous des cieux sombres, les étoiles trop grandes. Peu lui importait que la lune fût trop bleue ou le modèle nu un laideron. Parmi ces croûtes, elle trouvait toujours une œuvre valable et lorsqu'elle la repérait, elle avait l'impression d'avoir découvert un secret unique.

Cela faisait des années qu'elle n'avait pas passé là un dimanche après-midi. Pas depuis la « malheureuse affaire » avec George. À présent, les dimanches semblaient remplis des corvées non accomplies du reste de la semaine : lessive, dictées et, pareille à un triste naufrage, la vaisselle abandonnée dans l'évier. Pour une fois, elle allait s'apitoyer un moment sur son sort (après tout, n'était-ce pas son anniversaire ?) lorsque, à sa grande joie, elle remarqua qu'un des marchands en plein air commençait à fixer des toiles à la grille. Un plaisir inattendu en cet humble mercredi. Intriguée, elle pressa le pas et tomba sur une série d'aquarelles des rues de Londres, d'ennuyeux chromos pour touristes. Elle ne les en examina pas moins, jouant nonchalamment à reconnaître les lieux représentés. Le marchand lui pressa dans les mains une esquisse des Maisons du Parlement, mais Juliet était distraite. À une cinquantaine de mètres d'elle, un jeune homme calait des toiles contre le bas des barreaux. Elle s'approcha et s'arrêta devant le portrait d'une fillette aux cheveux bruns coupés court. Le soleil qui entrait par la fenêtre ouverte illuminait son ample jupe jaune. Les jambes repliées sous elle en une pose enfantine, la fille était absorbée dans la lecture d'un livre. Le tableau vibrait. On aurait dit que l'artiste avait capté des poignées de lumière matinale et les avait répandues sur la toile. Comment était-il parvenu à les y fixer ? Juliet regarda par terre, s'attendant presque à voir des flaques de soleil à ses pieds.

« Je l'intitulerai "Privilégiée au repos" », dit une voix.

Se retournant, Juliet vit vraiment le peintre pour la première fois. Il avait la peau blanche d'une personne confinée le plus souvent dans un intérieur et il dégageait une légère odeur de térébenthine. La cigarette pendue à ses lèvres, il avait un air de décadence étudiée. Il portait un jean délavé déchiré au genou et artistement taché de peinture.

« Non, répliqua Juliet. Il s'appelle "Étude de lumière". »

Elle sentit que l'inconnu l'examinait de ses yeux plissés pareils à des boîtes à lettres. Le feu qui monta à ses joues lui fit presque regretter d'avoir parlé. Pourtant elle avait eu raison. Quelles qu'aient été ses intentions, le peintre n'appartenait pas à l'école dite du *kitchen-sink*, de l'évier. Une fois créé, le tableau s'était mis à vivre sa propre vie, indépendamment du pinceau de l'artiste. Si celui-ci ne s'en était pas rendu compte, quelqu'un devait le lui dire. Toutefois, l'air sévère de l'homme fit place à un grand sourire blanc et Juliet s'aperçut qu'il était très jeune – pas plus de dix-neuf ou vingt ans. Sans doute était-il encore étudiant.

« Bon, d'accord, si vous y tenez », dit-il en hochant la tête et en levant les mains comme si on l'avait surpris en train de voler des pommes. Je voulais trouver un titre original. Eh bien, c'est raté, n'est-ce pas ? »

Juliet lui rendit son sourire. « En effet. Désolée. Mais le tableau est magnifique. »

Malgré son attitude nonchalante, le jeune homme rosit jusqu'aux oreilles. Juliet examina la signature sur la toile.

« Charlie Fussel ? C'est vous ? »

En réponse, l'autre lui tendit la main. Lorsqu'elle la serra, Juliet sentit les cals de sa peau. Une paume de peintre.

« Juliet Montague.

— Enchanté de faire votre connaissance, mademoiselle. » Comme Charlie retenait ses doigts un peu trop longtemps, Juliet les retira d'un geste ferme et ramena ses mains à l'abri de la courroie de son sac. Elle soupçonna son interlocuteur de se moquer d'elle et de ses manières guindées de petite-bourgeoise.

« Je suis… » Elle faillit dire qu'elle était mariée quand elle se rappela que ce n'était pas tout à fait vrai. De toute façon, en quoi cela pouvait-il intéresser ce garçon ?

« Quel est le prix de ce tableau ? demanda-t-elle après s'être éclairci la voix.

— Vingt et une guinées. »

Juliet sentit la Bayswater Road devenir silencieuse comme si quelqu'un venait de soulever l'aiguille d'un gramophone et que le disque continuait à tourner sans bruit. Elle avait la bouche sèche, sa langue collait à son palais. Vingt et une guinées. Juliet n'aimait pas la notion de destin. La chance était une chose dont il fallait se méfier. Elle menait au jeu, à la mise au clou par George de son manteau de fourrure et de ses boucles d'oreilles, un cadeau de Hanoukka. Bref, à toutes sortes de désagréments. Pourtant il était clair que ce tableau lui était destiné. Elle avait essayé d'être sérieuse, raisonnable, de faire ce que l'on attendait d'elle. Elle avait essayé de désirer un frigidaire neuf et de ne vivre que pour ses enfants hirsutes, quoique bien élevés. En vain. Elle voulait cette toile. À la différence d'un stupide frigo, il s'agissait là d'un véritable cadeau d'anniversaire.

« Je le prends », dit-elle dans un murmure.

D'une main tremblante, elle chercha son porte-monnaie dans son sac sans remarquer que Charlie écarquillait les yeux, stupéfait qu'elle acceptât ce prix exorbitant. N'ayant encore jamais acheté de tableau, elle ignorait qu'elle était censée marchander.

« Pouvez-vous me l'emballer ?

— Je ne le vends pas. »

Pareil à de la sueur, un filet de colère coula le long du dos de Juliet.

« Si vous voulez plus d'argent, vous tombez mal. Vingt et une guinées, c'est toute ma fortune et je devais l'employer à acheter un frigidaire. »

Charlie éclata de rire. « Un frigidaire ? Vous croyez qu'une œuvre d'art et un appareil ménager sont interchangeables ? Dans ce cas, pas question que je vous la vende. »

Juliet suçota sa lèvre et fronça les sourcils. S'agissait-il là d'un jeu qu'elle saisissait mal ?

« Ce n'est pas ce tableau-là que vous voulez. »

Juliet continua à se taire.

« Ce que vous voulez, c'est votre portrait. Je peux l'exécuter pour le même prix. »

Juliet regarda le jeune inconnu, se demandant s'il la taquinait, mais il l'examinait sérieusement, la tête penchée de côté comme s'il choisissait déjà la couleur qu'il utiliserait pour ses lèvres, ses yeux. Oserait-elle ? Elle se rappela le mur vide de sa petite maison encombrée de Chislehurst et, pour la millième fois, elle se dit qu'elle aurait fini par pardonner à George s'il n'avait pas emporté son portrait. Dans celui qu'elle avait devant elle, la fillette lisait son livre, indifférente à son agitation.

« Je voudrais vous peindre. Vous avez une tête intéressante. »

Juliet se mit à rire. Elle se rendait bien compte qu'on la flattait. Elle ferma les yeux et leva son visage vers le soleil de l'après-midi, consciente que le jeune homme la regardait avec une curiosité de peintre, déchiffrant ses traits comme s'il se fût agi d'un rébus. Elle se surprit à aimer cet examen. Après la « malheureuse affaire » avec George, les rabbins l'avaient condamnée à être la veuve d'un mari vivant. George était celui qui avait disparu, mais, à sa grande consternation, elle découvrait que c'était elle qui, peu à peu, disparaissait. En ce jour de son trentième anniversaire, elle décida qu'elle voulait quelque chose de plus qu'un vulgaire frigo, davantage même que des portraits de jeunes filles lisant au soleil. Juliet Montague voulait être vue.

Le vendredi soir trouva Juliet assise avec sa mère dans la cuisine, le regard fixé sur la tour instable d'assiettes sales empilées à côté de l'évier. Pas question de les laver. On ne devait pas y toucher avant la fin du sabbat. Faire la vaisselle, c'était un travail, or travailler était interdit. Fumer était tout aussi tabou. Juliet avait très envie d'une cigarette, mais Mrs Greene aurait eu des palpitations si sa fille avait osé frotter une allumette.

Depuis le séjour, Juliet entendait son père expliquer pour la énième fois à Leonard pourquoi ils ne pouvaient aller jouer avec son train électrique Hornby dans la chambre d'amis. Grâce à cette passion commune, Mr Greene semblait voir dans son petit-fils de huit ans le fils dont il avait toujours rêvé. Ensemble, ils passaient des heures à changer les signaux, à poser de nouvelles voies et à repeindre les locomotives. Les vendredis, toutefois, étaient problématiques. Quel intérêt avait-il à être chez ses grands-parents s'il ne pouvait faire rouler ses trains ? se demandait le garçon. La patiente explication de son grand-père, à savoir que déplacer des objets était un travail, n'arrivait pas à le convaincre. Tout ce qu'il en concluait, c'était que Dieu n'aimait pas les transports publics.

Juliet se croyait responsable de la perplexité de son fils. Peu après son mariage, elle avait découvert qu'elle n'avait pas envie de respecter les règles de la cacherout chez elle. La première fois où, par erreur, elle avait mangé des fraises à la crème dans un bol réservé à la soupe de poulet, elle avait, selon le rite, enterré le récipient au fond du jardin. La deuxième fois, elle l'avait rincé et rangé dans le placard. Il n'y avait eu aucune conséquence fâcheuse, mais elle s'était sentie un peu coupable. À la troisième infraction, elle n'avait même pas eu de remords. Pour finir, elle avait changé les coutumes juives – un service pour les laitages, un autre pour la viande – en coutumes bourgeoises – un service pour tous les jours, un autre pour les grandes occasions. Après cela, comment s'étonner que Leonard fût désorienté ?

Juliet promena son regard autour de la cuisine de sa mère : une minuscule cuisinière pourvue d'une seule plaque électrique, un four vétuste qu'il fallait cajoler (ce que faisait Mrs Greene) ou traiter à coups de pied (ce que faisait Juliet), des rideaux que Juliet, enfant, avait connus vert et jaune et qui étaient à présent d'un gris délavé. La soirée était fraîche et limpide, une rangée d'étoiles cloutait le ciel, une brise agitait les feuilles du pommier. Pourtant les deux femmes restaient dans la cuisine étouffante, la porte de derrière fermée, buvant du thé trop fort, sans lait, par la force de l'habitude.

« Allons nous asseoir un moment dans le jardin, maman.

— Il vaut mieux pas. »

Sans fournir d'explication, Mrs Greene resserra son étreinte autour de sa tasse. Juliet se rembrunit. Pour la première fois depuis des années, elle voyait clairement la maison paternelle. La cuisine était sombre, elle sentait la vaisselle sale et la vieille soupe. Juliet avait envie de s'asseoir sous les étoiles et de respirer un air pur et frais.

« Allez, viens. On sera très bien dehors.

— Ton père n'a pas encore réparé le banc.

— Il ne le réparera jamais. Nous pouvons nous asseoir sur les marches.

— Oh, non ! Ça fait vulgaire. »

Pour cacher son irritation, Juliet s'approcha de l'évier et ajouta sa tasse au reste de la vaisselle. Mrs Greene se racla la gorge, signe qu'elle était tendue. « Ton père croit qu'il est parti en Amérique. C'est ce que font beaucoup d'entre eux. »

Juliet ne répondit pas. Par une si belle soirée, elle refusait de penser à George. Prenant le silence de sa fille pour une marque de tristesse, Mrs Greene lui saisit la main. « Ne t'inquiète pas, ma chérie. Nous le retrouverons cette année. Nous réglerons cette malheureuse affaire une fois pour toutes et tu pourras te remarier. »

Baissant les yeux, Juliet s'aperçut que la chair de poule avait envahi ses bras. Pourtant, elle n'avait pas froid.

Un mois plus tard, Juliet se trouva assise sur un grand canapé défoncé dans un lumineux appartement mansardé – non, pardon, un *atelier*, comme Charlie ne cessait de le lui rappeler.

« Je veux ce jeu de cartes sur la table, il est symbolique, dit le peintre de ce ton irrité que prenait Leonard quand il refusait de manger ses épinards.

— Symbolique ? Pas pour moi. Je n'y joue jamais. »

Charlie sortit de sa bouderie pour regarder son modèle d'un air surpris.

«Vous ne jouez pas aux cartes ? Tout le monde aime les cartes.

— Eh bien, pas moi, trancha Juliet. Je les déteste et je n'en veux pas dans mon tableau. »

Étonnée par sa véhémence, elle regretta d'avoir trahi une trop grande part de sa personnalité. Elle essaya d'adoucir son éclat par un sourire, comme si elle avait plaisanté. « Puisque je vous paie la somme princière de vingt et une guinées, j'ai mon mot à dire, non ? Quelle mégère je fais ! Je suppose que les riches se conduisent tous comme moi. »

Charlie éclata de rire. Juliet ferma un instant les yeux, de nouveau frappée par la jeunesse du peintre et un peu effrayée par sa propre audace. En fait, elle était censée travailler, répondre au téléphone et remplir des bons de commande pour des verres de lunettes chez Greene et Fils, opticiens. Le « fils » n'existait pas. Juliet était enfant unique, mais Mr Greene lui avait assuré que les mots « et fils » évoquaient une affaire de famille bien établie. N'empêche, chaque fois qu'elle voyait l'enseigne, son cœur se serrait à la pensée qu'elle avait déçu son père dès sa naissance. Cet après-midi, au lieu de s'asseoir avec les autres secrétaires (appelées « les filles », bien que Juliet fût la seule à avoir moins de cinquante ans), elle avait prétexté un rendez-vous chez le dentiste. Incapable de décider si c'était un sentiment de culpabilité ou de libération qui emballait son cœur et la faisait transpirer sous les aisselles, elle avait pris le train pour Londres et cherché ce modeste appartement – pardon, *atelier* – à Fitzrovia.

« Pour l'équilibre de ce tableau, il me faut un objet sur la table, une touche de couleur. » Charlie s'éloigna de la toile placée à côté de la fenêtre pour visualiser la composition.

Juliet promena son regard autour de la pièce. Des tableaux couvraient les murs, les portes, la bibliothèque – tout. Même le plafond mansardé était orné d'études au fusain représentant des baigneuses aux cuisses creusées de fossettes. Attachés avec des pinces, des aquarelles et des pastels pendaient telles des culottes de trois cordes à linge qui zigzaguaient entre les poutres basses. On n'y décelait aucune unité de style – l'appartement servait de repaire à plusieurs peintres et les œuvres étaient à différents stades d'exécution. Punaisées au mur, des marines à la gouache voltigeaient comme des papillons épinglés. Sur les espaces dégagés du sol, on voyait des planches lissées au rabot. Les étais du plafond avaient été dénudés de la même façon au papier de verre, puis chaulés. En dépit de son exiguïté, l'atelier était très lumineux. Juliet eut l'impression de voguer au-dessus de Londres dans un bateau blanc. Elle inhala l'odeur de térébenthine, de pigments et, par-dessous, celle, caractéristique, d'un vieil immeuble – une odeur de vies anciennes, de pétrole, de cire, de sueur, de fumée, de poussière et de termites. Jamais encore elle n'avait mis les pieds dans un endroit pareil. Il donnait une impression de tranquillité, de calme activité, ce qui l'emplissait d'un contentement muet.

« C'est ça ! Voilà l'expression que je veux ! cria Charlie. Zut ! Elle a disparu. Vous avez souri. Bon, ça ne fait rien. Je m'en souviendrai. »

Juliet s'étendit sur le canapé, remonta ses pieds gainés de bas et regarda Charlie sortir des pinceaux et une palette d'aquarelle. Elle fronça les sourcils, mais hésita à protester. Puis elle se souvint des vingt et une guinées.

« Non merci, dit-elle, je ne veux pas de portrait à l'aquarelle. Ces roses et ces jaunes pâles, ce n'est pas moi. Il me faut de la peinture à l'huile, des couleurs tranchées.

— J'allais simplement m'en servir pour une esquisse, mais si cela vous contrarie à ce point, j'y renoncerai. » Charlie coinça un pinceau derrière son oreille et étudia de nouveau son modèle. « Vous peignez aussi, je suppose ? »

Juliet eut un petit rire. « Non, je ne suis pas peintre. Je suis voyante.

— Pardon ?

— C'est un don. Certaines personnes sont capables de faire des mots croisés en dix minutes ou de confectionner un strudel aux pommes parfait. Je ne sais ni peindre ni dessiner, mais je vois les tableaux, je les vois vraiment. Ce n'est pas un talent très utile et ma mère comme mes enfants préféreraient que je réussisse mieux mes strudels. »

Les sourcils froncés, Charlie continuait à la dévisager. Juliet soupira et essaya d'expliquer.

« J'ai toujours adoré les musées. Sans cesse je suppliais ma mère de m'y emmener, mais c'est seulement à l'âge de dix ans que je me suis rendu compte que j'avais une perception différente de celle des autres enfants. À l'école, on nous avait demandé de dessiner notre jouet préféré. La maîtresse voulait sans doute quelques jolies images pour égayer les murs de notre salle de classe plutôt austère. Je ne me souviens plus de mon dessin. Je sais qu'il n'était pas très bon. Ensuite, nous avons exposé nos œuvres. Toutes étaient médiocres, sauf une. Le lapin d'Anna. Je n'avais d'yeux que pour lui. M'apercevant que mes camarades lui accordaient à peine un regard, j'ai eu une sorte d'illumination. À la différence d'Anna, je n'avais aucun talent artistique, mais je savais le détecter chez les autres. »

Son estomac gargouilla. Tendue comme elle l'était, elle n'avait presque rien pris au petit déjeuner, et il était presque treize heures trente.

« Vous auriez quelque chose à manger ? »

Du menton, Charlie désigna la cuisine rudimentaire, un évier encombré de pinceaux et d'une bouilloire solitaire. « Il doit y avoir des pommes. »

Déchaussée, elle traversa la pièce, contournant les piles de papier et les tableaux. Sur un buffet délabré était posé un compotier rempli de granny-smith. Parmi le bois blanchi et les autres tons subtils du décor, elles semblaient être du vert cru d'un dessin d'enfant. Juliet s'empara du compotier et, après avoir expédié le jeu de cartes par terre, le posa sur la table.

« De la couleur, en voilà. D'ailleurs, c'est à cause d'une pomme que ma famille a immigré en Angleterre.

— Une pomme ? répéta machinalement Charlie, déjà absorbé par son travail. Repoussez vos cheveux derrière les oreilles. Bien. Vous pouvez continuer à parler, j'aime ça. »

Juliet se réinstalla sur le canapé et frotta distraitement le fruit sur sa jupe. Elle regarda Charlie préparer la toile, mélanger des couleurs, puis, à grands coups d'éponge, indiquer le triangle de lumière sur le plancher, le blanc-jaune du plafond. Tout en se rendant compte que Charlie ne l'écoutait pas vraiment, Juliet se mit à monologuer. D'une étrange façon, l'inattention du peintre l'apaisait. Elle pouvait dire n'importe quoi, des choses extravagantes, choquantes, voire obscènes – personne n'en saurait rien. Elle soupira. En fait, rien de ce qu'elle avait à raconter n'était susceptible de scandaliser un jeune étudiant. Si seulement elle avait un vilain secret à confier, un désir ou une histoire qui lui ferait écarquiller les yeux comme le rabbin lorsque Mrs Greene l'avait obligée, elle, à lui soumettre « l'affaire » avec George ! Le religieux était resté assis à enrouler sa barbe autour de son doigt jusqu'à ce que celui-ci devienne tout rouge. Fascinée, elle en avait perdu le fil de son récit. Elle eut un petit rire. Et si elle parlait de George à Charlie ? Trouverait-il sa disparition amusante ou simplement triste ?

« Racontez-moi cette histoire de pomme, dit le peintre.

— D'accord, acquiesça Juliet à la fois soulagée et déçue d'être dispensée de sa confession. Eh bien, nous avons quitté la Russie à cause d'une pomme. Ma grand-mère Lipshitz flirtait avec tous les garçons du village, mais, en fait, elle n'en aimait qu'un seul, un certain Cohen. Je préfère penser que son amour était partagé. Toutefois, cette partie de l'histoire est restée très vague. Un jour que je demandais à ma mère des éclaircissements sur ce point, elle m'a répondu que c'était là un détail sans importance. Ma mère n'est pas sentimentale pour deux sous. Quoi qu'il en soit, un jour grand-mère Lipshitz, alors âgée de douze ans, prenait le soleil dans un verger et taquinait les gamins qui jouaient au ballon sous les arbres. À un moment donné, la balle atterrit sur ses genoux et elle refusa de la rendre. Un des garçons – je précise qu'il ne s'agissait pas du fameux Cohen – essaya de l'amadouer. Il dit quelque chose comme : "Allez, sois gentille. Je te promets de t'épouser dès que possible." Ne perdant jamais une occasion de flirter, grand-mère Lipshitz répondit : "Si c'est là une demande en mariage, tu dois la faire dans les règles et m'offrir un cadeau." Le garçon cueillit une pomme et la lui lança, récitant la demande rituelle en hébreu. Le soir, de retour chez elle, grand-mère raconta l'histoire à mon arrière-arrière-grand-père, un sage rabbin. L'aïeul prit un air grave. Il consulta d'autres sages rabbins et tous tombèrent d'accord : ma grand-mère de douze ans et le garçon-qui-n'était-pas-le-Cohen étaient mariés. Ce dernier avait prononcé les paroles sacrées et offert le présent traditionnel que grand-mère avait non seulement accepté, mais mangé. Une seule solution : il devait divorcer d'elle. C'est là que ça se complique. Le garçon ne voulait pas en entendre parler. Il apparut qu'il avait aimé grand-mère Lipshitz en secret, convaincu qu'elle épouserait le Cohen. Il refusait de renoncer à elle. Ma grand-mère supplia, tempêta. Elle menaça de se laisser mourir de faim et de se couper les cheveux. Rien n'y fit. Cependant, le côté pratique des choses finit par l'emporter. Décidant qu'elle ne voulait pas vraiment faire une grève de la faim, grand-mère choisit de tirer le meilleur parti possible de la situation. Elle consentit à vivre avec le garçon-qui-n'était-pas-le-Cohen à condition qu'il l'emmène très loin, au-delà des mers, où elle ne serait pas obligée de voir tous les jours celui qu'elle aimait vraiment. Comprenant que c'était à son avantage, le mari accepta et le couple partit en Angleterre. Quelques années plus tard, le village natal de grand-mère subit des pogromes. Toute la famille Lipshitz et celle des Cohen furent assassinées. Pendant ce temps, de l'autre côté de la mer, grand-mère Lipshitz donnait naissance à sept enfants et s'installait dans une maison de Chislehurst. Je suis donc ici à cause d'une pomme. »

Et à cause d'un homme qui refusait de divorcer, se dit Juliet. Elle n'exprima pas cette pensée à haute voix, bien qu'elle se rendît compte que Charlie ne l'écoutait plus.

Pendant qu'il peint, Charlie entend la voix de son modèle comme si elle lui parvenait du fond de la mer. Il est absorbé par son travail. Des cheveux bruns aux reflets roux dus au soleil, des yeux ni tout à fait verts ni tout à fait gris. Elle essaie de rester immobile, mais le mouvement de ses orteils trahit son agitation. Son monologue bruisse à son oreille telle l'eau d'une fontaine. Juliet Montague. Charlie ne connaît aucune fille — ou plutôt femme — dans son genre. Elle ne ressemble pas aux sœurs de ses amis, membres de la bonne société, qui chuchotent très fort au téléphone dans l'espoir que tout le monde les entende. Elle est plus jeune que sa mère et très différente des partenaires de celle-ci au tennis avec leur tenue blanche et leurs éternelles récriminations au sujet de leurs domestiques. Il se rend soudain compte qu'il est en train de peindre une parfaite inconnue. Un assemblage de diverses parties : mains pâles, robe bleue, minuscule grain de beauté sur la joue gauche, lèvres bien arquées. Il la regarde encore et encore, essayant de la voir. Sur la table est posé un compotier plein de pommes vertes venues de Russie.

Des années plus tard, dans sa vieillesse, Charlie Fussel aperçoit ce tableau dans une galerie. Impatient de renouer des liens avec son modèle, il se dirige droit vers elle, mais, arrivé à sa hauteur, il est frappé par l'aspect pitoyable de sa propre personne. Quand il avait fait son portrait, Juliet était plus âgée que lui. Depuis, les rapports se sont intervertis : pour lui, le temps a passé, mais pas pour elle. Il contemple la jeunesse, celle de son sujet et la sienne, là-haut, sur la toile. Cela le remplit d'une mélancolie (à laquelle il s'attendait) et d'une irritation (qui le surprend). Il se rend compte que dans une carrière étendue sur plusieurs décennies, il a peint son meilleur tableau au printemps de 1958, alors qu'il n'avait pas vingt et un an. Aucun de ceux qu'il a exécutés par la suite ne vaut cette femme brune au compotier de pommes.

L'été touchait à sa fin. Derrière la maison, le prunier avait laissé tomber brusquement une si grande quantité de fruits que Frieda et Leonard n'avaient pas eu le temps de les ramasser. À présent, à moitié pourries, les prunes répandaient une odeur douceâtre dans le jardin. En ce dernier vendredi de vacances, les enfants traînaient là, douloureusement conscients qu'une nouvelle année scolaire commençait le lundi. Ce dernier et précieux week-end leur paraissait aussi irrévocable que le dernier bonbon à un penny dans son tortillon de papier. Ils se rappelaient toutes les choses qu'ils avaient eu l'intention de faire en ces interminables semaines qui maintenant finissaient. Ils regrettaient de ne pas avoir appris à faire du vélo (Leonard) et de ne pas avoir économisé l'argent de poche pour acheter un joli cartable (Frieda). Le garçon se percha sur la balançoire que son grand-père avait fixée, de travers, à un arbre. Glissant d'un côté à l'autre du siège, il se balança paresseusement. Allongée sur le gazon, Frieda suçait en soupirant des morceaux de sucre chipés dans le garde-manger. Et s'il se cachait au fond du jardin, dans les anciennes toilettes converties en remise ? se demanda Leonard. Le trouverait-on et le forcerait-on à aller en classe ? Probablement, conclut-il. Il descendit de la balançoire et se faufila dehors par le portail latéral. Alors qu'il traversait le carré de gazon agrémenté de deux pots de fleurs qui passait pour un jardin de devant, il constata qu'une grosse camionnette essayait de se frayer un chemin dans l'étroite rue suburbaine, accrochant des bouts de rameaux et de feuilles dans son rétroviseur comme si c'était une boutonnière. Oubliant sa mélancolie, il grimpa sur le muret séparant le jardin du trottoir. À sa surprise, le véhicule s'arrêta juste devant lui. On ne livrait jamais rien aux Montague, contrairement aux voisins qui, eux,

26

réceptionnaient des paquets presque chaque semaine. Malade d'envie, Leonard les avait vus recevoir une télévision. L'appareil était si grand qu'il avait fallu trois hommes pour le porter jusqu'à la maison. Fermant les yeux et levant la tête vers le ciel, Leonard murmura la bénédiction que son grand-père récitait avant les repas, la transformant en une bénédiction précédant l'arrivée d'une télévision. Un coup de klaxon interrompit sa prière et sa mère apparut à la porte, les lèvres fardées d'un rouge aussi vif qu'une boîte à lettres britannique. Elle avait eu raison de se maquiller. Si lui, Leonard, avait su qu'on allait leur livrer une télé, il se serait peigné et aurait mis son pantalon du samedi pour l'accueillir.

Juliet descendit l'allée en courant. « Venez voir mon cadeau d'anniversaire, mes chéris ! » cria-t-elle.

Elle prit Leonard par la main et le traîna à l'arrière de la camionnette où deux grands gaillards hissaient une caisse plate sur leurs épaules. Leonard leur jeta un regard mécontent. Les télés, ça se maniait avec plus de respect que ça ! Intriguée par ce remue-ménage, Frieda, en chaussettes, vint les rejoindre.

À la suite des livreurs, Juliet fit entrer les enfants dans la maison. Frémissant d'impatience, Leonard se précipita dans le séjour où les hommes commençaient à défaire l'emballage. Frieda attendit sur le seuil, les mains enfoncées dans ses poches.

« Je croyais que c'était un frigo que tu voulais pour ton anniversaire. »

Juliet rougit. « Oui, c'est vrai, mais ensuite je me suis dit que c'était un cadeau affreux. »

Frieda et Leonard se turent. De toute façon, pour eux, les réfrigérateurs n'avaient vraiment rien de folichon. C'était le genre de choses « auxquelles il fallait prendre goût », comme disaient les adultes. Ils avaient donc eu raison depuis le début. Quand les livreurs eurent ouvert la caisse, la petite famille s'approcha.

« Oh ! s'exclama Frieda, ça, c'est drôlement plus chouette qu'un frigo ! »

Après un moment de vive déception, Leonard fut saisi d'émerveillement. Il comprit que sa mère avait fait quelque chose d'inattendu, quelque chose d'extraordinaire que sa grand-mère désapprouverait. Il examina la femme couchée dans la caisse : sa mère transformée en une sorte d'inconnue familière. Il se tourna vers elle. La tête inclinée de côté, elle regardait son alter ego. Elle aussi lui parut être une étrangère.

Juliet s'agenouilla, sortit le portrait de son emballage, puis après avoir enlevé ses chaussures, grimpa sur le buffet et accrocha le tableau au mur.

« Il est droit ? demanda-t-elle.

— Non, répondit Frieda. Il penche vers la gauche. »

Juliet sauta à terre et se plaça entre ses enfants. « Vous vous souvenez de l'autre toile accrochée ici autrefois ? »

Leonard secoua la tête.

« Je crois que oui, dit Frieda. Elle représentait une fille.

— C'était moi. »

Oui, c'était moi, pensa Juliet, et en quelque sorte, George m'a volée en partant.

Lorsque l'occasion s'en présentait, Leonard aimait décrire la mort de son père. Il en avait plusieurs versions, plus tragiques les unes que les autres. Il savait toutefois que son père n'était pas vraiment mort, qu'il était simplement parti et *ne-reviendrait-jamais-dans-cette-maison-que-Dieu-me-protège*. Il entendait les commentaires des adultes quand ceux-ci le croyaient hors de portée de voix : « George Montague est un salaud », « un bon à rien », « un lâche ». Il ne se souvenait même plus de son apparence. Parfois, avant de s'endormir, il voyait l'image d'un homme de haute taille. Était-ce bien son père ? Pas moyen de vérifier : il n'existait pas, ou plus, de photos de lui.

Une semaine après l'arrivée du portrait, Leonard se glissa dans la chambre de sa mère, sortit du fond du placard la boîte à chaussures qui contenait les photos et la vida par terre. Il avait déjà fouillé maintes fois dans cet amas hétéroclite, mais n'y avait trouvé que des instantanés sur lesquels on voyait sa mère à côté d'un trou découpé aux ciseaux. « Lune de miel à Margate. George et Juliet, 1947 », lisait-on derrière le cliché. Il n'y avait pourtant aucun George, seulement un vide à travers lequel le garçon apercevait le motif du tapis. Il n'eut pas plus de chance ce soir-là. Avec un soupir, il rangea les photos, se demandant pourquoi sa mère les gardait et pourquoi, lui, il continuait à les regarder. Soudain, il remarqua pour la première fois un bout de papier coincé dans le rebord du couvercle. Il jeta un coup d'œil par-dessus son épaule. La porte était fermée. D'en bas montaient les roucoulements d'une speakerine de la radio.

Il sortit le papier :

Certificat de naturalisation
George Montague anciennement Molnár György

Il comprit aussitôt la signification de ce mince morceau de papier : son père était un espion. En réalité, il ne s'appelait pas George Montague, c'était juste l'une de ses identités. Ce document prouvait que Molnár György, alias George Montague, les avait quittés contre son gré. Il avait sûrement protesté. Leonard imagina l'homme élancé de son rêve en train de déclarer à son supérieur hiérarchique : « Cela m'est impossible. Non, je ne veux pas abandonner mon fils... ou... ma femme. » La discussion se prolongea dans la tête de Leonard, mais, pour finir, il vit son père céder. George Montague essuya une larme et murmura : « C'est le pire sacrifice qu'on puisse demander à un homme. Dans toute ma carrière, je n'ai jamais pensé qu'un jour je serais obligé de le faire, mais, bon, j'obéirai. Pour l'amour de la Reine, de ma patrie et de mon fils Leonard. »

Leonard remit le papier à sa place et rangea la boîte dans le placard. Lorsqu'il redescendit, il trouva sa mère occupée à plier des chemises qu'elle venait de repasser. Elle avait l'air beaucoup moins heureux que sur son portrait, se dit-il. Dans le tableau, ses lèvres ébauchaient un sourire malicieux, celui qu'elle avait quand elle détenait un bon gros secret, un secret qu'elle ne voulait pas partager, du moins pas tout de suite.

Comment la maison de ses parents pouvait-elle contenir autant de monde ? se demanda Juliet. Elle comprenait à présent qu'ils avaient pu jadis s'entasser dans les *shtetls*, dormant à dix dans une chambre. Le jardin était encore plus animé. Les oncles Jacob et Sollie Greene s'efforçaient de consolider le côté gauche de la *sukkout* qui menaçait de s'effondrer. Quant aux oncles Lipshitz, ils escortaient une troupe d'enfants, les faisant entrer dans la hutte, puis ressortir, comme s'ils les entraînaient pour un embarquement à bord de l'arche de Noé. La construction de feuillage branlante offrait un spectacle bizarre, plantée là, au milieu du carré de gazon du 26 Victoria Drive. Elle formait une masse d'éléments sauvages : branches tortueuses de saule et de noisetier, morceaux de plantes grimpantes, jeu frénétique des enfants. Comme s'ils sentaient une bouffée de primitivisme, ceux-ci galopaient et criaient.

« Dieu ! Quel vacarme ! se plaignit Mrs Greene. Tiens, prends ces plateaux. Peut-être qu'un peu de nourriture va les calmer. »

Emportant les plats de poissons frits, de harengs marinés et les paniers remplis de *challah* dorée, Juliet s'approcha de la hutte, passant à côté d'oncle Ed qui, des branches de noisetier sur la tête en guise de ramure, poursuivait des gosses autour de la plate-bande, oublieux de ses rhumatismes. Pendant la plus grande partie de l'année, ces gens ne mettaient pas le nez dehors. Par très beau temps, ils allaient faire un tour dans le parc, mais ils préféraient de loin rester assis dans leur confortable séjour, une bonne boisson chaude à la main. Une belle journée pouvait être admirée par la fenêtre et, d'habitude, un pot de géraniums satisfaisait amplement leur besoin de nature. Mais ce soir, tout semblait différent. Juliet recula pour éviter d'être embrochée par la fausse ramure d'oncle Ed ou piétinée par un Leonard rouge et essoufflé.

« Comment allez-vous, ma belle ? »

Se tournant, Juliet aperçut Mrs Ezekiel. Elle alignait sur un plat des courgettes farcies débordantes de viande.

« Très bien, merci. Et vous ?

— Je ne peux pas me plaindre. Mais vous, vous êtes si courageuse ! Nous pensons tous que vous vous en sortez merveilleusement bien. »

Juliet resta silencieuse. Elle s'était résignée depuis longtemps à alimenter la conversation des femmes au même titre que le prix des côtelettes d'agneau et de la longueur des sermons de Rabbi Weiner.

« Ah, Brenda, j'étais justement en train de dire à Juliet combien nous l'admirons, cria Mrs Ezekiel à une femme engoncée dans un manteau d'hiver.

— Oui, elle est exemplaire », répondit Mrs Brenda Segal. Elle s'approcha et posa un plat sur la table. « J'ai dit à ma fille Helen d'arrêter de se plaindre du travail que lui donnent ses jeunes enfants. Toi, au moins, tu as Harold, quels que soient ses défauts, lui ai-je rappelé. Pense à cette pauvre Juliet Montague… » Elle commença à trancher la grosse langue grise étalée sur le plat. « Mes filles sont toujours en train de geindre. Et cela sans raison. Sans aucune raison.

— Elles sont trop gâtées. C'est pareil pour ma Sarah. Elle ne se rend pas compte à quel point elle est privilégiée.

— Oui, c'est terrible », acquiesça joyeusement Mrs Segal.

Les deux femmes sourirent à Juliet, la tête penchée de côté tels des pinsons. Juliet était lasse de leur pitié, douceâtre comme du massepain. Elle se surprenait à désirer une bonne dose de réprobation à l'ancienne mode.

«Veuillez m'excuser, dit-elle en prenant la fuite à travers la pelouse. Frieda! »

Les joues en feu, sa fille s'approcha d'elle à contrecœur.

« Qu'y a-t-il? Je suis occupée.

— Mets ton manteau, ma chérie. Dès que tu arrêteras de courir, tu auras froid. Ne fais pas cette tête. Allez, file le chercher. »

Frieda se précipita dans la maison et Juliet s'appuya contre la clôture, savourant ce moment de solitude. Peut-être pourrait-elle rester dans l'ombre le reste de la soirée? Les enfants s'amusaient, c'était l'essentiel. Si elle ne bougeait pas, si elle ne regardait personne, il y avait des chances pour qu'on la laissât tranquille. Elle marmonna une prière entre ses dents.

« Salut, Juliet. Tu es très en beauté ce soir.

— Merci, John. »

Autrefois, John Nature avait été la coqueluche de la communauté – yeux bleus, beau visage, sourire irrésistible. Dix ans plus tôt, il avait obtenu la troisième place au championnat amateur de lutte, une prouesse qui avait fait trembler bien des genoux. Depuis, la ligne ferme de sa mâchoire avait été gâtée par une décennie de toasts tartinés de *schmalz* et de gâteaux de *lockshen*. À présent, il ne luttait plus qu'avec la boucle de sa ceinture. Toutefois, ses yeux étaient restés bleus. Il tourna vers Juliet un regard pétillant de malice.

« Tu as des gosses superbes. Rien d'étonnant à ça : ils sont de toi, après tout. »

Avant qu'elle ne rencontre George, John l'avait invitée plusieurs fois à sortir avec lui, mais elle avait toujours refusé. Comme elle le savait, il était convaincu qu'elle le regrettait. C'était typique de ce genre d'homme. À présent, il lui accorda un de ses fameux sourires agrémenté d'un clin d'œil.

« Quelle agréable soirée, n'est-ce pas? dit-il. C'est merveilleux d'être ainsi entouré de sa famille. De ses amis. De jolies femmes. »

Juliet était habituée aux flirts charitables des maris de Chislehurst. Ils aimaient penser qu'ils lui faisaient une *mitzvah*, mais ils restaient toujours un peu inquiets, comme si, privée de sexe comme elle l'était, elle allait leur sauter dessus. Même John, malgré ses sourires, gardait ses distances pour le cas où sa proximité physique lui fît perdre la tête, à elle.

« Il paraît que ta femme a confectionné son fameux gâteau à la cannelle, dit-elle.

— Ah oui. C'est un vrai cordon-bleu, ma moitié. Et aussi ma perte, hélas ! » John se tapota la bedaine avec affection. « Et toi, qu'as-tu apporté de bon ? Je parie que tu es une cuisinière hors pair.

— Je crains que non. C'est là ma perte à moi. »

Juliet parlait si sérieusement que John s'assombrit et elle comprit qu'il se demandait si son manque de talent dans ce domaine avait causé la « malheureuse affaire » avec George. Elle sourit pour lui indiquer qu'elle plaisantait. Soulagé, il éclata de rire.

« Quelle importance si une belle femme ne sait pas cuisiner ? Les restaurants ne sont pas faits pour les chiens. »

Juliet ne répondit pas. John savait parfaitement qu'elle ne pouvait entrer dans un restaurant en compagnie d'un homme. Une femme enchaînée devait rester chez elle. Elle imaginait le scandale si on la voyait partager un schnitzel avec un homme autre que son mari. Elle voulut sourire, mais s'en trouva incapable. Elle se surprit à penser à Charlie Fussel. Il n'était pas conscient d'une tare, lui. Elle n'avait pas mentionné George, mais, même si elle l'avait fait, cela n'aurait rien changé à son attitude. Charlie Fussel ne lui parlerait pas avec la prudence de ces bonshommes, secrètement ravis – si gros, si chauves ou si ennuyeux fussent-ils – d'être devenus irrésistibles à ses yeux. Il ne l'examinerait pas pour essayer de découvrir en elle le défaut caché qui avait fait fuir son mari.

On passa enfin à table. Juliet attendit que tous les convives fussent installés avant de s'emparer de la dernière chaise vide, sinon les invités n'auraient pas voulu s'asseoir à côté d'elle : les femmes pour l'éviter, les hommes parce qu'ils avaient peur d'elle et encore plus des commentaires de leurs épouses. Plongée dans le vacarme ambiant, elle mangea en silence. De temps à autre, oncle Sollie lui adressait un clin d'œil et son père lui souriait en soupirant.

Après le repas, les femmes se rendirent en cortège à la cuisine, emportant les reliefs du festin. Il ne vint à l'esprit de personne que les hommes auraient pu donner un coup de main. Au lieu de cela, ils s'attablèrent dans la *sukkout* autour d'une bouteille de schnaps que Mr Greene versait dans des gobelets de la taille d'un coquetier épousseté spécialement pour leur emploi annuel.

Les enfants se rassemblèrent à l'autre bout de la hutte, les petits par terre, les grands assis sur des chaises, jouant aux adultes.

Leonard s'allongea sur l'herbe humide et regarda le ciel à travers le treillis du feuillage. Tamisées par les lumières de la ville, les étoiles luisaient telle une torche électrique sous une couverture. Il lécha la graisse qui enduisait son palais et ferma les yeux, enveloppé dans le bavardage des autres.

« Elle est drôlement bien faite, cette *sukkout*. » Un garçon frêle s'assit à côté de lui et tapota les murs de toile de la hutte tel un inspecteur du bâtiment. Sa peau blanche criblée de taches de rousseur lui avait valu le surnom peu flatteur de « Cornflake ».

« Merci. » Leonard se souleva sur un coude. « C'est moi qui l'ai montée. Enfin… grand-père m'a un peu aidé. »

Kenneth, du numéro 24, se glissa entre eux. Leonard ne l'aimait pas. Ce garçon préférait *The Banana Bunch* à *Dan Dare*, impossible, donc, de lui faire confiance. Le léger duvet qui ombrait ses lèvres lui donnait une grande assurance.

« Et ton père ? demanda-t-il. Il t'a pas aidé ? »

Leonard enroula un brin d'herbe autour de son index. « Tu sais bien qu'il est mort.

— Ah oui, c'est vrai. De quoi est-il mort, déjà ? »

Leonard aurait pu répondre : « D'une maladie » ou « D'un accident », mais il n'en fit rien. À la rigueur, il supportait le sourire stupide de Kenneth, mais pas le regard curieux, empreint de sympathie, de Cornflake. Leonard Montague, fils de George Montague, espion et aviateur reconverti en détective, refusait la pitié d'un Erick « Cornflake » Jones.

« Mon père était pilote…

— De quel genre d'avion ?

— D'un Spitfire Supermarine, se hâta de répondre Leonard. C'était un héros de la guerre. Tu peux vérifier si tu veux. »

Retenant son souffle, il lança à Kenneth un regard noir, le mettant au défi de le contredire. Il y eut un moment de flottement, puis Kenneth haussa les épaules.

« Après la guerre, on l'a gardé comme aviateur détective, reprit Leonard. Il n'est pas vraiment mort. Il accomplit des missions secrètes d'importance nationale. Il a sauvé d'autres agents. Des Bulgares. C'est pour ça qu'il n'est pas ici. Ce serait dangereux pour lui.

— Merde ! C'est ce foutu Biggles ! rugit Kenneth. Leonard prend Biggles pour son père !

— C'est pas vrai ! » cria Leonard, essayant de couvrir la voix du garçon, mais les autres enfants s'étaient retournés et leur rire était aussi contagieux que la coqueluche. « Pas vrai ! Pas vrai ! Pas vrai ! » continuait-il à protester pour s'empêcher de pleurer, mais des larmes lui piquaient déjà les yeux comme s'il pelait un oignon.

« Fiche-lui la paix. Notre père est mort. »

À sa surprise, Leonard vit sa sœur se pencher au-dessus de Kenneth, une main sur la hanche, ses yeux lançant des éclairs. Une harpie à nattes.

« Tu es un voyou, Kenneth Ibbotson. Arrête de fourrer ton grand vilain nez dans les affaires des autres. »

Kenneth avait un peu peur de Frieda. Elle avait trois ans et dix centimètres de plus que lui et, surtout, c'était une fille. Cependant, il avait lu *Biggles détective aviateur* par un dimanche pluvieux, quelques semaines plus tôt, et il était sûr de son fait.

« Il a dit que son père était détective aviateur. C'est pas un vrai métier, ça. Merde ! Il n'y a que ce foutu Biggles qui fasse ça. »

S'efforçant d'imiter Juliet, Frieda fronça le nez. « Si tu continues à sortir des gros mots, je serai obligée de le signaler à ta mère. D'ailleurs Leonard voulait simplement te taquiner, pas vrai, Leonard ? »

Trop malheureux pour parler, son frère se contenta de hocher la tête. Adoptant le ton mi-triomphant mi-indigné d'une maîtresse d'école, Frieda se tourna vers Kenneth.

« Tu vois ? Quand on se mêle de ce qui ne vous regarde pas, on obtient des réponses stupides. Bien fait pour toi. »

Des vagues de gratitude déferlèrent sur Leonard, douces et tièdes comme un bain moussant. Frieda s'approcha et lui posa la main sur l'épaule. L'ongle de son pouce s'enfonça dans son dos, signe qu'au fond elle était furieuse. Leonard savait que, plus tard, elle le giflerait, mais, aux yeux des autres, ils étaient solidaires. Il promena son regard autour de la *sukkout* et constata avec un soupçon d'inquiétude que les hommes s'étaient repliés dans la chaleur de la maison dont les lumières jaunes lui paraissaient à présent très lointaines. Trois des grandes filles interrompirent leur bavardage et tournèrent vers eux leurs têtes aux cheveux brillants. La plus jeune fixa Frieda de ses yeux malins, d'un bleu de bille de verre.

« Votre père est mort ? demanda-t-elle d'un ton mielleux.

— Oui, Margaret, répondit Frieda. Notre père est mort.

— Ce n'est pas ce que j'ai entendu. »

Leonard retint son souffle : il voulait à la fois savoir et ne pas savoir ce que Margaret avait entendu. Il scruta le minois de la fillette, son sourire de poupée.

« Moi j'ai entendu dire que *Juliet Montague est incapable de garder un mari.* »

Le rire semblable à une toux de coqueluche éclata de nouveau. Plus fort qu'avant, il se répandit parmi les enfants. Leonard sentit les ongles de sa sœur s'enfoncer dans son épaule. Malgré l'épaisseur de son manteau, ils devaient laisser des marques en forme de demi-lune.

« Ce n'est pas vrai, protesta Frieda dans un murmure. Tu n'es qu'une sale menteuse. »

Perplexe, Leonard fronça les sourcils. *Elle est incapable de garder un mari.* Ce n'était pas un secret. C'était une énigme. Frieda avait pourtant l'air de comprendre. Elle était devenue très pâle, plus pâle qu'au temps où elle avait eu la grippe et que le médecin venait tous les jours.

« Menteuse. *Menteuse.* »

Frieda lançait ce mot comme une malédiction. Margaret afficha son sourire de porcelaine et plissa son petit nez.

« La menteuse, c'est toi. Ton père n'est pas mort. C'est un voleur.

— Impossible.

— Je sais que c'est vrai. Lors de son départ, ton père devait cinquante livres au mien. Selon papa, ton père était "un artiste de l'arnaque". »

Leonard sentit la main de sa sœur trembler sur son épaule. Levant le bras, il la serra. Frieda lui retourna cette pression amicale. Elle semblait avoir oublié sa colère contre lui.

« Je ne te crois pas », déclara Frieda.

Comme si elle n'attachait aucune importance à cette discussion, Margaret haussa les épaules. « Si votre papa était mort, votre maman se serait remariée. Mais elle n'en a pas le droit, parce que son mari est toujours vivant. Votre mère est une…

— Tais-toi.

— Une…

— Tais-toi. Tais-toi, tais-toi, tais-toi.

— Une *aguna.* »

Leonard n'avait pas la moindre idée de ce que signifiait ce mot, mais il se rendit compte que sa sœur sanglotait dans son dos, faisant tressauter son propre corps au rythme du sien.

Il ne pouvait pas dormir. Ou plutôt, il ne voulait pas dormir car ses rêves se peuplaient alors d'énigmes insolubles. *Incapable de garder un mari. Voleur.* Son père était un espion à la double identité. Leonard en était sûr : il possédait le document qui le prouvait.

Enveloppé dans sa robe de chambre, il descendit à pas de loup dans le séjour et s'assit devant le portrait de sa mère. Elle souriait à quelqu'un, pas à lui. Il recula vers le canapé, mais il eut beau se pencher et se tortiller, elle refusait de le regarder.

Cinquante livres a dit mon papa. Leonard savait que son père était vivant. Pour quelle raison, alors, ne revenait-il pas ? S'il revenait, sa mère serait aussi heureuse que dans le tableau. *Tais-toi. Tais-toi. Un artiste de l'arnaque.*

Soudain tout s'éclaira pour lui. Il se leva, noua la ceinture de sa robe de chambre. Il savait enfin ce qu'il devait faire : trouver son père et lui expliquer qu'il était temps de rentrer. Cela n'avait d'ailleurs rien de difficile.

À sept heures moins cinq, Juliet sortit du lit. À sept heures, elle frappa à la porte de Leonard et entra dans la chambre. À sept heures trois, elle inspecta la salle de bains, la cuisine et le séjour où elle découvrit que son portrait par Charlie Fussel n'était plus sur le mur, mais par terre, contre le buffet. À sept heures six, elle demanda à Frieda si elle avait vu son frère. Ensemble, elles fouillèrent le jardin, la remise, l'armoire de l'entrée et l'emplacement des poubelles. À sept heures un quart, Juliet se rendit compte que Leonard avait disparu.

« Assieds-toi, ma chérie, et bois ça.

— Je n'ai aucune envie de boire du thé. Ce que je veux, c'est retrouver mon fils. Il a huit ans, maman. *Huit ans.* Et il est tout seul. Oh, mon Dieu ! Oh, mon Dieu ! »

Plantée devant la fenêtre de la cuisine, elle essayait de faire apparaître son fils par la seule force de sa volonté.

Mrs Greene redressa un torchon, essuya des traces de thé sur la table.

« Ils sont en train de le chercher. Ton père, tout le monde. Ils le trouveront, ma chérie. Cela prendra une heure ou deux, mais ils le ramèneront. Je te le promets. Leonard ne s'est pas évaporé ! »

Les deux femmes pensèrent au père de l'enfant, mais aucune ne prononça son nom.

Juliet allait et venait à côté de la fenêtre, incapable de s'en éloigner.

« Pourquoi Leonard se serait-il enfui ? Pourquoi ? »

Mrs Greene essaya de la faire asseoir mais, malade d'angoisse, elle l'écarta d'un geste de la main. Empennée avec des plumes rouges, la peur flottait devant ses yeux. Comme abrutie par un puissant alcool, elle ne parvenait pas à penser. Sa mère lui parlait, mais elle avait du mal à l'écouter.

« Nous étions assises ici quand son père a disparu… murmura-t-elle.

— Ne dis pas de bêtises. Leonard ne ressemble en rien à… »

Mrs Greene haussa les épaules. Superstitieuse, elle hésitait à prononcer le nom de George. « Il est simplement allé faire un tour et il s'est perdu. »

Juliet s'appuya contre le rebord de la fenêtre et psalmodia une incantation. « Faites qu'il ne lui soit rien arrivé ! Faites qu'il ne lui soit rien arrivé ! Si jamais Vous permettez qu'il lui arrive quelque chose, je me convertirai à ce foutu christianisme. »

Ne pouvant distinguer ces paroles, Mrs Greene se réjouit que, dans ce genre de circonstances, Juliet se tournât encore vers le Tout-Puissant. Elle s'inquiétait parfois pour l'âme de sa fille.

« Encore une lubie de Leonard, hasarda-t-elle. Tu le connais.

— Tu as raison, bien sûr. Mais je deviens folle quand je pense qu'il…

— Je comprends, ma chérie. Cesse de te tourmenter. »

Pour une fois, Charlie Fussel était matinal. En fait, il ne s'était pas encore couché. Après avoir passé un moment à une fête, il n'avait pas tardé à revenir à son atelier, las de voir les mêmes têtes, d'entendre les mêmes plaisanteries branchées. Elles l'avaient pourtant longtemps fait rire. À présent, il savait, plutôt qu'il ne sentait, qu'elles étaient drôles. Mais il ne put s'endormir. Assis dans l'obscurité silencieuse, il fuma cigarette sur cigarette, les yeux fixés sur les aquarelles pendues sur la corde à linge. Dans la pénombre, il n'en distinguait pas les sujets. Les rectangles de papier ressemblaient à des ailes sombres. Il se demanda si ses amis peintres se doutaient qu'il dormait parfois là. Probablement. Ils devaient d'ailleurs en faire autant, mais l'idée qu'ils puissent s'allonger dans cette pièce, sur ce canapé défoncé, l'irrita. Cette tasse tachée, cette fenêtre vide, le silence de la ville avant l'aube – tout cela n'appartenait qu'à lui.

Si le sommeil le fuyait, autant se mettre à peindre. Il avait très peu bu à la fête. Il détestait les artistes qui travaillaient ivres ou drogués – selon lui, c'était là une affectation d'amateur. Un peintre doit pouvoir maîtriser son pinceau au millimètre près. Mélanger les couleurs, préparer son pinceau, apprêter la toile lui procura un véritable plaisir physique. Si routinier fût-il, ce processus ne l'ennuyait jamais. Au contraire : il l'apaisait. Charlie n'avait qu'une idée vague, embryonnaire, du tableau qu'il voulait peindre, une ombre qu'il devait tirer au jour telle une poignée d'algues de la mer. Cette nuit, comme cela arrivait parfois, son pinceau le guida sur la toile. Le résultat était bizarre, différent de son style habituel. Plus abstrait, les personnages à peine esquissés. Les couleurs, toutefois, étaient plaisantes. Pouvait-il encore sauver cette œuvre ? Il fronça les sourcils. Dommage qu'il ne puisse consulter Juliet, se dit-il une fois de plus. Elle lui donnerait tout de suite la bonne réponse.

« Le mieux serait de peindre autre chose par-dessus. »

Ou bien : « Mettez le personnage du garçon en valeur, celui qui est au premier plan. C'est lui le sujet du tableau. »

Il n'avait plus peint de portrait depuis celui de Juliet et parfois il regrettait de le lui avoir vendu. Non, ce n'était pas vrai : il aimait imaginer son œuvre dans la maison de son modèle. Dans sa salle à manger. Une jolie pièce meublée dans le style colonial français et ornée d'un vase de… comment s'appelaient ces fleurs aux filaments semblables à des cils ? Des anémones. Sur la table, il y avait sans doute un vase de cristal rempli d'anémones rouges et mauves. Non, ça ne collait pas. Juliet n'exposerait pas son portrait aux yeux des autres. C'était une affaire privée. Elle devait considérer que ces jours où elle avait posé pour lui n'appartenaient qu'à eux deux. Content de sa déduction, Charlie sourit. Le portrait pendait dans sa chambre à coucher et nulle part ailleurs.

La veille au soir, Leonard avait été sûr de lui, mais, avec l'aube, son assurance s'estompait. La nuit, son expédition avait paru plus facile. Il n'avait eu aucun mal à prendre le premier train. Bien qu'aucun employé de la gare ne fût encore là pour le contrôler, il avait laissé au guichet le montant de son billet. Pendant un affreux moment, il avait cru qu'il n'arriverait pas à ouvrir la portière, mais à force de sauter en l'air, il y était parvenu. Il se blottit dans un coin du compartiment, essayant de passer inaperçu et se remémorant l'histoire qu'il raconterait à qui lui poserait des questions. *Je m'appelle John. Avec mes camarades de classe, je vais au musée, à Londres, voir les dinosaures. Pour être sûr d'arriver à l'heure, j'ai préféré être matinal.* Ce n'était pas très intéressant comme prétexte, mais après les démêlés qu'il avait eus la veille avec Kenneth, il voulait se montrer prudent. Finalement, personne ne lui adressa la parole. Il chassa l'idée que sa mère s'inquiéterait de sa disparition. Tout s'arrangerait lorsqu'il réapparaîtrait en compagnie de son père.

Leonard descendit à Charing Cross et s'installa sous un kiosque à journaux pour attendre. La gare était vide. Seuls deux clochards dormaient à l'entrée des toilettes pour hommes. Les bras autour de ses jambes repliées, Leonard suivit la paresseuse progression des aiguilles de l'horloge. Pas encore. Bulldog Drummond choisissait toujours le bon moment, celui où il avait le plus de chances de réussir. Pas question pour Leonard d'essayer de trouver son chemin dans le noir, et encore moins sans carte. Il devait patienter jusqu'à l'ouverture du kiosque dont l'auvent annonçait : « Confiserie, journaux, cartes touristiques », etc. L'aiguille des minutes avançait encore plus lentement que lors du dernier cours avant la fin des classes. Toujours trop tôt. Puis les premières lueurs du jour filtrèrent dans la gare, réveillant les pigeons qui se mirent à roucouler et à se mouvoir, agitant leurs vilaines ailes grises trop près de son visage. Il vérifia pour la centième fois qu'il avait toujours l'adresse dans sa poche. Il l'avait écrite de sa plus belle écriture, celle qu'il réservait aux lettres de remerciement et aux rédactions que leur faisait faire sa maîtresse, Mrs Staunton.

À six heures moins dix, un homme ganté de mitaines ouvrit le kiosque. Il monta le rideau de fer avec un bruit de crécelle. Leonard se leva, s'épousseta, s'éclaircit la voix.

« Je voudrais une carte touristique, s'il vous plaît. »

Le marchand de journaux jeta un coup d'œil par-dessus le comptoir. Apercevant Leonard, il sursauta.

« Hé, quel âge as-tu ? Comment se fait-il que tu sois seul ? »

Leonard se redressa de toute sa hauteur. « J'ai presque douze ans. Je sais, je suis un peu petit pour mon âge. C'est pas très gentil à vous de me le faire remarquer. »

N'étant pas très grand lui-même, l'homme haussa les épaules.

« Bon, d'accord. Quel genre de carte veux-tu ? »

Leonard sortit l'adresse de sa poche et la lui tendit. Le marchand la lut en remuant les lèvres.

« Ce qu'il te faut, c'est un *A à Z.* »

Leonard faillit demander de quoi il s'agissait, mais comme c'était le genre de chose qu'un garçon de douze ans était censé savoir, il se contenta de payer en silence. Son achat sous le bras, il se rendit à l'autre bout de la gare, espérant que le marchand de journaux l'oublierait.

Il sortit le livre du sac en papier et gémit. Une autre énigme. Remplie d'une sorte de gribouillis, la carte était encore plus difficile à déchiffrer que les atlas qu'ils étudiaient en classe. Elle ne vous donnait même pas un dessin de l'Angleterre. Regardant autour de lui, Leonard se rendit compte que la gare silencieuse s'était métamorphosée en une ruche bourdonnante. Un mardi matin à l'heure de pointe. Des hommes en costume rayé et chapeau, d'autres en jean et tête nue, des femmes serrant des sacs à main, des serviettes ou des paquets de sandwichs. Vers sept heures, Leonard s'avoua vaincu. La carte, si c'en était une, restait semblable à un assemblage de lignes tortillées. Il était temps de recourir au plan B. Hélas, il n'en avait pas. Il fallait qu'il retrouve son père. C'était indispensable.

« Ça va, fiston ? »

Leonard leva la tête et, consterné, aperçut son reflet dans les verres de lunette d'un employé des chemins de fer. L'homme se pencha à un angle inconfortable pour se mettre à la hauteur du garçon et lui parla sur ce ton réservé aux enfants et aux infirmes.

« Où est ta mère, petit ?

— À la maison. »

Jetant un coup d'œil derrière lui, Leonard s'aperçut que le marchand de journaux l'observait. Il devait avoir alerté le chef de gare. Furieux de cette trahison, Leonard se retourna vers l'agent.

« Je m'appelle John. Je suis venu à Londres voir les dinosaures avec ma classe.

— Et tu as perdu tes camarades ?

— Non. Pour ne pas être en retard, je suis venu seul par le premier train. »

L'employé le regarda un moment avec cette expression que prenait parfois sa grand-mère quand elle l'écoutait : de la perplexité suivie par le vague soupçon que son petit-fils lui racontait des craques.

« Je vais passer un coup de fil à ta mère.

— Ce n'est pas la peine.

— On ne sait jamais. »

Leonard envisagea un instant de prendre la fuite, mais il arrivait toujours avant-dernier dans les courses à l'école. Même si l'agent n'avait rien d'un athlète, il aurait l'avantage : ses jambes étaient plus longues.

D'une douce tiédeur et sentant bon le pain grillé, le bureau du chef de gare était encore plus encombré que l'épicerie fine de Rose, sauf qu'au lieu de concombres *heimisher* et de cervelas, on y voyait des horaires, des haut-parleurs, des casquettes d'uniforme accrochées à des patères, une douzaine de téléphones et un panneau de science-fiction aux lumières clignotantes. Tout autre matin, Leonard aurait été ravi de se trouver là.

« Bon, quel est le numéro de ta mère ?

— Nous n'avons pas le téléphone. »

L'employé jeta à Leonard un regard sévère.

« Vous pourriez essayer mon père, se hâta de dire le garçon. Il doit déjà être au travail. »

L'homme décrocha un téléphone gris.

« Quel est son numéro ?

— Oh, ça, je n'en sais rien, répondit Leonard qui sentait de l'orage dans l'air, mais j'ai son adresse. » Il tendit le papier à l'employé. « Elle vous permettra de le trouver, n'est-ce pas ? » ajouta-t-il en s'efforçant de réprimer le désespoir qui perçait dans sa voix.

En robe de chambre et pantoufles, Juliet se tenait toujours devant la fenêtre de sa cuisine. Elle refusait de bouger, ne fûtce que pour aller s'habiller. Mrs Greene essayait de maintenir un bavardage réconfortant. « Dommage que je n'aie pas apporté mon tricot. Rien n'est plus apaisant que le cliquetis des aiguilles.

— Je sors dans le jardin. J'ai besoin d'une cigarette. »

Pour une fois, Mrs Greene s'abstint de toute remarque et Juliet s'évada de la cage de sa compassion maternelle. Ses mains tremblaient et elle dut s'y prendre à plusieurs reprises pour gratter son allumette. Lorsqu'elle eut allumé sa cigarette, elle la laissa brûler entre ses doigts. Elle n'avait pas la moindre envie de fumer, tout ce qu'elle voulait, c'était un peu de tranquillité. Mille insectes semblaient bourdonner dans sa tête, ils rampaient par-dessus ses pensées, l'empêchant de réfléchir. Son père et les autres le retrouveraient. Certainement. Malgré la délicieuse horreur que leur inspiraient ses malheurs conjugaux, ils avaient tous répondu à l'appel de sa mère. Aucun regard curieux ce matin. La disparition de maris était une chose, celle d'enfants une autre. Cette peur-là était terrible. Ils étaient venus en troupe chez elle. Même les hommes coiffés de chapeaux noirs et aux longues boucles soyeuses qui refusaient de lui parler ou de lui serrer la main étaient partis à la recherche de son fils. En un jour de fête comme celui-ci rien d'autre n'aurait pu les faire bouger. Leonard avait eu la préséance sur Dieu. Le Seigneur souhaite que nous retrouvions ce garçon, avaient-ils déclaré.

Juliet se rendit au bout du petit jardin et se percha sur le muret, poste d'observation préféré de Leonard. Il faisait doux pour un jour d'automne. Le soleil matinal faisait flamboyer comme des torches les peupliers de la rue. Une feuille d'acer écarlate atterrit sur ses épaules. Elle la tint entre ses doigts, se disant qu'elle avait toujours désiré des cheveux de cette couleur. Soudain elle les aperçut. Au coin de Station Road et de Mulberry Avenue, Leonard et Charlie Fussel marchaient la main dans la main.

Charlie vit la silhouette tassée sur le muret se redresser telle une tulipe assoiffée que l'on met dans de l'eau. Elle se précipita vers eux, sa robe de chambre pourpre volant au vent, ses longs cheveux épars. Rapunzel courant dans une rue de banlieue. *Je te connais à peine*, pensa-t-il. *Ah, c'est donc ici que tu vis.* Jusque-là il avait été incapable d'imaginer son environnement. Pour lui, elle prenait vie au moment où elle entrait dans son atelier, telle la ballerine fixée sur la boîte à bijoux de sa sœur qui tournoyait quand, enfant, il soulevait le couvercle.

«Vilain, vilain garçon», dit-elle en embrassant Leonard et en l'enveloppant dans les plis de sa robe de chambre.

Charlie resta en arrière, essayant de les observer avec le détachement d'un peintre.

« Je n'ai pas pu vous prévenir, dit-il.

— Évidemment, acquiesça Juliet sans lâcher son fils.

— Faites-vous installer le téléphone », reprit Charlie, bien qu'il fût content qu'elle n'en eût pas un, ce qui lui avait permis de venir la voir.

Leonard se tortilla, et elle desserra son étreinte sans le libérer. Elle tendit sa main à Charlie qui la prit. Il sentit la sécheresse tiède de sa peau.

« Merci de me l'avoir ramené », dit-elle.

Une camionnette de glacier passa à côté d'eux, laissant dans son sillage l'air de « Pop Goes the Weasel », et s'arrêta cent mètres plus loin. Juliet ne bougea pas. Tous restèrent comme pétrifiés, formant un étrange tableau vivant. Charlie attendit que Juliet posât les inévitables questions. Elle finit par se relever et sans lâcher sa main se tourna vers lui.

« Allons acheter des glaces », dit-elle.

Juliet attendit que la dernière goutte de glace fût léchée. Ils étaient assis dans le séjour, Charlie dans le meilleur fauteuil, Juliet par terre, Leonard et Mrs Greene sur le canapé. La grand-mère veillait à ce qu'aucune tache de chocolat ne vînt gâter le vieux meuble recouvert de serge. Juliet plaignait Charlie : il avait été mêlé à leur drame familial telle une doublure obligée de jouer dans une pièce bizarre.

Elle se demanda ce qu'il pensait en voyant son tableau dans leur salon banal. La couleur éclatante des pommes sur la toile faisait paraître les murs plus bruns, le lourd ameublement encore plus mastoc. La Juliet du portrait souriait, immobile, hors d'atteinte. La vraie Juliet appréciait la façon dont Charlie l'avait vue. Maintenant qu'il avait rencontré sa version terne de tous les jours, il la peindrait sans doute autrement. Elle s'efforça de ne pas s'en attrister.

« Leonard, mon chéri, nous ne te gronderons pas, mais tu dois nous expliquer pourquoi tu as fugué.

— Je n'ai pas fugué, s'indigna le garçon, je suis parti chercher mon père.

— Oh, Leonard ! »

Elle aurait voulu prendre son fils sur ses genoux comme lorsqu'il était plus jeune, faire tomber le rideau de ses cheveux pour les dissimuler tous les deux. Cependant, la petite silhouette assise sur le canapé miteux la regardait avec une tranquille dignité. Même si les autres n'avaient pas été là, elle n'aurait pas osé. « Quand as-tu grandi comme ça ? aurait-elle voulu dire. Je ne m'en suis pas aperçue. Rendez-moi le bébé qui riait quand je lui chantais des chansons. » Au lieu de cela, elle lui prit la main, curieusement satisfaite qu'il ne la retirât pas. « Mais mon chéri, personne ne sait où il est, ton père. »

Elle vit sa mère s'agiter et lui faire signe de tenir sa langue : on ne parlait pas d'affaires familiales devant des étrangers vêtus de chemises non repassées et de pantalons d'une propreté douteuse.

« Je croyais que Charlie était mon père. »

Juliet éclata de rire. « Charlie ? Il est bien trop jeune ! C'est à peine s'il est adulte. »

Regardant tour à tour son fils et le peintre, elle s'aperçut qu'elle avait réussi à les vexer tous les deux.

« Qu'est-ce qui t'a fait croire que Charlie était ton père ? »

Leonard ne répondit pas. Il contempla ses genoux.

« Pourquoi, mon chéri ? Pardonne-moi d'avoir ri. Ce n'était pas gentil de ma part. »

Leonard se tut un moment. Il gratta un peu de glace séchée sur sa jambe. « Je sais que mon père était un artiste de l'arnaque. Comme Charlie. »

Juliet se retint de regarder le peintre pour voir ce qu'il pensait de sa nouvelle profession. Leonard prit son silence pour un doute.

« Je suis au courant. C'est Margaret Taylor qui me l'a dit. »

Juliet ravala le rire qui lui chatouillait la gorge. « Mais mon chéri, ton père s'appelait George et non Charlie.

— Pas vrai. J'ai découvert son identité secrète. Je sais tout. » Leonard remonta ses genoux vers sa poitrine et se mit à sangloter.

Juliet le serra dans ses bras. Si seulement les autres pouvaient s'en aller ! C'étaient des intrus. *Laissez-nous. Cette affaire ne concerne que nous deux.* Elle se rappela sa grossesse qu'elle avait cachée à tous, même à George, pendant trois mois. Son mari avait tant de secrets, celui-ci lui appartenait. Elle avait traversé ces semaines dans un brouillard agréable, coupée de tout. Rien n'avait d'importance, pas même ses ennuis avec George. Son secret lui tenait chaud au cœur. Plus tard, lorsque son mari disparut, il laissa un trou, une tache ronde de roussi sur leurs vies. Elle avait essayé de ne pas y penser, de vivre au jour le jour, d'ignorer les sourires impertinents. Elle s'était dit : *Qu'importe, pourvu que les enfants aillent bien !* Et voilà que maintenant Leonard avait le cœur brisé parce que l'histoire qui l'avait fait fuguer n'était qu'un fantasme.

Mrs Greene s'approcha et frotta le dos du garçon dont les sanglots s'espaçaient. « Les autres vont revenir. Qu'allons-nous leur dire ? Nous voulons éviter les ragots. »

Juliet ferma les yeux. Elle représentait l'accroc dans la respectabilité de sa mère.

« Dis-leur ce que tu voudras.

— Dites-leur que Leonard prend des leçons de peinture chez moi et qu'il n'a pas pu attendre la prochaine », suggéra Charlie.

Ayant presque oublié sa présence, les deux femmes le regardèrent d'un air surpris.

« Oui, bonne idée, approuva Juliet. Dis-leur ça, maman. »

Par la fenêtre, elle regarda le morne cortège des hommes aux chapeaux noirs remonter l'allée. La cuisine se remplirait de connaissances et de voisins bienveillants, tous soulagés par le dénouement heureux de la tragédie, désormais réduite à un sujet de commérages concernant cette pauvre Juliet et ses chers enfants.

L'après-midi, Juliet et Charlie s'assirent sur le gazon, au soleil d'octobre. Longue et désordonnée, l'herbe était parsemée de feuilles jaunes. Au fond du jardin, Frieda et Leonard cueillaient des pommes sur un arbre chétif et tordu, interrompant de temps en temps leur tâche pour se bombarder avec des fruits tombés à terre. Les projectiles frappaient un bras ou une jambe avec un bruit mouillé.

« Comment m'a-t-il trouvé ? demanda Charlie.

— Votre adresse figurait sur une étiquette, au dos du tableau.

— Il a de l'imagination, ce gosse !

— En effet.

— Après tout, je suis à peine un adulte. »

Juliet se couvrit les yeux en riant. « Excusez-moi, je ne voulais pas vous froisser. Mais n'est-ce pas agréable d'être considéré comme jeune ? »

Charlie ne répondit pas. Juliet s'étendit sur la pelouse et contempla le bleu dilué du ciel. Elle entendit Leonard pousser un cri de joie : il avait trouvé un ver dans une pomme pourrie et l'avait lancé sur sa sœur.

« Ma mère va le tenir à l'œil. Elle craint qu'il n'ait hérité les gènes de son père. Disparaître, c'est dans le sang, vous savez…

— Vous ne pensez tout de même pas qu'il fuguera de nouveau ? »

Juliet détourna son visage pour attraper les derniers rayons du soleil d'automne.

« Il n'a pas fugué. Il est parti à la recherche de quelqu'un. »

Mais au fond d'elle-même, elle pensait : *Je suis terrifiée. J'ai peur d'aller au lit, de rester allongée dans le noir et de me rappeler cet affreux matin. J'ai peur des autres enfants et des choses horribles qu'ils racontent à Leonard et à Frieda. Des mensonges. Et aussi de la vérité.*

Leonard avait amené Charlie, mais elle le regrettait. Elle préférait voir le peintre dans le silence de son atelier. Elle ne voulait pas de ses regards gentiment inquiets. Elle voulait sceller le souvenir de ces après-midi de pose dans son esprit, les garder inaltérables et frais. L'atelier blanc de Londres n'avait rien de commun avec les vies compliquées des habitants de Mulberry Avenue. Il ne fallait pas que ces deux mondes se rencontrent et, tels du rouge et du vert mélangés sur une palette, virent à un brun boueux.

« Je regrette le souci que Leonard a dû vous causer, mais je suis heureux de vous revoir. » Charlie hésita. « Je pourrais revenir, samedi par exemple, pour enseigner quelques trucs à Leonard.

— Pas question.

— Et pourquoi ça ? Cela lui ferait du bien, à ce garçon. Des enfants sans père comme lui ont de temps en temps besoin d'une présence masculine. »

Juliet se redressa et regarda Charlie dont le visage était rouge d'indignation. « Nous ne sommes pas comme vous, dit-elle. Malgré notre bouilloire électrique et nos gosses bien élevés, le monde moderne n'est pas encore parvenu jusqu'à nous. Ce n'est pas Londres ici. C'est un village sans pittoresque ni charme. Si vous venez ici, vous serez bien reçu. On vous offrira du strudel et les gens se montreront très gentils, ce qu'ils sont réellement, mais vous resterez un étranger. Estimez-vous heureux de pouvoir retrouver les quatre murs de votre atelier blanc où personne ne vous épie.

— Je ne comprends pas un mot de ce que vous dites.

— Bien sûr que non. C'est pour cela que vous ne pouvez pas revenir ici. »

Juliet vit à son expression que le peintre demeurait perplexe. Aussi ajouta-t-elle avec plus de douceur : « Je ne peux pas recevoir d'homme chez moi. Soyez chic, Charlie. Ne revenez pas. »

Le lendemain, Juliet se demanda si elle avait agi avec sagesse. Leonard se bagarra à l'école et cassa ses lunettes. Quant à Frieda, elle fut renvoyée chez elle pour avoir lancé de la meringue crue sur Margaret Taylor pendant le cours de cuisine. Juliet passa une partie de l'après-midi à peigner les cheveux de sa fille pour les débarrasser d'un blanc d'œuf collant. Elle aurait dû punir ses enfants, mais n'en eut pas le courage. Le soir, elle découvrit que Leonard avait jeté tous ses exemplaires de *Bulldog Drummond* et de *Biggles* dans sa corbeille à papier.

Le surlendemain, comme d'habitude, elle se rendit en bus à son travail. Son cœur était plein de grisaille comme s'il avait été lavé avec du linge blanc parmi lequel s'était glissée par erreur une paire de chaussettes noires. Le trajet de l'arrêt d'autobus à l'usine lui parut deux fois plus long que de coutume. Les emballages de *fish and chips* et autres détritus qui volaient au vent l'irritèrent. Greene et Fils, Fabricants de verres de lunettes se trouvait à Penge, dans une ruelle bordée de murs en brique rouge. La plupart des entrepôts victoriens avaient fait place à des magasins modernes qui satisfaisaient tous les besoins de la vie quotidienne. La rue principale commençait par une boutique de landaus et se terminait par une entreprise de pompes funèbres. Mais une rangée d'entrepôts noircis subsistait. Juliet aimait bien l'allée, la seule encore pavée, qui les longeait et qui, avant qu'il ne fasse faillite, avait brièvement abrité un marché aux poissons (Penge n'était pas spécialement près de la mer). Juliet imaginait que les pierres puaient encore la morue.

Officiellement, Juliet était entrée dans l'affaire de son père quatre jours après son seizième anniversaire. À part une brève interruption pendant la période où elle était mariée à George, elle y avait travaillé depuis lors. Mr Greene considérait les lunettes comme une bénédiction : non seulement elles étaient sa vocation, mais elles avaient sauvé une grande partie de sa famille. Avec ses trois frères, il avait été réformé pendant la Première Guerre pour cause d'astigmatisme. Maintenant, quarante ans plus tard, l'usine grouillait d'oncles et de cousins dont la plupart étaient avantagés d'une vue déficiente (« une bénédiction, une bénédiction », psalmodiaient-ils lorsque Mr Greene leur annonçait le mauvais résultat de leur test). Ben Greene polissait les verres, Sollie fabriquait les montures, Jacob tenait les comptes. Ed Lipshitz, le plus béni de tous avec son strabisme, parcourait le pays en qualité de représentant. Il envoyait à Frieda et à Leonard des cartes postales d'endroits aussi lointains que Blackpool ou Bournemouth.

Juliet se glissa dans l'usine, s'efforçant d'être contente de son sort. Elle savait toutefois que l'attendait une de ces journées où entre son arrivée, à neuf heures moins dix, et le moment de remettre son manteau, à quatre heures moins le quart, il s'écoulerait une éternité. Pendant ces mois d'été où elle posait pour Charlie, elle passait la semaine dans l'attente de ses voyages hebdomadaires en ville. Son premier mensonge l'avait gênée, mais avec le temps, son sentiment de culpabilité avait fait place à l'anticipation d'un plaisir. Pendant tout le mois de juillet et celui d'août, ses collègues de bureau s'apitoyèrent sur ses problèmes dentaires et ses migraines, mais Juliet nageait dans le bonheur. À présent, les jours se succédaient, tous aussi vides.

Découragée, elle gravit l'escalier sans se presser. Les lunettes cassées de Leonard étaient dans sa poche. Son fils était parti à l'école en larmes et avec ses lunettes de rechange. Abandonnant ses collègues de bureau, elle alla braver la puanteur de métal chaud et le bruit de mitrailleuse de l'atelier de polissage. Elle cria par-dessus le vacarme, fit des signes à son père. Mr Greene lui répondit par un sourire ravi comme s'il ne la voyait pas tous les jours à l'usine et que son apparition lui causait une agréable surprise.

« Bonjour, ma chérie, dit-il en l'embrassant. Comment vont les enfants ?

— Ils sont insupportables. Je crois que Leonard ne s'est pas encore calmé depuis son expédition. Il a cassé ses lunettes. »

Elle tendit les verres brisés à son père qui les examina avec l'intérêt d'un médecin. D'habitude, il blâmait ceux qui ne prenaient pas assez soin de ces objets sacrés, mais Juliet était sûre que son père excuserait Leonard. Celui-ci avait enfin pris la place du fils mythique de « Greene et Fils ». Non seulement il était une bénédiction, mais il était aussi doublement béni car, à la grande joie de son grand-père, il avait eu besoin de lunettes dès l'âge de trois ans. « Bon, ce sont des choses qui arrivent, dit Mr Greene en glissant la monture dans une enveloppe. Je demanderai à l'un de mes gars de les lui réparer tout de suite. » Il sourit. « Je me souviens du jour où je lui ai fait passer un test pour sa première paire. Je l'ai aidé à voir. Quelle joie pour un grand-père ! J'avais l'impression d'être un prestidigitateur qui découvre un tour de magie. »

Juliet, qui avait entendu cette histoire de nombreuses fois, remercia son père par un baiser et repartit au bureau, échangeant le ronflement des polisseuses pour le cliquetis des machines à écrire. Et dire qu'il n'était que neuf heures moins cinq !

Les jours s'écoulaient, interminables et mornes. Avant Charlie et le portrait, Juliet acceptait, voire appréciait la tranquillité de sa vie. À présent, elle ne tenait pas en place. Elle avait renvoyé Charlie. Cela signifiait-il que rien ne changerait jamais ?

Le vendredi soir, ils mangèrent du poulet chez Mr et Mrs Greene. Le samedi, Juliet rallongea la jupe de l'uniforme scolaire de Frieda et Leonard cassa l'abreuvoir des oiseaux, heurtant le récipient alors qu'il pourchassait Frieda. Ils eurent de la poitrine de bœuf pour le thé. Le dimanche, ils allèrent se promener. Juliet était en train de faire bouillir des saucisses lorsqu'on sonna à la porte.

« Leonard ! Frieda ! Allez voir qui c'est. »

Elle entendit Leonard pousser un cri de joie, puis une voix familière dans l'entrée. D'un geste machinal, elle enleva son tablier et se lissa les cheveux.

« Bonjour, Juliet, dit Charlie en se penchant par la porte de la cuisine. J'ai une proposition à vous faire. »

ARTICLE 2 DU CATALOGUE
« La baigneuse de minuit », Jim Brownwick, fusain sur papier,
25 cm x 30 cm, 1959.

J AMAIS ENCORE JULIET n'avait vu pareille demeure, sauf au
cinéma, et certainement pas une demeure habitée. On aurait
dit un musée ou une mairie perdue au milieu d'immenses
pelouses et de champs intensément verts. Même de loin, on
aurait dit qu'elle émergeait de la forêt, que les arbres s'ouvraient
comme un rideau de scène pour révéler une façade curviligne
et une multitude de baies vitrées. Le soleil de cette fin de matinée se reflétait dans les fenêtres, de sorte que la maison paraissait
en flammes. Juliet serra le sac de voyage qu'elle tenait sur les
genoux, s'enjoignant de ne pas se laisser impressionner ou inti-
mider. Elle se tourna vers Charlie qui conduisait d'une main et
roulait beaucoup trop vite.

« Et votre mère vit là toute seule ?

— Oui. Depuis le mariage de Sylvia. »

Juliet avait du mal à comprendre comment une seule personne pouvait occuper un si vaste espace. Elle imaginait
Valerie Fussel semblable à une pâle Miss Haversham, une sorte
d'ombre couverte de dentelles qui flottait d'une pièce à l'autre
et soulevait les housses recouvrant les meubles. Le vent qui
entrait par la fenêtre ouverte la faisait larmoyer. Elle aurait
voulu demander à Charlie de ralentir, mais elle craignait de

se montrer timorée. Au lieu de cela, elle rajusta son foulard et tapota ses cheveux.

« Ne vous inquiétez pas. Vous êtes très bien comme ça. »

Sans lui prêter attention, Juliet regarda par la portière. Des fleurs rouges tremblaient dans l'herbe haute et du lierre fouettait un poteau télégraphique. Charlie tourna brusquement dans une longue allée de gravier bordée de hêtres délicats dont les feuilles frémissaient au vent avec un bruit de fontaine. Juliet ferma les yeux un instant. Elle était presque malade d'énervement. Elle se rappela le visage anxieux de sa mère et celui, empreint de tristesse, de son père lorsqu'elle les avait embrassés avant son départ. Elle essaya de penser à autre chose. Par bonheur, chez Frieda et Leonard, son expédition n'avait provoqué qu'un certain enthousiasme et l'espoir de recevoir des cadeaux.

Charlie se gara devant une volée de marches qui menait à un élégant portique. De près, la maison était encore plus belle. Juliet eut l'impression de voir une vedette de cinéma en chair et en os et de découvrir que la caméra ne lui avait pas rendu justice. Charlie lui avait bien dit que la demeure était construite dans le style assez majestueux du début du règne de la reine Anne, mais il ne lui avait pas décrit la teinte chaude de la brique baignée par le soleil, la parfaite symétrie de la façade, les balustrades courbes en pierre grise du dernier étage, pas plus qu'il n'avait précisé que le bâtiment ne comportait aucun angle.

« Mais cette maison est ronde ! » s'exclama-t-elle.

Charlie se mit à rire. « J'étais sûr que vous le remarqueriez tout de suite. Une bizarrerie de l'architecte. Il était obsédé par le baroque. »

Il descendit de voiture et courut lui ouvrir la portière. Juliet lui permit de l'aider à sortir et de la débarrasser de son sac.

« Que faisons-nous des tableaux ? demanda-t-elle en désignant le coffre.

— Laissons-les ici pour le moment.

— Personne ne doit y toucher. Je veux les accrocher dans un certain ordre.

— Je sais, je sais. Détendez-vous. Il ne s'agit que de passer un agréable week-end.

— Un agréable week-end ?

— Absolument. »

Juliet eut un rire de dérision. Pour elle, un agréable week-end, c'était faire la grasse matinée, marcher le long du fleuve jusqu'à la Tate, et peut-être, à la fin, s'offrir une glace. Elle se demanda de nouveau si cette excursion n'était pas une erreur.

Une femme vêtue d'une robe de lainage bien coupée apparut à la porte. Elle était plus grosse et plus âgée que Juliet ne l'avait imaginée. Son visage ne portait pas trace de maquillage, pas même d'un soupçon de rouge à lèvres. À leur vue, elle tendit ses deux mains à Charlie. Celui-ci s'empressa de monter les marches pour l'embrasser. Juliet se permit d'éprouver un léger soulagement.

« Mrs Stephens, voici Juliet Montague. Juliet, voici Mrs Stephens. »

Le soulagement de Juliet s'évapora. Il ne s'agissait pas de la redoutable Mrs Fussel.

« Est-ce que maman est au salon ?

— Non, elle est sur la terrasse. Il fait si chaud qu'elle souffre à nouveau d'une de ses migraines. »

Charlie et Mrs Stephens échangèrent un regard entendu.

« Allons la saluer », dit Charlie.

Il conduisit Juliet à l'intérieur. Jamais elle n'avait vu une aussi grande entrée. À son avis, elle aurait pu y loger facilement sa propre maison. Le hall s'élevait jusqu'au troisième étage d'où dégringolait un escalier en fer à cheval. Juliet se demanda pourquoi diable ces gens avaient besoin d'un double escalier, sans doute l'un servait à monter, l'autre à descendre. Charlie abandonna le sac de voyage au milieu de l'entrée et entraîna Juliet à travers une étendue de carreaux blancs et noirs. Les habitants de ce lieu ne devaient pas y jouer aux dames, ce que Leonard déplorerait à coup sûr.

« Ne m'aviez-vous pas dit que votre mère habitait seule ici ?

— C'est exact, mais il y a aussi le personnel, évidemment. »

Juliet s'arrêta et foudroya Charlie du regard. « *Évidemment ?* Comment ça ? Moi, je vis avec Leonard et Frieda. Je n'ai pas de majordome que j'aurais oublié de mentionner. »

Devant l'expression de son compagnon, elle s'interrompit. « Quoi ? Il y a aussi un majordome ? »

Charlie rougit.

« Vous auriez pu me prévenir, bon sang ! Vous m'avez parlé d'une grande maison, mais pas d'une demeure de ce genre… Je ne suis pas sûre d'avoir les vêtements appropriés. »

Pour l'apaiser, Charlie lui prit la main.

« Tout va bien. C'est juste un agré…

— Un agréable week-end, oui, vous l'avez déjà dit. »

L'anxiété la rendant irritable, elle lui arracha sa main et la cacha derrière son dos.

Bien entendu, elle ne pouvait savoir que son hôte était aussi mal à l'aise qu'elle. Il regrettait d'avoir été obligé de l'emmener. La visite de la maison avait impressionné d'autres filles. Lorsqu'il leur montrait le portrait de l'oncle Frederick au cou engoncé dans une fraise, elles se serraient contre lui et commentaient en gloussant sa ressemblance avec lui. Devant le tableau étonnamment audacieux du dix-septième siècle représentant Andromède enchaînée à son rocher, un sein rose dépassant de l'échancrure de sa chemise de nuit, il avait souvent essayé de les embrasser. Mais ce genre de filles, il ne les invitait que les week-ends, quand maman était en ville.

Juliet regarda les galeries aux étages supérieurs, espérant les trouver surchargées, mais l'intérieur de la maison était aussi élégant que sa façade. L'escalier monumental était en bon chêne anglais à la patine couleur de miel. La lumière qui entrait à flots par les innombrables baies vitrées se répandait sur les dalles. Sur une table dorée était posé un bouquet de gardénias blancs, de roses cent-feuilles et d'énormes lis de serre qui saupoudraient de pollen le dessus de marbre. Le parfum des gardénias remplissait le hall, s'élevait comme de la vapeur. Les fleurs étaient arrangées dans un désordre étudié. Seul manquait un artiste pour les peindre, se dit Juliet.

Charlie la mena à travers un salon exposé au sud dont les rideaux tirés protégeaient une rangée de tableaux en conflit avec les murs rococo blancs et or. Elle s'arrêta pour regarder, mais son guide l'entraîna dehors, sur une loggia de pierre, puis sur une terrasse en contrebas. Là, une femme était allongée sur un transat dans une pose recherchée. L'angle de son bras et la disposition de sa chevelure dorée firent penser à Juliet qu'elle se trouvait là depuis un moment, attendant qu'on la découvrît.

« Bonjour, maman », dit Charlie. Il se pencha au-dessus du transat et déposa docilement un baiser sur la joue offerte.

Juliet se rendit compte qu'il lui faisait signe d'approcher, mais elle demeura au bord de la terrasse, regardant par-dessus une balustrade en pierre le jardin paradisiaque qui se matérialisait sous ses yeux, au cœur d'un vallon caché. La pelouse tondue avec soin se poursuivait par une étendue herbeuse mouchetée de marguerites, de camomille et de trèfle, qui s'inclinait vers un jardin à la française niché au fond de la vallée endormie – un parfait mariage de jardin anglais et d'ornementation à l'italienne. Des naïades surgissaient des touffes de primevères, des lianes de lierre et des brins de myosotis adoucissaient la géométrie des haies de buis taillées. Sur le côté opposé à Juliet, de la clématite, du chèvrefeuille et des glycines grimpaient en un fouillis discipliné sur un mur du même rose brique que la maison. En haut du jardin se dressait une orangerie à laquelle on accédait par un escalier de grès romantique où des violettes poussaient entre les marches. Dans le bas du jardin, Juliet admira un groupe de bassins rectangulaires bordés de boules d'if entourant une fontaine ronde où un faune singulièrement viril versait de l'eau d'une urne. L'air était chargé d'une senteur d'herbe coupée et de roses s'épanouissant au soleil.

« Pourquoi n'avez-vous pas peint ce paysage ? demanda Juliet à Charlie. Vous avez grandi ici. Vous aviez cette splendeur sous les yeux, mais vous ne m'en avez jamais montré ni tableau ni photo. »

La colère qui lui nouait la gorge empâtait sa voix. Monet rêvait de cette sorte de jardin, il plantait des fleurs pour pouvoir les reproduire sur une toile.

Telle Aphrodite, Mrs Fussel se leva de son transat, évitant à son fils d'avoir à répondre. Elle flotta à travers la terrasse dans sa robe de soie, pieds nus, les ongles vernis de ses orteils semblables à des fraises des bois.

« Bonjour, très chère. Je suppose que vous êtes Juliet. Je suis Valerie, la mère de Charlie. Non, ne dites rien : je me suis mariée terriblement jeune. »

Juliet n'avait pas eu l'intention de faire le moindre commentaire. Selon elle, Valerie semblait tout à fait en âge d'avoir conçu Charlie : cette femme devait être de quelques années plus jeune que sa mère et peser quelques bons bagels de moins.

« C'est très aimable à vous de m'avoir invitée. »

Lorsque Valerie lui offrit sa joue, elle nota les ridules, masquées par une épaisse couche de poudre, qu'elle avait autour de la bouche et des yeux. Le bandeau qui retenait ses cheveux blonds en arrière étirait la peau de son front. Valerie le tripota de ses doigts effilés.

« Nous mourions d'envie de vous rencontrer. Juliet par-ci, Juliet par-là. Si je n'avais pas été sa mère, j'aurais été affreusement jalouse. »

Juliet comprit que Valerie vivait dans un monde de superlatifs où il était normal de ressentir *terriblement* ou *affreusement* les choses et où l'on mourait d'envie au moindre désir.

« As-tu une cigarette pour moi, mon chéri ? Et va dire à Stevie de servir le déjeuner ici. Je suis affamée. »

Charlie, Juliet et Valerie se serrèrent à un bout de la grande table placée sur la terrasse et picorèrent une salade exotique de feuilles inconnues de Juliet. Valerie s'était blottie dans l'unique rectangle d'ombre, Juliet et Charlie étaient assis au soleil. Juliet sentait que sa nuque commençait à brûler. Valerie n'avait pas l'air de toucher au contenu de son assiette. Si c'était là tout ce qu'elle mangeait quand elle était *affamée*, se dit Juliet, que parvenait-elle à avaler quand elle avait simplement de l'appétit? Elle fumait une cigarette après l'autre, ce que Juliet considérait comme le comble de l'impolitesse, mais elle se doutait qu'à un certain niveau social on considérait les bonnes manières comme bourgeoises.

«Vous avez vraiment une peau magnifique, dit Mrs Fussel. Lumineuse. Quelle crème employez-vous? Ne me dites pas que vous êtes une de ces personnes qui se contentent d'un peu d'eau et de savon. Ça, ça va quand on est très jeune. Vous, vous n'avez que…?

— J'ai trente et un ans.

— Trente et un! Alors vous n'avez pas d'excuse. Vous devez suivre un régime.»

Valerie s'interrompit pour tirer sur sa cigarette. Ni Juliet ni Charlie ne remplirent la pause dans la conversation.

«Et ce…» L'air de chercher ses mots, Valerie agita sa cigarette. «… ce fabuleux *projet*. Avez-vous l'expérience de ce genre de chose?»

Alors qu'elle commençait à décrire son activité chez Greene et Fils, Juliet comprit que cet agréable déjeuner dans le jardin était en fait une interview et qu'avec son bavardage apparemment vide de sens, Valerie cherchait à lui arracher des renseignements.

«Je suis sûre que vous n'avez jamais travaillé cinq jours par semaine pour votre père! Les papas n'aiment pas que leurs filles se fatiguent.» Valerie eut un petit rire de collégienne, mais Juliet ne s'y trompa pas : elle savait que les yeux bleus innocents cachés derrière de grosses lunettes de soleil de son hôtesse l'observaient avec l'acuité d'un renard.

«Mon père est très gentil et compréhensif. Il m'accorde un jour de congé par semaine pour que je puisse me consacrer à notre projet de galerie. N'empêche que je dois travailler, j'ai deux enfants.»

Soit Charlie ne lui avait rien dit, soit Valerie prenait plaisir à jouer la comédie. Ses lèvres frémirent et elle remonta ses lunettes sur sa tête pour mieux montrer son étonnement.

« Oh, le vilain garçon ! Si Charlie m'en avait parlé, j'aurais également invité votre mari. Il doit passer un triste week-end, seul avec vos petits. »

Bien que persuadée que Valerie était au courant, Juliet se trouva ainsi forcée de préciser sa situation.

« Je suis séparée du père de mes enfants. »

Valerie frappa dans ses mains d'un air ravi. « Divorcée ? Ou bien ne vous êtes-vous jamais mariée ? Je vous connais, vous, les artistes. Le concubinage est tellement plus moderne...

— J'étais mariée et je ne suis pas divorcée.

— Maman ! s'écria Charlie d'un ton réprobateur.

— Quoi donc ? minauda Valerie. J'essaie simplement de faire connaissance avec ton amie. Et vous avez l'intention de divorcer ? »

Le pouls de Juliet voletait comme un papillon pris au piège.

« Arrête ! cria Charlie en jetant comme par défi sa serviette sur la table. Pour l'amour du Ciel, laisse-la tranquille !

— Rassieds-toi, Charlie. Tu sais bien que je ne supporte pas les scènes.

— Alors, sois gentille. Sinon nous partirons, ce qui dérangera ton plan de table pour le dîner.

— Vous voyez comme il traite sa vieille mère ? dit Valerie, faisant appel à Juliet. Je ne voulais pas vous faire de la peine. Les choses ont été beaucoup plus faciles pour moi : le père de Charlie s'est contenté de mourir. Oh, ne fais pas cette tête, chéri. Je sais que tu l'aimais bien. Mais quel raseur que cet homme ! Il s'intéressait davantage à son jardin qu'à moi.

— Parlons de la galerie, proposa Charlie. Nous sommes tous d'accord pour en confier la direction à Juliet.

— On ne parle pas affaires à table.

— Alors, je vais sonner pour qu'on serve le café », dit Charlie.

« Un agréable week-end ? » ironisa Juliet lorsqu'elle se retrouva enfin seule avec Charlie. On aurait dit qu'elle allait gifler son compagnon mais, soudain, elle éclata de rire.

Soulagé, Charlie se détendit. Il était si content qu'il aurait donné n'importe quoi pour prendre Juliet dans ses bras, mais il n'osait pas. À part la poignée de main étrangement cérémonieuse qu'il lui donnait pour la saluer, il ne l'avait jamais touchée. Les deux ou trois fois où il avait essayé, comme par mégarde, de poser une main sur son épaule, elle l'avait regardé d'un air si surpris qu'il avait reculé, blessé et un peu embarrassé, tel un collégien enamouré. Tous les week-ends, elle venait à l'atelier pour travailler avec lui sur le projet de la nouvelle galerie, mais il continuait à la sentir très loin. Les seules occasions où il avait le droit de la toucher, c'était quand elle posait pour lui. Si elle lui permettait de la dessiner pendant qu'elle étudiait les comptes ou buvait du thé, elle n'élevait aucune objection lorsqu'il modifiait l'angle de son bras ou lorsque d'une main tremblante – terrifié qu'elle ne s'en aperçoive – il repoussait ses cheveux en arrière pour dégager son visage. Il se surprit à lui demander de poser dans une attitude peu gracieuse pour le plaisir de la rectifier.

« Vous feriez peut-être mieux de ne jamais vous marier ! s'exclama Juliet entre deux hoquets de rire. Ça ne serait pas juste. »

Charlie, qui commençait à partager son hilarité, cessa de rire.

« Oh, ne prenez pas cet air féroce ! Je ne me suis pas trop mal tirée de la rencontre avec votre mère. À présent, j'aimerais voir votre père. »

Le portrait de Mr Fussel pendait dans un salon – ou bureau – lumineux donnant sur le jardin. Les murs étaient couleur caramel, les moulures d'un blanc glacé. Recouverts d'un tissu à rayures du même caramel, les canapés et les fauteuils rappelaient les sacs en papier des marchands de bonbons. Juliet eut l'impression d'être une Gretel adulte, quoique cette pièce faisait penser à une pâtisserie d'Antonin Carême plutôt qu'à la maison en pain d'épices du conte. La bibliothèque blanche assortie ornée de roses sculptées avait l'air d'être en sucre et non en bois. Lorsque Juliet lut les titres des livres, elle s'aperçut que c'étaient tous des manuels de jardinage.

« La tanière de mon père, dit Charlie. D'ici, on a la meilleure vue du jardin. »

Les baies vitrées encadraient si parfaitement bassins et pelouses que l'extérieur ressemblait plus à un tableau de Fragonard qu'à la réalité.

« Ma mère vient rarement par ici. C'est pour cela qu'on a accroché le tableau dans cette pièce. Elle disait toujours à papa de foutre le camp dans son bureau et d'y rester. »

Juliet cligna des yeux. Elle avait du mal à s'habituer au vocabulaire de Charlie, à la façon dont il saupoudrait sa conversation de « foutre », de « merde » et de « conneries ». Elle ne s'en offensait pas, mais se rendait compte qu'il n'avait pas, comme elle, cette aversion petite-bourgeoise des gros mots. En trente ans, elle n'avait jamais entendu son père jurer et sa mère une seule fois – le jour où elle avait fini par accepter le départ définitif de George.

Juliet examina le portrait dans son mince cadre doré. C'était un homme d'âge mûr, au cheveu rare, aux lèvres minces et aux poches sous les yeux. Il n'avait l'air ni triste ni heureux, ni gentil ni cruel. Juliet recula pour le regarder. Le personnage restait froid, son visage vide.

« Ce portrait n'est pas du tout ressemblant.

— Pourquoi ne l'avez-vous pas peint vous-même ?

— J'en avais l'intention, mais il est mort trop tôt. Je n'avais que quinze ans à l'époque. Je doute que mon portrait eût été meilleur.

— Vous devriez enlever celui-ci. Un jour, vous oublierez les traits de votre père, alors vous regarderez ce tableau et, finalement, vous verrez à sa place cet homme dénué d'expression. »

Faisant semblant d'être à l'aise, Juliet s'assit sur le canapé trop rembourré et promena son regard autour de la pièce.

« La lumière est bonne. Je pense que nous devrions exposer ici.

— Ça déplaira à maman, mais vous avez tout à fait raison. »

Juliet regretta de ne pas boire. Un peu d'alcool l'aurait aidée à se détendre. Après le thé, Charlie et elle avaient installé sur des chevalets disposés autour de la pièce, et dans un certain ordre, tous les tableaux qu'ils avaient apportés. Juliet avait rédigé des étiquettes bien lisibles pour chacun d'eux. La lumière était parfaite – le soleil de la fin d'après-midi traversait lentement la pelouse et teintait les murs d'une couleur évoquant la crème caramel. La soirée ne tournait pas seulement autour des tableaux, mais aussi autour de sa personne. Elle se trémoussa dans sa tenue de fête, une robe bleue sans manches qui s'arrêtait au-dessous du genou. Charlie lui avait demandé d'apporter une « robe de cocktail ». N'ayant jamais bu de cocktail, Juliet ignorait que sa consommation exigeait un costume particulier. Elle s'était rendue chez Minnie, dans la rue principale, et la vendeuse lui avait assuré que ce vêtement était juste ce qu'il lui fallait. À présent, Juliet en doutait.

« T'es vraiment fringuée pour la circonstance, mon cœur. Pas aussi bien que moi, mais t'as fait ce que t'as pu. »

Juliet se tourna en souriant vers un homme d'environ vingt-cinq ans dont les cheveux châtains étaient aussi bouclés que des copeaux. Il se pavanait dans un smoking un peu trop large pour sa carrure de pickpocket.

« J'ai l'impression d'être un Teddy Boy, poursuivit-il. Viens, changeons de crémerie et allons dans un endroit vraiment chouette, ma chérie. »

Jim passa un bras autour des épaules de Juliet et fit avec elle le tour de l'exposition.

« T'as fait du bon travail.

— Tu aimes les nouveaux cadres ? Je sais que tu ne voulais pas...

— Non, non, tu avais raison. Je ne m'en rendais pas compte. Waouh, ça met les bleus drôlement en valeur !

— J'aime la lumière de cette pièce. Elle devrait tenir encore deux heures. Est-ce que tout le monde est là ? Tu as les autres tableaux ?

— Bien sûr. Phil et moi les avons apportés. Max en a peint deux spécialement pour cette exposition. Peut-être ne sont-ils pas si spéciaux que ça... En tout cas, les voilà. »

Jim souleva deux toiles emballées dans du papier kraft, adossées contre le mur, et les posa sur un grand bureau. Frémissant d'impatience, Juliet fouilla dans un des tiroirs, à la recherche de ciseaux. Elle connaissait les autres artistes : Charlie, Jim et Philip qui partageaient l'atelier de Fitzrovia. Elle les avait rencontrés l'un après l'autre. Jim prétendait d'ailleurs que Charlie avait voulu la garder pour lui tout seul le plus longtemps possible. Mais Max, elle ne le connaissait pas encore. Ami de Mr Fussel père, il avait appuyé Charlie quand celui-ci avait rejeté Cambridge en faveur du Royal College. C'était Max aussi qui avait persuadé Valerie de payer le loyer de l'atelier et d'assurer à son fils une rente généreuse. Peut-être était-ce donc par reconnaissance que Charlie avait apporté à l'atelier un choix de tableaux de Max afin que Juliet décide si elle en voulait pour la galerie. Max n'aimait pas les gens qu'il ne connaissait pas, il ne venait plus jamais à Londres. Juliet se demandait à quoi il ressemblait. Bien qu'elle eût vu nombre de ses toiles, elle ne parvenait pas à imaginer sa personne.

« Qu'est-ce qu'il a de particulier, ce type, pour que tu t'extasies sur son œuvre ? Il y a de quoi vous rendre jaloux.

— Voyons, Jim, tu sais bien que tu es mon préféré. »

Du bout des doigts, Juliet lui envoya un baiser de théâtre. Elle se sentait beaucoup plus à l'aise avec lui qu'avec Charlie.

« Heureusement ! Faut qu'on se tienne les coudes, toi et moi ! » Il examina de nouveau « l'accrochage » de Juliet et l'approuva de la tête. « Attends-moi une seconde, je vais aller chercher le reste des tableaux dans la voiture. »

Jim sortit en sifflotant. Si cette demeure l'impressionnait, il n'en laissait rien paraître. Juliet lui enviait sa désinvolture ou son talent d'acteur. Elle coupa les ficelles et le papier entourant les toiles de Max, soulagée que Jim lui eût permis de les déballer seule. Elle sortit la plus grande, l'adossa contre la bibliothèque, s'éloigna de quelques pas, puis se retourna.

Un troupeau d'oies cendrées survolait une lande vide, mais les couleurs étaient inverties. Les oies étaient si roses qu'au premier coup d'œil on les aurait prises pour des flamants. Au lieu d'être brune, la lande se parait de rouges et de violets tandis que des étoiles noires criblaient un ciel vert. La peinture était si épaisse par endroits que Juliet se demanda si Max n'avait pas abandonné ses pinceaux au profit de ses doigts. Malgré son étrangeté, le tableau ne semblait ni abstrait ni prétentieux. Au contraire : il donnait à Juliet une envie de sourire. *Bien sûr, les oies sont exactement comme ça*, se dit-elle. *C'était bête de ma part de penser qu'elles pouvaient être différentes.*

Elle déballa la deuxième toile, plus petite, et la plaça à côté de la première. Dans celle-ci, les couleurs correspondaient à la réalité, mais l'œil du rouge-gorge était celui d'une fille, un grand œil bleu ourlé de cils frémissants. De nouveau, Juliet comprit que Max avait capté chez l'oiseau une particularité dont elle ne s'était jamais rendu compte. Elle pensa au rouge-gorge de son jardin que Leonard et Frieda nourrissaient parfois, à son regard triste et suppliant. Max avait-il voulu représenter une jeune fille emplumée prise au piège comme Papagena ou simplement un vorace oiseau passereau ?

Jim et Charlie revinrent. Ils se plantèrent à côté de Juliet.

« Voyons ce que le camarade nous a peint cette fois. Encore des oiseaux ! Bon, c'est pas que ça me déplaise, mais pourquoi il ne peindrait pas un chat, un renard ou un foutu hippopotame pour changer ?

— Il peignait d'autres sujets autrefois, dit Charlie. Ce n'est qu'après la guerre qu'il a commencé à s'intéresser aux oiseaux.

En fait, j'ai quelques-unes de ses premières œuvres quelque part ici.

— Tu me les montres ? demanda Juliet.

— Quoi ? Maintenant ? Tu crois qu'on en a le temps ?

— S'il te plaît ! Je voudrais les voir. »

Tout excitée, Juliet oublia les tableaux qui attendaient d'être posés sur des chevalets. Charlie haussa les épaules et se pencha pour farfouiller dans une armoire. Au bout d'une minute, il se redressa avec un grand carton à dessin qu'il coucha par terre.

« Quelques-unes de ces œuvres sont de Max. Il a habité ici pendant la guerre et nous les a laissées en partant. Il paraît que je ne le quittais pas d'une semelle quand il s'enivrait ou flirtait avec ma gouvernante. Selon mon père, il jouait très bien à l'artiste, surtout en présence de filles. Ah, en voilà une ! »

Charlie sortit une feuille de papier aquarelle et tendit à Juliet un portrait au pastel d'une jeune fille à la poitrine généreuse qui ébauchait un sourire à la fois tendre et malicieux.

« Ça, c'était Hazel, ma gouvernante. Elle était réellement très jolie, mais Max n'hésitait pas à flatter une fille si ça pouvait l'aider à la mettre dans son lit. Pas que ces demoiselles eussent besoin de beaucoup d'encouragements, me disait mon père. »

Juliet approcha le dessin de la fenêtre où un rayon de soleil vint frapper le papier. La fille du portrait inachevé lui rendit son regard, les yeux plissés pour se protéger contre la lumière de l'après-midi d'un lointain passé. Juliet l'examina, essayant de voir l'artiste au-delà du bord de la page.

« Max était un portraitiste idéal. Il dessinait toujours son modèle comme celui-ci désirait être vu. »

Juliet se demanda comment Max la représenterait si elle posait pour lui.

« Lui avez-vous de nouveau demandé de venir ce soir ? s'informa-t-elle. Lui avez-vous remis ma lettre ?

— Nous la lui avons glissée sous la porte, répondit Jim. Il n'était pas là. En tout cas, il ne nous a pas ouvert. Il nous avait laissé ses tableaux sous le porche. C'est du moins ce que nous avons pensé. »

Charlie fronça les sourcils. « Je t'ai dit qu'il ne viendrait pas, Juliet. Il ne sort jamais. Il refuse de rencontrer des inconnus. Il se lève. Il traque ses oiseaux. Il les peint. Il se saoule la gueule. Il va se coucher. »

Charlie rassembla les dessins et les rangea dans le carton. La fascination que Juliet éprouvait pour Max Langford l'irritait. Il aimait, ou plutôt il *admirait* l'œuvre de Max. Enfant, il adorait ce jeune et prestigieux ami de son père, l'ex-peintre de guerre, qui avait toujours un crayon coincé derrière l'oreille et une histoire inconvenante à raconter. Max avait eu l'air de se moquer de ce qu'on le trouvât sympathique ou non. Il appréciait l'affection que d'autres lui témoignaient, mais elle ne laissait pas de le surprendre. À cette époque, Charlie enviait la facilité avec laquelle Max peignait et dessinait. Il supposait que c'était un bénéfice de l'âge et que, pour lui aussi, quand il serait plus grand, les tableaux se formeraient tout seuls sous son pinceau. Car Charlie peignait avec effort. C'était souvent un plaisir, il ne pouvait imaginer avoir une autre activité, mais cela lui demandait un acte de volonté. Il constatait qu'il en voulait à Max pour l'aisance avec laquelle il continuait à travailler et à Juliet pour la fervente admiration qu'elle manifestait à l'égard de son œuvre. Lors de ses visites à l'atelier dans le but de sélectionner le travail de ses divers amis et collègues à lui pour la nouvelle galerie, elle avait passé des heures, voire des journées, à examiner leurs cartons. Une fois de plus, Max avait fait exception. Après un seul coup d'œil à une série de ses aquarelles représentant des canards sauvages et d'autres oiseaux aquatiques, elle avait déclaré : « Je les prends toutes. »

Dans l'entrée, une pendule carillonna élégamment la demie.

« Faut qu'on termine, dit Charlie. Tout le monde va arriver d'un moment à l'autre. Donnez-moi un coup de main. »

Sous la direction de Juliet, Jim et Charlie disposèrent les derniers tableaux. Alors qu'ils reculaient pour en admirer l'effet,

Phil entra. Il avait à son bras une jolie fille aux cheveux aussi blonds que ceux de Charlie, à la bouche aussi grande que la sienne. Juliet devina qu'elle était la sœur aînée de son hôte.

«Vous avez drôlement bossé! s'exclama Sylvia, tendant sa joue à Charlie avec le même mouvement que sa mère. Et vous, vous devez être la célèbre Juliet.»

Elle tendit une main parfaitement manucurée que Juliet serra, honteuse de ses ongles nus.

« Je vois que j'arrive au bon moment », dit Phil. Il se frotta les mains et se tourna vers Charlie. «Tu as sonné pour l'apéritif? »

Juliet regarda Charlie presser un bouton de cuivre placé près du commutateur. La main de Sylvia coincée sous le bras, il fit le tour de l'exposition, désignant à sa sœur telle ou telle toile du bout de sa cigarette. À la différence du smoking que Jim avait loué, celui de Charlie était parfaitement à ses mesures. Il y était aussi à l'aise qu'un œuf dans un coquetier, se dit-elle. Elle avait l'habitude de le voir vêtu d'un jean décoloré avec soin, de chaussures usées à dessein. Tout d'abord, son élégance lui parut bizarre, puis elle se rendit compte qu'elle était naturelle. C'était l'autre Charlie, celui de l'atelier, qui jouait à se déguiser. Contrairement à Charlie et à elle, Philip et Jim semblaient toujours à l'aise. Aucun des deux ne faisait semblant d'être différent de ce qu'il était et n'aspirait à l'être. Philip était membre de la bonne société – pour se faire du fric, il peignait des courses de chevaux ou des parties de chasse – et n'avait jamais éprouvé le besoin de le cacher. Jim était tout aussi fier de ses origines. Ses parents possédaient une galerie marchande à Clacton-on-Sea ainsi que le plus ancien et le meilleur restaurant de *fish and chips* de la ville. C'était lui que Juliet enviait le plus. Il réussissait à combiner son ambition (pas question pour lui de passer sa vie dans la puanteur de la morue et du graillon) et la fidélité à ses racines. Parmi ses tableaux, Juliet préférait ceux qui représentaient Clacton – grosses dondons avec une glace fondante dans une main, une cigarette dans l'autre, déferlement des vagues sur une plage occupée par des chiens frétillants, des enfants, des grands-parents au visage pâle et des femmes enceintes débordant de leur maillot, la jetée en fin de saison privée de lumière et de promeneurs à part un jeune garçon qui urinait à côté d'une mouette.

Juliet se trémoussait dans sa robe neuve. Elle avait trop chaud et le vilain tissu synthétique collait à ses jambes telles des feuilles mouillées. La robe en soie jaune citron de Sylvia s'évasait au niveau de la hanche, lui donnant une taille de guêpe. Juliet se demanda si ce vêtement lui irait. Enfin… peu importait : de toute façon, elle ne pourrait jamais se l'offrir.

Elle sentit une main se poser sur son épaule.

« Tu es prête ? s'informa Charlie. Tout le monde est là. »

Juliet essaya de se rappeler la dernière fois où elle s'était trouvée face à pareille foule. Sans doute le jour de son mariage. Alors, au moins, on ne lui avait pas demandé de parler. Les garçons restaient debout parmi les tableaux, au fond de la pièce. Jim lui adressa un clin d'œil, mais Charlie paraissait très nerveux. Seule Valerie avait l'air parfaitement calme. Elle s'adossait contre le pilier rococo près de la porte, sa robe lilas retombant avec les plis parfaits d'une sculpture grecque. Dispersés autour de la pièce, ses amis, ou plutôt « les copains du père de Charlie, tous parfaitement assommants, mais assez riches pour vous être utiles », serraient des flûtes de champagne qui tiédissaient. Il faisait beaucoup trop chaud et Juliet se demanda si elle n'aurait pas dû organiser l'exposition dans le hall. Non, décida-t-elle, la lumière dans le bureau était parfaite. Elle mettait les toiles en valeur, et c'était là l'important. Elle s'éclaircit la voix. Des taches de sueur s'élargissaient sous ses bras. Leurs yeux braqués sur elle, les invités attendaient. Ce n'étaient pas les mêmes regards dont elle avait l'habitude dans son quartier – un mélange de pitié et de curiosité avec un zeste de réprobation. Ici, il s'agissait d'un intérêt non dissimulé : Juliet appartenait à une espèce inconnue d'eux, et ils l'examinaient avec la même attention qu'ils auraient accordée à une nouvelle variété de rose hybride. Elle jeta un coup d'œil à Sylvia. La sœur de Charlie, dont les boucles blondes semblaient avoir été arrangées en un savant désordre, avait l'air de sortir tout droit d'un dessin de *Vogue*. Puis Juliet prit conscience des smokings impeccables du groupe des hommes. Les seules autres fois où elle avait vu des hommes adultes habillés de la même façon, c'était lors de ses rares visites à la *schul*. Ils remontaient la rue avec leurs feutres noirs et leurs longs manteaux de la même couleur. Seules leurs barbes les distinguaient les uns des autres. Juliet attendit que Sylvia finisse de se faire embrasser, sans que les lèvres ne touchent la peau, par une autre fille de la bonne société fleurant le lys. Elle soupira. Inutile d'essayer de les imiter. Ils sentiraient l'imposture aussi vite qu'un chien de meute. Elle se dandina à droite et à gauche, sans se rendre compte qu'elle plaçait une de ses jambes derrière l'autre. Figée dans cette position de héron, elle se mit à parler.

« Je ne suis pas allée aux Beaux-Arts, je n'ai pas fait la connaissance de Rembrandt ou de Van Dyck au Courtauld. Je n'ai aucune qualification et je me demande pourquoi Charlie m'a confié cette tâche… » Elle s'interrompit pour regarder Charlie, soudain très pâle, comme s'il se posait à son tour cette question. « Toutefois, lorsque je contemple certains tableaux, sculptures ou dessins, j'éprouve une sensation dans mes… » De nouveau, Juliet hésita. Elle aurait aimé dire *kishkies*, tripes en yiddish, mais ce mot aurait sans doute déconcerté cette assemblée résolument anglaise. « … une sensation dans mon ventre qui m'indique que cette œuvre est bonne. Peu m'importe la mode dans les arts car, à vrai dire, j'ignore ce qui est tendance ou ce qui ne l'est pas. Je choisis une œuvre par rapport au frisson qu'elle me donne. Les tableaux réunis ici ont cet effet sur moi. J'espère qu'ils provoqueront aussi en vous l'impression que quelque chose remue dans votre âme. »

Polis, bien élevés, ses auditeurs écoutaient avec attention. L'âme n'était guère un sujet approprié pour l'apéritif, mais, Juliet n'étant pas des leurs, ils lui accordaient le bénéfice du doute.

De l'autre côté de la pièce, les oiseaux de Max captèrent son regard tel un aimant : les oies roses luisaient dans la chaude lumière de la fin d'après-midi. Calmée, elle sourit, prête à s'épancher auprès de tous ces inconnus.

« Dans mon enfance, quand je m'efforçais d'aimer Dieu, ma mère m'emmena à la National Gallery. Elle me montra « Le tigre » de Rousseau et « Le pont de Waterloo à l'aube » de Monet, m'assurant que Dieu se trouvait dans ces tableaux. J'eus beau regarder, je ne Le vis ni parmi les arbres ni passant la tête de derrière un pilier. Ces toiles me plaisaient pour elles-mêmes. À vrai dire, je n'ai plus besoin de Dieu, mais je ne peux vivre sans l'art. »

Se rendant compte qu'elle disait la vérité, elle sentit ses joues s'empourprer. Si ses parents avaient été présents, ils auraient été consternés. Son père aurait craint le courroux de Dieu, sa mère se serait inquiétée du commérage des voisins. Cependant, maintenant qu'elle avait commencé, elle devait continuer.

« La Bible nous demande de croire que Dieu nous insuffle la vie. Quand nous mourons, nous exhalons ce souffle et nous retournons à la poussière. Mais ces tableaux le contiennent, ce souffle. Ce n'est pas Dieu qui gonfle de vie ces oiseaux roses dans le ciel, ces baigneurs batifolant dans l'eau pure et glacée, mais Charlie, Jim, Max ou Philip. »

Son auditoire tiqua un peu – après avoir mentionné l'âme, voilà maintenant qu'elle leur parlait de Dieu – mais la gravité de son ton et l'espace qu'elle laissait entre les mots leur firent pardonner cette violation des convenances.

« On nous dit que chaque chose doit remplir une fonction. Mon père, par exemple, approuve cette idée-là. C'est un homme à l'esprit pratique qui dédaigne les babioles ou *chatchkies*. Il apprécie les objets utiles tels les cannes de promeneur ou les lunettes. Mais l'art remplit une autre fonction : il nous aide à voir le monde d'une façon plus nette. Comme les lunettes chères à mon père, l'art aiguise notre perception. Si après avoir vu les oiseaux de Max ou les baigneurs de Jim, nous regardons la mer, il y a des chances pour que nous la comprenions mieux. »

Juliet soupira et se mordilla la lèvre, se demandant avec inquiétude si elle en avait dit trop et pourtant pas assez. À présent venait la partie la plus désagréable de sa tâche. Comme la plupart des petits-bourgeois, elle détestait demander de l'argent – cela ressemblait à de la mendicité – mais elle devait en passer par là.

« Nous ouvrons une galerie, mais nous avons besoin de fonds pour tenir pendant la première année, dit-elle, se forçant à promener son regard autour de la pièce. Je ne vais pas vous assurer que vous récupérerez votre mise dans deux ans ou la doublerez dans cinq. D'après les comptes, c'est possible, mais le but de cette entreprise n'est pas de faire de l'argent. J'ai l'intention de partir à la quête de talents, de rechercher des artistes qui animent leurs œuvres tel un golem afin qu'en les regardant nous soyons transformés et retournions à notre quotidien réconfortés et stimulés. »

Scrutant les visages des amis de ses parents, Charlie constata avec soulagement qu'il avait eu raison. Il n'avait pas été aveuglé par une simple tocade. Juliet leur avait plu. Elle n'était pas le genre de personne dont ils avaient l'habitude. C'était une fille intelligente de la ville et non une aristocrate campagnarde férue de chevaux. Ce qui les intriguait surtout, c'était l'idée qu'une femme puisse diriger une galerie. On entendit bruisser des feuilles de chéquiers. Charlie sourit à la pensée que, le lendemain matin, à la vue du talon correspondant, plus d'un de ces messieurs s'étonnerait de sa générosité.

Plus tard ce soir-là, Charlie s'empara de la main de Juliet et entraîna la jeune femme au bas des marches, dans l'obscurité du jardin. Telle une meute de chiens enivrés par une chasse fructueuse, le reste de la bande les suivit. Charlie poussa un cri de joie, les autres l'imitèrent. Juliet se laissa tirer de plus en plus vite sur l'herbe humide que les lumières de la maison rayaient de longs traits jaunes. Elle se taisait. Le montant de la somme qu'ils avaient collectée l'effrayait, même si elle savait qu'elle correspondait à leurs besoins — c'était elle qui avait veillé dans sa cuisine, bien après que ses enfants soient couchés, pour examiner des papiers et se livrer à des calculs avec les vestiges des notions d'arithmétique qu'elle avait apprises à l'école. À présent, elle possédait un ticket de loterie. Si elle gagnait, sa vie changerait complètement. Elle ne retournerait plus jamais à Greene et Fils où tous les jours se ressemblaient. Les garçons, eux, auraient d'autres possibilités. Ils étaient si jeunes ! Elle avait un an pour réussir. Elle trébucha sur un caillou. « Attends ! cria-t-elle. J'ai perdu ma sandale.

— Peu importe. Dépêchons-nous.

— Où allons-nous ? » Juliet se débarrassa de son autre chaussure et se mit à courir pieds nus sur les dalles fraîches de l'allée.

« À la piscine ! Prendre un bain. »

Juliet ralentit et dégagea sa main.

« Est-ce qu'il n'est pas un peu tard pour ça ?

— Minuit est le meilleur moment.

— Tout à fait ! » confirma Philip qui les avait rattrapés. Il tendit une bouteille de champagne à Charlie qui s'arrêta enfin pour boire au goulot.

« Je n'ai pas de maillot, protesta Juliet.

— Ça ne nous gêne pas, dit Charlie, enhardi par l'alcool.

— Je t'en prêterai un, proposa Sylvia en jetant un regard réprobateur à son frère. J'en ai un de rechange. »

Juliet essaya de paraître reconnaissante. Les bruits de la fête descendaient de la terrasse telles les volutes d'une fumée de cigare. Trois papillons de nuit voletaient devant elle, leurs ailes semblaient blanches sur le fond obscur. Elle sentit un parfum de lilas et de mimosa qui lui rappela le parfum de sa grand-mère. Quelque part, un hibou hulula, un autre lui répondit. Lorsqu'ils atteignirent la rangée de bassins rectangulaires, les hommes déboutonnèrent leurs nœuds papillons et détachèrent leurs cols durs. Juliet s'adossa contre une haie pyramidale. Elle ne s'était pas rendu compte que le plus grand des bassins était en fait une piscine. Elle aperçut les marches métalliques qui menaient dans l'eau noire. Ce bassin-là paraissait aussi sombre et profond que les autres, et elle se demanda si des poissons vous guettaient tout au fond.

«Tiens, bois un coup. Ça donne du courage.»

Jim lui tendit sa flasque. Elle vit ses dents blanches, plutôt irrégulières, luire dans l'obscurité. Après avoir reniflé le contenu du flacon, elle but une gorgée qui la fit tousser.

« Garde ça pour nettoyer tes pinceaux », dit-elle en lui rendant son whisky.

Jim éclata de rire. « D'accord, d'accord, j'ai compris.

— Jim, ne le dis à personne s'il te plaît, mais je ne sais pas nager.»

Juliet frotta ses bras couverts de chair de poule. Des filles comme elle n'allaient pas nager. Sa mère n'aimait pas les piscines publiques. À ses yeux, c'étaient des endroits dégoûtants, aux sols encroûtés de verrues, et pleins d'hommes lubriques. À la rigueur, on pouvait se baigner dans la mer, mais lors de leurs rares séjours à Bournemouth ou à Margate, Juliet n'avait pas appris à nager. La seule eau profonde qu'elle connût était celle de la *mikvah*. Elle s'y était baignée pour la première fois juste avant son mariage, après qu'on lui avait coupé les ongles et, selon le rituel, débarrassée de la dernière parcelle de saleté, y compris celle de ses oreilles et de son nez. Son corps recelait d'innombrables creux, plis et trous qui devaient être parfaitement propres. Nue et déconcertée, elle était descendue dans la *mikvah* et s'y était plongée tout entière, jusqu'en haut de la tête – une Ophélie d'intérieur aux cheveux flottant telles des herbes aquatiques. Si elle se noyait, elle monterait peut-être droit au Ciel – mais y croyait-elle vraiment, au Ciel ? Obéissant aux consignes, elle avait ouvert les yeux car même cet organe-là devait être purifié : quel malheur si un mari était souillé par une goutte de sang menstruel ! Au lieu de psalmodier les prières prescrites, elle s'était récité quelques vers de « Dover Beach » (*La mer est calme ce soir/La marée haute...*). Enfin elle avait émergé, impeccable et sanctifiée, se disant avec étonnement que la prochaine fois qu'elle visiterait ce lieu elle aurait perdu sa virginité. Elle y revint une ou deux fois dans les premières années de son mariage avec l'espoir que ces eaux la laveraient de ses problèmes conjugaux et opéreraient une transformation. Bien entendu, cela n'avait pas marché. C'est George qu'elle avait envie d'envoyer au bain pour qu'on lui ôte ses secrets de la peau. Son mari, en effet, restait aussi loin que jamais, plongeur qui nageait au milieu de mystères et de cachotteries. Se rendre à la *mikvah* devint un rituel occasionnel, une superstition dénuée de réconfort.

À présent, elle regardait l'eau sombre et profonde de la piscine.

« Sérieux ? demanda Jim. Tu ne sais pas nager ? »

Juliet secoua la tête.

« N'y entre pas, alors. Tu ne peux pas te noyer maintenant, ça ficherait tous nos plans en l'air ! »

Juliet essaya de sourire. Jim enleva son nœud papillon et le fourra dans sa poche. Il se débarrassa de sa veste et commença à défaire la ceinture de son smoking. Quand Juliet se détourna, ses yeux tombèrent sur Charlie et Philip qui ôtaient leur pantalon et leurs chaussettes. Partout il semblait y avoir des hommes en train de se déshabiller. Festonnés de vêtements, les buissons triangulaires avaient un petit air de fête. Jusqu'à ce jour, elle n'avait encore jamais vu un homme se dénuder, à part son mari. Elle se sentit terriblement provinciale.

« Tiens, ça devrait t'aller, dit Sylvia en lui tendant un maillot roulé en boule. Allons nous changer derrière cette haie. »

Juliet suivit sa compagne derrière une rangée d'ifs. À une vitesse qui lui rappela les vestiaires glacials de l'école, elle fit tomber sa robe et enfila un maillot bleu assez osé.

« Il est parfait », commenta Sylvia d'un ton satisfait.

Elle était vêtue, ou plutôt dévêtue, d'un deux-pièces encore plus provocant, un de ceux que Juliet voyait dans les revues de mode lorsqu'elle attendait chez le dentiste.

« À ton retour, tu devrais venir regarder mes tableaux, dit Sylvia.

— Tes tableaux ? Comme c'est bizarre. Charlie ne m'a pas dit que tu peignais. Oui, avec grand plaisir. J'aimerais avoir des œuvres de femme parmi celles de tous ces garçons. »

Sylvia rit. Elle ajusta son soutien-gorge. « Je peins un peu, mais je fais surtout de la restauration. Je suis à l'Institut Courtauld. Tant que tu n'as pas regardé un Rembrandt à nu, tu n'as encore rien vu. »

Frissonnantes, la peau marbrée, elles retournèrent à la piscine. Juliet resta au bord, un pied pendu par-dessus la pierre fraîche. Au milieu de cris, un pêle-mêle de corps battait l'eau, aspergeant ses jambes nues. Elle essaya de compter le nombre de personnes présentes, mais c'était impossible : elles plongeaient en hurlant, s'enfonçaient, et ne remontaient à la surface que pour respirer et s'emparer d'une bouteille de champagne. Pareille à un phoque, une tête émergea et s'approcha du rebord.

« Alors, vous sautez ou non ? » demanda Charlie aux deux femmes.

Sylvia se tourna vers Juliet. « Il fera plus chaud dedans que dehors. Tu viens ?

— Dans un petit moment. Vas-y, toi. »

Sylvia arqua son corps et plongea dans le noir. On aurait dit une hirondelle. Tandis qu'elle poussait des cris de terreur et de plaisir, des bras l'encerclèrent et la tirèrent vers le fond. Juliet s'accroupit. Elle passa la main à la surface de l'eau, ramassa des poignées de reflets lumineux, les laissa couler entre ses doigts.

« Allez, viens », insista Charlie qui flottait sur le dos à un mètre de Juliet. Voyant qu'il était nu, elle s'efforça de ne pas détourner la tête et trahir ainsi son embarras de petite-bourgeoise.

« Je suis très bien ici.

— Laisse-la tranquille, Charlie. »

Jim se hissa sur le rebord de la piscine et s'assit à côté de Juliet. Il tendit le bras pour prendre une cigarette et jura entre ses dents : complètement mouillée, elle était impossible à allumer. Il se leva pour en chercher une autre.

« Détends-toi, dit-il quand il revint une minute plus tard, j'ai remis mon pantalon. »

Juliet se crispa. « Je préfère que mes amis soient habillés. Cela veut-il dire que je suis prude ? »

Jim se mit à rire. Il gratta les gros muscles à la base de son cou.

« En tant que divorcée, tu es censée être difficile à choquer. »

Juliet sourit et détourna le regard. Dans l'eau, un homme souleva Sylvia au-dessus de sa tête et la laissa retomber dans un grand bruit d'éclaboussures. Les mugissements d'un bétail invisible flottaient par-dessus le mur du jardin.

« Tu ne pourrais pas te tenir tranquille une minute, mon chou ? »

Tournant son regard vers Jim, Juliet se rendit compte qu'il tenait un carnet de croquis. Il avait coincé un crayon derrière son oreille.

« Bon, d'accord. »

Il faisait vraiment froid. Juliet serra les dents pour les empêcher de claquer, mais poser pour son ami était plus agréable qu'entrer dans la piscine. Elle regarda ses jambes blanches se balancer dans l'eau, ses orteils frétillant comme des poissons. Les cris des baigneurs, le claquement de leurs corps sur l'eau et le grattement du crayon de Jim avaient quelque chose d'apaisant. À la différence de Charlie, Jim ne lui demandait pas de parler quand il dessinait. Ils restaient assis ensemble, silencieux et détendus. Juliet observait ses compagnons dans la piscine, Jim l'observait elle.

« Arrête de bouger, veux-tu !

— J'essaie, mais il fait si froid !

— Qu'est-ce que vous fabriquez ? » Se hissant à moitié hors de l'eau, Charlie fourra entre eux ses épaules dégoulinantes. Avec force contorsions, Jim recula pour éviter de mouiller son pantalon.

« Fiche-nous la paix, Charlie. J'essaie de dessiner.

— Ce n'est pas le moment. Nous faisons la fête. »

Jim le repoussa. Charlie plongea pour remonter aussitôt. Sans lui prêter attention, Jim fit glisser son crayon à travers la page. Charlie tendit le bras et tenta de lui arracher le carnet, mais Jim fut plus rapide que lui : il se tourna, tout en tapant sur son ami du dos de la main. Craignant les éclaboussures, Juliet se pencha en arrière. Soudain, avec un cri, Charlie l'attrapa par les chevilles et la fit tomber dans la piscine.

Elle tomba en silence, avalée par l'eau noire.

Juliet se sentit sombrer, elle vit ses membres essayer d'agripper l'eau. Tout était si tranquille ! L'eau entrait dans ses yeux et dans son nez. Mes poumons sont propres, pensa-t-elle. Les mers, les rivières et les mares nous transforment. Un gentil qui se baigne dans une *mikvah* en ressort Juif. Une douleur aiguë éclata dans sa poitrine quand elle voulut respirer. Elle ne fit qu'avaler de l'eau, une eau brûlante qui échauda sa gorge. Elle se débattit, luttant pour un peu de souffle. Son poing heurta quelque chose, un poisson ou un pied. Elle n'était plus qu'une masse de peur qui se contorsionnait dans le noir. Soudain, des bras tièdes et robustes l'entourèrent et l'emportèrent vers le haut, vers l'air. Elle toussa, la parole remplacée par des grognements et des plaintes. Des mains lui tapèrent dans le dos. Elle recracha de l'eau, puis s'allongea sur les dalles froides, épuisée.

« Bon sang, Juliet, maintenant je ne récupérerai plus la caution que j'ai dû payer pour ce foutu pantalon », grommela Jim en l'enveloppant dans une serviette.

Il était accroupi près d'elle, le front plissé. Les mains croisées sur sa poitrine, le visage blême, Charlie regardait la scène. « Je suis navré, murmura-t-il, vraiment navré. J'ignorais que tu ne savais pas nager. »

Trop fatiguée pour parler, Juliet ne bougea pas. Encore saouls, mais affectant la sobriété, les autres baigneurs avaient interrompu leurs jeux et commençaient à sentir le froid.

« Ne vous inquiétez pas, finit-elle par dire, je vais bien. Désolée pour le pantalon. »

Elle ferma les yeux et prit plusieurs respirations profondes et dégagées. Au bout de quelques minutes, elle saisit sa robe et la passa par-dessus son maillot, puis elle se leva, vacillant comme une ivrogne. À sa satisfaction, elle constata que des taches d'humidité assombrissaient son affreux vêtement. Tant mieux s'il était fichu ! Elle tendit la main à Charlie en signe de pardon.

« Je t'assure que ça va aller. »

Pareil à une statue de cire, Charlie continua à la fixer du regard. Au prix d'un effort, il réussit à ciller. « Veux-tu que je te ramène à la maison ? »

Juliet entendit les baigneurs recommencer à folâtrer. Des bruits d'éclaboussures et des rires. Au sommet d'une haie, elle aperçut un hibou perché là tel un arbitre, son plumage aussi blanc qu'une tenue de tennis. L'oiseau la fit penser à Max.

« Non, merci, je suis très bien ici », dit-elle, et elle se rendit compte que c'était vrai.

Le lendemain, à son réveil, elle découvrit le dessin de Jim punaisé au miroir de sa chambre. Au lieu de son reflet, elle aperçut la Juliet de la veille assise en maillot au bord de la piscine. *Me voilà*, se dit-elle. *Toujours sur le point de tomber, mais ne tombant jamais.*

Mrs Greene n'en revenait pas. Elle serrait la main de Mr Greene, indifférente au plat de macarons posé sur la table. Elle scruta le visage de Juliet, se demandant s'il avait déjà changé. L'ambition se voyait-elle comme un grain de beauté ou une lueur dans l'œil ?

« C'est pour de bon que tu quittes l'usine, alors ? »

Juliet hocha la tête. « Si la galerie marche, oui.

— Mais tu as toujours travaillé pour ton père !

— À présent, je voudrais essayer autre chose.

— Est-ce que tu ne peux pas continuer ? Par exemple : quelques jours comme galeriste et le reste de la semaine comme secrétaire de ton père ?

— Non, maman, répondit Juliet d'un ton calme. Ce nouveau travail, je dois le faire bien ou y renoncer. »

Mrs Greene n'avait jamais vraiment compris sa fille. Tout ce qu'elle avait souhaité, c'était que Juliet épousât un de ces gentils garçons qui allaient à leur *schul*. Ces gentils garçons avaient de gentilles mères. Mrs Greene les connaissait toutes. Personne n'avait su quoi que ce soit sur la mère de George – ce qui aurait dû les mettre en garde. Un jour, il y avait très longtemps de cela, elle avait demandé son nom et George s'était contenté de répondre « Eva ». Après toutes ces années, Mrs Greene voulait bien reconnaître que c'était agréable de ne pas avoir à partager ses petits-enfants avec une autre femme. Elle n'aurait pas supporté qu'ils lui préfèrent leur grand-mère paternelle. Elle était faite pour être grand-mère, c'était son meilleur rôle. À la naissance de Frieda, elle avait hoqueté de bonheur à la vue de cette petite créature rougeaude couchée dans un berceau au pied du lit d'hôpital où dormait Juliet, entravée par les draps. Quand Frieda avait ouvert un œil bleu, Mrs Greene n'avait pu s'empêcher de la prendre dans ses bras. « Bonjour, avait-elle dit. Je suis Mrs Greene. Edith. Ta mamie. »

Juliet, cependant, en avait toujours fait à sa tête. Elle écoutait poliment les conseils qu'on lui donnait, mais ne les suivait jamais. À présent, elle était assise là, les mains sagement croisées sur ses genoux, un macaron à moitié grignoté abandonné sur un napperon en papier (pourquoi sa fille n'apprenait pas à se servir d'une assiette était un autre mystère pour Mrs Greene).

Mr Greene s'éclaircit la voix. « On pourrait te trouver d'autres choses à faire, à l'usine. Des choses plus intéressantes.

— Écoute, papa, il n'y en a pas, des choses différentes. L'usine fonctionne très bien comme ça. Tu n'as pas besoin de moi.

— Nous devrons engager une autre secrétaire.

— Elle remplira sa tâche aussi bien que je le fais. Mais les garçons, eux, dépendent de moi. Ouvrir cette galerie est une aventure excitante. »

Déroutée par la notion d'aventure, Mrs Greene émit un grognement incrédule. Pour elle, tout le plaisir de la vie, c'était son uniformité, la succession régulière des jours sans surprises inutiles. Le calendrier juif n'avait-il pas été tout particulièrement établi pour les éviter ? Elle se réjouissait toujours à l'avance de pouvoir allumer les bougies le vendredi soir, puis d'attendre l'arrivée des enfants. Ensuite, ceux-ci mangeaient leur poulet et recrachaient le foie haché, bien que Juliet leur assurât à chaque fois que c'était là un mets délicat qu'ils apprécieraient quand ils seraient grands. L'année avait un rythme défini : il y avait d'abord *sukkout* et les repas dans le jardin, puis la chute des feuilles, les pommes, le miel et le Nouvel An. Si elle le voulait, elle pouvait consulter le grand calendrier sur le bureau de Mr Greene et chercher le texte de la Torah qu'on lirait, disons un samedi de 1965, et elle saurait quel texte elle entendrait ce matin-là, dans le futur. Le calendrier vous permettait de garder de l'ordre dans votre vie, mais Juliet avait toujours été brouillonne. Petite fille aux nattes de travers, elle laissait ses puzzles étalés par terre, de sorte que diverses pièces disparaissaient dans l'aspirateur. Adulte, elle se peignait les cheveux et nettoyait sa maison, mais elle refusait sciemment d'avoir une vie rangée.

« Tous travaillent à l'usine de ton père. *Tous*.

— J'ai toujours su que Juliet était différente, déclara Mr Greene. C'est le seul membre de notre famille qui n'ait jamais eu besoin de lunettes. »

Une fois Juliet partie, laissant sur la table un tas de miettes et de l'inquiétude dans le cœur de ses parents, Mrs Greene prépara du thé frais. Remplir la bouilloire et l'écouter chanter était un rituel plus apaisant que n'importe quelle prière. Si Juliet avait épousé un de ces gentils garçons, quelqu'un comme, par exemple, le beau John Nature qui avait toujours eu le béguin pour elle, sa vie aurait été aussi rangée que les placards impeccables de sa mère. Mais alors que Mrs Greene avait cette pensée, elle comprit que cela n'aurait pas marché. Même sans un George, sa fille trouvait toujours le moyen de se créer des ennuis. Comment avait-elle pu permettre à un inconnu rencontré dans la rue de peindre son portrait ? Encore heureux qu'elle n'eût pas posé nue ! Les rabbins l'observaient déjà d'un œil inquiet, craignant qu'elle ne porte atteinte à la réputation de leur communauté. Le rabbin Plotkin et le rabbin Shlonsky avaient dit à Mrs Greene qu'ils ignoraient ce qui les dérangeait dans la conduite de sa fille : elle était tout à fait aimable, ses enfants propres et polis. Il s'agissait juste d'une sorte de picotement dans leur barbe, de l'impression que, dans une pièce pleine de filles vêtues de blanc, Juliet avait toujours porté des rubans rouges dans ses cheveux.

Mrs Greene soupira. Et voilà que maintenant elle ouvrait une galerie d'art avec ce jeune noceur et ses amis ! Aucun d'eux n'était juif. Aucun d'eux ne vivait par ici. Une chose était certaine : elle ne connaissait pas leur mère et, si elle connaissait ces femmes, elle risquait de ne pas s'entendre avec elles. Juliet n'eût-elle pas été sa fille, elle l'aurait sans doute considérée comme peu fréquentable. Troublée par cette idée, elle se brûla avec la bouilloire. Elle laissa tomber le récipient dans l'évier, cassant une assiette héritée de sa mère. Au fait, qu'aurait dit sa mère de cette affaire ? Comment aurait réagi cette grand-mère Lipshitz qui avait traversé la mer à cause d'une pomme malvenue et quitté le garçon qu'elle aimait parce qu'On Ne Peut Pas Enfreindre La Loi ? Et qui malgré une grave maladie s'était efforcée de vivre jusqu'à l'arrivée de bébé Leonard ? Avant même de s'en rendre compte, Mrs Greene se mit à pleurer à gros sanglots irréguliers qui secouèrent ses épaules et firent couler son nez. Elle plongea la main dans sa poche, à la recherche d'un mouchoir. N'en trouvant pas, elle pleura de plus belle.

Lorsque Mr Greene arriva en courant du séjour, il trouva sa femme en train de refroidir sa main brûlée sous le robinet, le visage inondé de larmes.

«Voyons, Edith, tout ira bien.

— Non, ce n'est pas vrai, riposta Mrs Greene. Il nous faut retrouver George ou nous perdrons notre fille. »

Mr Greene lui tendit son mouchoir.

« As-tu gardé ce numéro de téléphone ? demanda Mrs Greene en tamponnant ses yeux.

— Quel numéro, Edith ?

— Tu sais bien. Le numéro de *ce type*.

— Ah. Oui, je l'ai gardé pour le cas où. »

Mr Greene partit dans son bureau d'où il revint avec une carte de visite qui indiquait en petites lettres : *Gerald Jones. Détective privé.*

Mrs Greene croisa les bras sur le haut de sa robe fleurie. « Où qu'il soit, ce George Montague, nous allons le débusquer. »

ARTICLE 100 DU CATALOGUE
« Juliet "Vibrion" Greene à l'âge de neuf ans et trois mois »,
John MacLaughlin Milne, huile sur toile, 1937.

S ERRANT LA MAIN de Mr Greene à travers ses moufles, Juliet
exécutait un saut tous les deux pas pour rester à la hauteur
de son père. Les feuilles craquaient agréablement sous ses chaussures cirées, son haleine se mêlait au brouillard matinal. Elle se
demanda si, après tout, celui-ci n'était pas dû à de la suie, mais
au souffle de millions de Londoniens. Tel un vieux monsieur, le
soleil essaya sans conviction de se lever, puis y renonçant, se glissa
de nouveau entre de vaporeuses couches de brume. Cela lui était
bien égal, à Juliet. Ni un brouillard « soupe de pois » ni une soupe
de pois au déjeuner ne pouvaient gâter sa joie : aujourd'hui,
elle allait travailler avec son papa. C'étaient les vacances de Noël
et sa mère était au lit avec un rhume. Juliet regrettait qu'elle fût
malade et s'efforça de réprimer son allégresse à la perspective
d'accompagner son père tous les jours de cette semaine.

Mr Greene pressait le mouvement. Il ne s'arrêta que pour
acheter son journal au coin de la rue, ajoutant à son *Financial
Times* un exemplaire de *Girl's Own* que Juliet, imitant son père,
coinça solennellement sous son bras. Il fit halte devant la vitrine
d'un fourreur où Juliet contempla des mannequins vêtus de
vestes en léopard, de toques en vison et d'étoles en renard aux
pattes pendantes. Mr Greene souleva le loquet d'une grosse
porte en bois, puis père et fille pénétrèrent dans une entrée

commune. Une puanteur de vieille carne s'échappait de la boutique du fourreur. Fascinée, Juliet regarda la porte fermée de Fox et Bromley, se demandant si Mr Fox, monsieur Renard, avait deux jambes ou quatre pattes. Un ascenseur cliquetait au bout du hall obscur. Une minute plus tard, il s'ouvrit et un vieux liftier les invita à entrer dans la cabine. Son dos voûté le faisait ressembler à un diable coincé au fond de sa boîte.

«Vous en avez de la chance, Mr Greene! s'exclama-t-il en claquant les portes de la cabine. Je vois que vous avez emmené votre assistante aujourd'hui.» Lorsque l'ascenseur s'arrêta avec un soubresaut, Juliet aperçut une femme qui les attendait sur le palier. Elle les débarrassa de leurs manteaux. Une paire de lunettes (Greene) à fine monture attachée à une chaîne pendait sur sa poitrine, un filet emprisonnait ses cheveux poivre et sel.

« Bonjour, mister Greene, dit-elle. Bonjour, miss Greene. »

Mr Greene lui rendit son salut et lui permit de prendre son chapeau.

Mrs Harris entraîna habilement Juliet dans un bureau donnant sur l'arrière où se trouvaient cinq sosies d'elle – des dames d'un certain âge dont le célèbre teint de rose anglais avait pris la couleur de pétales séchés.

« Nous vous avons installé un bureau, miss Greene. »

Affichant un air nonchalant, Juliet se retint de ne pas se précipiter vers le papier, le crayon et la vieille machine à écrire qu'on avait disposés pour elle.

« Est-ce que je peux faire partie de votre équipe? » demanda-t-elle.

À neuf ans, elle trouvait qu'il y avait peu de choses plus excitantes ou plus prestigieuses que de travailler dans un pool de dactylos.

Lorsque Mrs Harris lui donna un court texte à taper, elle glissa la première feuille de papier filigrané dans le rouleau, souhaitant que la semaine ne se terminât jamais.

Juliet s'ennuyait. Elle avait lu son *Girl's Own* – le magazine était plein d'histoires bébêtes sur des petites filles qui aidaient leurs mères ; le ruban de la machine accrochait tout le temps et les lettres qu'on lui avait données à dactylographier étaient d'un ennui mortel. Elle s'efforça de les rendre plus amusantes, mais découvrit avec dépit que Mrs Harris les retapaient toutes sans les améliorations qu'elle y avait apportées. À treize heures, bien que déçue par la chef de service, elle consentit à déjeuner avec elle et les autres « filles ». Alors qu'elles atteignaient l'escalier (Mrs Harris refusait de prendre l'ascenseur, disant que cela lui donnait les *chocottes*), Juliet entendit une voix masculine sonore teintée d'un drôle d'accent. Quelle chance ! Elle n'avait encore jamais rencontré d'étranger. Abandonnant ses compagnes, elle suivit la voix.

Devant le bureau de son père, elle aperçut un homme âgé vêtu d'une veste de tweed et coiffé, comme on pouvait s'y attendre, d'un chapeau d'aspect peu anglais. Il parlait à son père qui, les mains croisées derrière le dos, se balançait presque imperceptiblement sur la pointe des pieds. Mr Greene ajusta sa pochette, signe d'une légère inquiétude.

« Je ne suis pas en mesure de régler tout de suite la totalité de la somme, disait l'inconnu, mais, en échange des lunettes, je pourrais vous donner un tableau.

— Eh bien… Il nous arrive de pratiquer le troc, mais…

— C'est vrai ! l'interrompit Juliet en se glissant dans l'entrée. Tous les rabbins viennent se faire faire leurs lunettes ici. Et aussi des religieuses, même si nous sommes des païens et non des catholiques. Pour les hommes et les femmes de Dieu, c'est gratuit. Êtes-vous un homme de Dieu ? Peu importe de quel Dieu. »

Les deux adultes se tournèrent vers Juliet. Mr Greene paraissait un peu pâle.

« Elle est à vous, cette petite ? » demanda l'étranger.

Mr Greene réussit à soupirer et à sourire à la fois. « En effet. »

Le visage de l'inconnu s'éclaira. « Dans ce cas, je peux faire son portrait. Cette semaine même, pendant que j'attends mes lunettes. »

Mr Greene allait élever des objections – que diable ferait-il d'un tableau ? – quand il prit conscience des avantages de cet arrangement. D'abord, ce portrait ferait sans doute plaisir à sa femme et, ensuite, des séances de pose empêcheraient Juliet d'être, pendant toute une semaine, dans les jambes du personnel de l'usine. Une certaine lassitude émanait déjà de la pauvre Mrs Harris et deux des lettres que la secrétaire lui avait apportées à signer étaient très bizarres. On les avait enlevées en hâte de la chemise et retapées. Mr Greene considéra donc soudain la proposition du peintre comme une excellente affaire.

Juliet était enchantée qu'on fît son portrait. Elle aimait le petit atelier que Mrs Harris avait aménagé dans un bureau inoccupé. La pièce était dépourvue de rideaux et de stores et ses murs chaulés avaient échappé au papier peint brun au dessin cachemire qui avait envahi le reste du local telle une maladie de peau. Elle aimait l'odeur des couleurs. Chaque soir, elle restait assise, les lèvres pincées, dans la baignoire tandis que Mrs Greene lavait et relavait les cheveux de sa fille en reniflant et en émettant des bruits désapprobateurs. Juliet, elle, aurait voulu aller au lit imprégnée de cette délicieuse puanteur. Par-dessus tout, elle aimait Mr John MacLauchlan Milne, bien qu'elle eût appris qu'il n'était pas vraiment un étranger, mais simplement écossais. Au bout d'une heure en sa compagnie, elle estima que c'était presque aussi intéressant. Mr Milne avait l'âge de son grand-père, mais, dans sa jeunesse, il avait été cow-boy au Canada. Il pouvait exécuter toutes sortes de tours avec un lasso, il avait visité la France où il avait peint des homards, des cafés parisiens et des voiliers dans des ports du Midi. Il lui montra même, sur sa palette, la couleur exacte de la Méditerranée par une nuit d'août.

Perchée sur une chaise surmontée de coussins, Juliet s'efforçait de ne pas bouger.

« Peux-tu te taire quelques minutes pendant que je peins ta bouche ?

— Je vais essayer, répondit Juliet après un moment de réflexion, mais ça va être difficile. »

Milne émit un rire rauque de fumeur et commença à mélanger du corail et du blanc sur sa palette.

« C'est sans doute pour ça que vous peignez surtout des paysages. Eux, au moins, sont immobiles et silencieux.

— Tu te trompes. Les paysages ne sont pas immobiles. La lumière ne cesse de changer et les ombres se déplacent. Le vent fait bruisser les arbres et frémir les herbes. Et maintenant chut ! »

Juliet retint son souffle. Elle imagina qu'elle était un de ces écureuils roux du parc en train de manger tranquillement une noix. Elle n'osait même pas ciller. Elle était si silencieuse, si figée qu'elle aurait tout aussi bien pu être morte. Oh, que sa mère serait triste ! Le tableau représenterait une pauvre, une tragique Juliet disparue beaucoup trop tôt. Pendant le *shiva*, ses oncles, ses tantes et ses cousins arriveraient chez elle avec de la poitrine de bœuf, ils regarderaient son portrait et pleureraient. Comme on dégonfle un ballon, Juliet expulsa l'air de ses poumons et tomba du haut de sa pile de coussins.

« Excusez-moi, mister Milne. »

Le peintre posa son pinceau et sortit une cigarette. Il souffla de la fumée d'entre ses dents. « Ma parole ! Tu n'es pas une enfant, tu es un vibrion ! »

Juliet passa avec son père devant une épicerie où des femmes faisaient la queue. Quelques kilomètres plus loin, se dit-elle, sa mère devait se tenir dans une file semblable, attendant de recevoir leur ration de viande, de sucre, de pain ou un peu de poisson. Telle était la répartition des tâches dans les couples de l'après-guerre : les hommes partaient travailler, les femmes faisaient la queue.

Après le Blitz, l'entrepôt qui abritait Greene et Fils était le seul bâtiment encore debout dans la rue, tel un dernier bateau amarré à un quai en ruine. Dans toute la ville, les gens avançaient avec précaution parmi les gravats, portant des paniers à provision, des serviettes ou des cartables. Une bande d'écoliers s'était arrêtée pour jouer à « chat » autour d'un cratère de bombe. Un magasin Woolworth devait autrefois se dresser à cet endroit, se dit Juliet, mais elle n'en était pas sûre.

À dix-sept ans, se rendre au travail avec son père avait perdu tout attrait. Ils furent les derniers à arriver à l'usine. Le vacarme des machines à polir résonnait dans l'escalier. Juliet se frotta le front en soupirant : sa migraine commençait de bonne heure ce jour-là. Mr Greene se tourna vers elle, l'air inquiet.

« Je voudrais que tu te fasses examiner les yeux. Va voir Harry Zeigler, à côté de Boots. Dis-lui…

— … qui je suis. D'accord, papa, j'irai là-bas un peu plus tard. »

Bien que certaine du bon état de ses yeux, Juliet acceptait la suggestion de son père dans le seul but de s'échapper une heure. C'était le bruit de l'usine et l'ennui de son travail qui lui donnaient mal à la tête. Comme elle le savait, son père n'aurait pas demandé mieux qu'elle développât une légère myopie. Il aurait été ravi de lui fabriquer une jolie paire de lunettes – une bénédiction, un porte-bonheur. Même s'il n'avait jamais exprimé cette idée, il devait penser que c'était à cause des lunettes bénies que son entreprise avait été épargnée lors des bombardements de Penge.

« J'y ferai un saut à l'heure du déjeuner », promit Juliet en embrassant Mr Greene.

Rassuré, ce dernier rejoignit ses frères tandis que Juliet allait retrouver ces dames dans le bureau où Mrs Harris continuait à régner. À présent, ses cheveux ramassés en un filet sur sa nuque étaient gris, mais elle paraissait aussi intemporelle qu'une institutrice. Si elle, Juliet, restait à l'usine, elle connaîtrait sans doute le même sort : au lieu de vieillir, elle pâlirait comme un tableau exposé trop longtemps au soleil. Elle était toutefois déterminée à échapper à cette fatalité. Elle chassa sa mélancolie et tendit l'oreille pour écouter ces dames imaginer leur déjeuner idéal.

« Moi, je voudrais des petits pains à la crème. Pas cette cochonnerie artificielle d'aujourd'hui, mais un de ces petits pains d'autrefois saupoudré de sucre glace et surmonté d'une cerise. Et j'en mangerais six.

— Ça te rendrait malade, Ellen.

— Penses-tu !

— Moi, je voudrais des pommes de terre bien croustillantes rôties à la graisse d'oie, accompagnées de petits pois, de carottes et de choux de Bruxelles – frais, bien entendu.

— Je voudrais une orange. J'adorais ce fruit !

— Vous pouvez vous garder vos oranges et vos pommes de terre rôties. Moi, ce qu'il me faut, c'est du gin au gingembre, et en assez grande quantité pour pouvoir me saouler. »

Mrs Harris se tourna vers Juliet. « Et toi ? Qu'est-ce qui te manque ? »

Juliet mâchonna le bout de son crayon. Le fait est qu'elle n'avait pas connu tous ces aliments et cette boisson disparus. Encore très jeune au début de la guerre, elle avait l'impression d'avoir vécu toute sa vie avec des rations. Chaque année avait été mesurée par des tickets.

« De toute façon, je vais sauter le déjeuner. Je dois me rendre chez Zeigler pour un contrôle.

— Oh, tu en as de la chance ! Ils ont un nouvel assistant, tu sais.

— Tu ne l'as pas vu, Juliet ? Il est venu ici la semaine dernière voir si la commande de Mr Zeigler était prête.

— Quel charmant jeune homme ! »

Juliet fit non de la tête. « J'ai dû le rater. »

Les autres lui offrirent aussitôt des précisions.

« Il est allemand.

— Non, français.

— Je suis sûre que c'est un Hongrois.

— En tout cas, il est drôlement séduisant. Une sorte de Clark Gable avec une *schnoz*. »

Il ne se passait jamais grand-chose chez Greene et Fils et voilà qu'elle avait loupé cet événement ! se dit Juliet. Eh bien, ce ne serait certainement pas le vieux Harry Z. qui examinerait ses yeux !

À midi et demie, elle enfila son manteau, mit son chapeau et fila le long de la rue principale vers Harry's Specs en pensant à l'assistant de l'opticien. Les jeunes qu'elle connaissait se ressemblaient tous. C'étaient ceux que sa mère qualifiait de « gentils garçons ». Elle les apercevait chaque samedi à la *schul* quand elle s'asseyait au premier rang de la galerie des femmes avec sa mère, ses tantes et leurs amies. S'ennuyant ferme et souffrant de la chaleur, elle se penchait par-dessus la balustrade et examinait les hommes au-dessous. Les rabbins chantaient, les fidèles se balançaient d'avant en arrière, se grattaient, ajustaient leurs *kippas*, marmonnaient des prières et réprimaient des bâillements. En haut, les femmes bavardaient. Leurs murmures tombaient comme de la pluie, les hommes leur lançaient des « chut ! » quand elles faisaient trop de bruit. Juliet regardait les garçons, supposant qu'un jour elle épouserait l'un d'eux. Peu importait lequel. Leurs familles ressemblaient à la sienne : des immigrants de la deuxième ou troisième génération venus de Lublin, de Gombeen ou de Boleslaw. Ils avaient échangé la vie du *shtetl* contre des horaires de bus, des costumes à fines rayures et des parties de bridge. Leurs grands-parents avaient débarqué à Londres ou à Glasgow au son de violons, de complaintes et de pieds frappant le sol. Rien à voir avec les réfugiés raffinés qui arrivaient à présent avec leurs doctorats, leurs diplômes d'avocats, leurs altos et leurs valses du Danube. Les racines des « gentils garçons » de la *schul* remontaient aux marchands de bagels de Gombeen et non aux psychanalystes de Vienne. Juliet essaya d'imaginer l'aide-opticien allemand/français/hongrois. Il était grand, beaucoup plus grand que les « gentils garçons » et il avait les yeux marron, des yeux sombres qui reflétaient les tragiques événements qu'il avait vécus. Il jouait du piano de ses doigts effilés et savait danser. Un vrai Fred Astaire au sourire de Jimmy Stewart.

Elle s'arrêta devant la boutique de Harry Zeigler mais, au lieu d'entrer, elle se glissa dans la ruelle qui longeait le côté du bâtiment. Elle fouilla dans son sac, en sortit ses cigarettes et, luttant contre la brise, en alluma une. Au bout de quelques minutes, la porte du magasin s'ouvrit. La personne qui sortit n'était autre que le patron lui-même. Une fois qu'il se fût éloigné en trottinant, sans doute pour aller s'acheter un sandwich chez le traiteur du coin, Juliet retourna à l'entrée du magasin. Des ouvriers y avaient fixé une élégante enseigne qui grinçait au vent telle une potence.

« Est-ce la première fois que vous faites examiner votre vue, miss ?

— C'est-à-dire… Depuis quelque temps, j'ai des migraines et…

— Nous allons vous faire faire un test.

— Et mon père… Mr Greene de Greene et Fils…

— Bien entendu, pour vous ce sera gratuit, miss Greene.

— Merci, c'est très aimable.

— Le mieux aurait été que Mr Ziegler vous voie lui-même, mais il vient de sortir. Quel dommage ! Enfin… ce n'est pas grave. Je suis sûre que Mr Montague prendra grand soin de vous. »

La réceptionniste adressa ces dernières paroles à un jeune homme qui émergeait de l'atelier obscur de l'opticien. Il présentait son dos à Juliet, mais, lorsqu'il se retourna, elle prit conscience qu'elle retenait son souffle. Elle éprouva une sorte de vertige. Elle sourit et faillit presser son gant contre sa bouche pour ne pas manifester sa joie par un rire. Les « filles » avaient raison : le jeune assistant était beau. Et grand. Juliet apprécia sa *schnoz*, elle était fine et lui donnait du caractère. Se rendant compte qu'elle le regardait fixement, Juliet rougit.

« Enchanté de faire votre connaissance, miss Greene », dit George Montague.

Ils se serrèrent la main. L'assistant avait des doigts longs et frais, ses yeux étaient effectivement bruns, de la couleur du bois ciré. Il lui fit signe d'entrer dans la salle d'examen et ferma la porte derrière eux. Dépourvue de fenêtre, la pièce avait dû être cloisonnée à la va-vite ou bien il s'agissait d'une réserve reconvertie. Toujours est-il que son obscurité la séparait si radicalement du reste du magasin que Juliet eut l'impression qu'ils avaient pénétré dans une autre petite banlieue, distincte du Londres diurne. Elle ne s'était jamais trouvée seule avec un jeune homme, encore moins dans une pièce peu éclairée. Aller au cinéma était différent. Même si un garçon vous y invitait, vous partagiez l'obscurité avec une centaine d'autres couples amoureux. L'air vibrait de baisers, mais vous n'étiez pas seuls. Juliet regrettait le manque de lumière : elle mourait d'envie de jeter un autre coup d'œil à George Montague. La dernière fois qu'elle avait désiré si fort voir un homme, c'était quand elle avait attendu trois heures sous une pluie battante pour entrevoir Clark Gable.

« Veuillez asseoir vous s'il vous plaît. »

Juliet fit ce qu'on lui demandait.

« Je vais placer ceci d'abord sur votre œil droit. »

Avec douceur, l'assistant posa un bandeau sur l'œil de Juliet. Pendant qu'il l'attachait, il plaça ses doigts à elle sur le tissu pour le maintenir. Il dégagea de la nuque de sa cliente une mèche prise dans le nœud. Ce geste fit frissonner Juliet qui espéra que l'autre ne s'en soit pas aperçu. Tous les garçons se ressemblaient. Cet homme était différent.

« Venez-vous d'Allemagne, Mr Montague ?

— Non, de Hongrie. Est-ce que le bandeau vous serre trop ?

— Non, pas du tout. »

Alors qu'elle s'était juré de se taire, Juliet se surprit à demander : « Que pensez-vous de l'Angleterre, monsieur ?

— C'est un pays humide, sûr et vide.

— Vide ?

— Je laisse grande famille là-bas. Maintenant Angleterre vide. Vous lisez les lettres sur le tableau, s'il vous plaît. »

Juliet lut à haute voix, se retenant de ne pas regarder l'assistant. Lorsqu'elle eut terminé, celui-ci posa le bandeau sur l'œil gauche. Juliet resta silencieuse et ne bougea pas lorsque, encore une fois, il dégagea sa nuque. Il fallut que George lui rappelât qu'elle devait lire les lettres. À la fin du test, il émit un claquement de langue satisfait et, rapprochant sa chaise, enleva le bandeau qu'il rangea dans un tiroir.

« Vous avez des maux de tête ?

— Oui. »

Oui, l'ennui me donne des migraines. Rien ne change jamais et un jour, de guerre lasse, j'épouserai un des « gentils garçons ».

George ralluma. Il faisait chaud dans la pièce, Juliet sentit un filet de sueur descendre au creux de ses reins. Elle nota que George portait un costume bon marché, mal coupé et lustré. Il avait toutefois l'air élégant. On aurait dit qu'il avait été forcé de mettre ce complet pour jouer dans une pièce de théâtre, mais que, d'un moment à l'autre, il allait endosser son smoking. Si la plupart des gens étaient minces à cette époque, George, lui, était presque maigre. Il sortit une petite torche électrique et se pencha vers Juliet, si près d'elle que leurs genoux se heurtèrent. Il prit son visage dans sa main. Ses doigts donnaient une impression de fraîcheur. Juliet faillit lui demander s'il jouait du piano.

« Ouvrez les yeux s'il vous plaît. »

Juliet ne s'était pas rendu compte qu'elle les avait fermés. Elle les leva vers la torche, mais ne vit qu'une lumière blanche. Elle cligna des paupières. George la regardait, regardait en elle.

Mrs Greene aurait préféré que Juliet choisisse un de ces sympathiques garçons de la *schul*, mais George était indéniablement un très beau jeune homme aux manières exquises. Mrs Ezekiel avait fait remarquer qu'on savait peu de chose sur sa famille, ce à quoi Mrs Greene avait riposté que, *vues les circonstances*, on ne pouvait vraiment pas lui demander ce genre de renseignements. Ce n'était guère délicat de la part de Mrs Ezekiel d'avoir soulevé cette question, avait-elle ajouté. Furieuse, cette dernière avait rétorqué : « Oh, mais c'était pour votre bien ! » Ensuite, les deux femmes ne s'étaient plus adressé la parole jusqu'à la Pâque. Mrs Greene avait essayé de croire sa fille lorsque celle-ci avait déclaré que le manque de précisions sur la vie de George était romantique et donnait à son fiancé un côté mystérieux. Mrs Greene doutait que le mystère fût la qualité la plus importante à rechercher chez un mari. Cependant, elle s'abstint de commentaire, désireuse de ne pas gâcher la joie exubérante de Juliet.

Le jour après que George l'eut demandée en mariage, Juliet l'emmena pour la première fois chez ses parents. Il n'avait pas demandé une autorisation préalable à son père, ce que Mr Greene s'efforça de ne pas prendre pour un affront. Juliet considérait le comportement de son fiancé comme audacieux et romantique. Il avait mis les deux genoux en terre (il n'était pas homme à faire les choses à moitié) et déclaré : « Nous n'avons pas besoin de la bénédiction des vieux. Nous sommes jeunes et passionnés. S'il le faut, nous nous enfuirons ensemble. » Juliet se dit que ses parents n'auraient pas apprécié d'être appelés « les vieux », mais elle approuvait l'idée générale du discours.

Assis tous les quatre dans le salon, leur tasse de thé en équilibre sur la soucoupe, ils regardèrent Albert Lipsey placer une sélection de diamants sur le napperon en dentelle, au milieu de la table basse. En bonne fille juive, du moins à ce point de vue, Juliet choisit le plus gros et le plus brillant. Avant que George n'eût le temps de blêmir, son futur beau-père le prit à part et lui proposa un calendrier de remboursements à sa convenance qui permettrait à sa fille d'obtenir la bague de ses rêves et à son gendre de la lui offrir sans se ruiner. À part cela, il y eut une seconde émotion : Albert crut avoir laissé tomber un diamant. Tous se mirent à le chercher – sous le canapé et derrière les coussins –, George avec plus d'ardeur encore que les autres. Le pauvre Albert repartit, persuadé qu'il avait perdu une de ses pierres précieuses ou bien la boule. Chassant cet incident désagréable de son esprit, Juliet fit à son fiancé les honneurs de la maison tandis que Mrs Greene mettait un gros poulet à rôtir pour le dîner. Ses repas associant la saveur de la cuisine juive traditionnelle à la cuisine traditionnelle anglaise, la maison commença bientôt à sentir la semoule et le chou. Juliet emmena George dans la salle à manger obscure pour lui montrer son portrait. Après avoir tiré les rideaux et allumé la lumière, elle se plaça de côté.

« C'est toi, ça ? »

Juliet acquiesça d'un signe de tête. « J'avais neuf ou dix ans. Ce tableau a été peint par un vieil Écossais en échange d'une paire de lunettes. En fin de compte, je pense que mon père a fait une bonne affaire. »

George embrassa sa fiancée. « Quel beau portrait ! Nous devons le pendre dans notre maison. Un jour, nous aurons une petite fille qui sera aussi belle que toi. »

Juliet rougit, le souffle presque coupé par tout cet amour, la mention de bébés et la pensée illicite que de les faire avec George pouvait être agréable. Mais si ces enfants n'arrivaient pas avant deux ou trois ans, elle ne s'en plaindrait pas.

Mr et Mrs Greene furent ravis de leur offrir le tableau en cadeau de noce. Cependant, pour plus de sûreté, Mr Greene assura aussi le premier versement de la maison dans laquelle ils devaient l'accrocher. Après le mariage, le portrait occupa la place d'honneur dans le petit séjour des Montague. Le pull orange de la fillette apportait une touche de couleur aux copies, sombres et lourdes, de meubles anciens.

Juliet essaya de ne pas s'en faire et de se dire qu'il ne pouvait pas s'en empêcher. Au début, elle n'arrivait pas à y croire. Lors de leur voyage de noces, dans un hôtel humide de Margate, il l'avait battue aux échecs en six coups, et cela, bien que Juliet eût appartenu, encore récemment, au club d'échecs de son école. Le lendemain, il avait plu à torrents. Incapables d'aller se promener sur la jetée, ils avaient passé la journée à jouer aux cartes dans leur chambre. Pourvu qu'il jouât, George semblait se ficher de la nature du jeu. Lorsque Juliet lui eût donné toutes ses épingles à cheveux en guise d'argent, il la dépouilla de son écharpe, de sa broche en ambre, de ses pantoufles, de sa jupe et enfin, alors qu'elle voulait le voir gagner encore plus vite, de ses bas, de son soutien-gorge et de sa culotte de dentelle achetée exprès pour leur lune de miel.

Il commença à la décevoir dès le lendemain soir. Las de jouer pour des épingles avec un adversaire médiocre, il s'éclipsa dans le but de trouver un jeu comportant des mises plus intéressantes. Frissonnant dans sa chemise de nuit en soie, Juliet l'attendit, assise sur le lit. Il la réveilla en l'embrassant et apaisa son chagrin avec des mots doux en hongrois et d'habiles caresses.

Ce furent d'abord ses boucles d'oreilles qui disparurent. Des saphirs, un cadeau de ses parents pour Hanoukka. George la combla d'attentions. Il lui prépara du thé, sécha ses larmes et rampa sous le lit pour chercher les bijoux. Plus tard, lorsque tout espoir fut perdu de les retrouver, il remplit le formulaire de l'assurance. Pour une raison ou pour une autre, ce fut lui qui encaissa le chèque et il oublia d'emmener Juliet chez le joaillier de Hatton Garden, acheter une paire de remplacement. Il était rare qu'elle retrouvât dans la boîte contenant l'argent du ménage la même somme qu'elle pensait y avoir mise. Et, en ouvrant son porte-monnaie chez le boucher ou l'épicier, il lui arrivait souvent de le découvrir vide alors qu'elle était sûre d'avoir encore une livre.

Pourtant, George pouvait être très généreux. Pour peu qu'il fût en veine, il rentrait chez lui avec des roses rouges et des freesias odorants, en si grande quantité que Juliet manquait de vases. Toutes les pièces regorgeaient de fleurs dont certaines fourrées dans des bouteilles de lait, des théières ou des verres à dents. Après une quinzaine de jours lucratifs, il couvrit toute la maison avec les meilleurs tapis de chez Rosenblum, une élégante moquette bordeaux pour l'entrée et l'escalier, une autre, couleur moutarde, pour la salle de séjour. Il gagna pour elle un bracelet porte-bonheur en or qu'elle l'obligea à rendre à son ancienne propriétaire, ne pouvant supporter l'idée qu'une autre femme pleurât son bijou perdu. Un après-midi, il apparut avec un fabuleux manteau en vison. Il lui montra le reçu du fourreur pour lui prouver que le vêtement était neuf et non le gain arraché à un joueur malheureux. Il en enveloppa son corps nu et, pendant une merveilleuse journée, elle crut que tout irait bien. Elle mit le manteau pour aller à la *schul* et savoura les regards admiratifs et envieux qu'il suscitait. Le mois suivant, il disparut de son placard. Elle dit à tout le monde qu'il lui tenait trop chaud, qu'elle s'en était débarrassée.

Au moins, George n'était pas ennuyeux. Les amies de Juliet mesuraient leurs problèmes au nombre de cigarettes qu'elles fumaient le temps de les énumérer. Bernie avait grossi, se plaignaient-elles, Maurice se curait les oreilles pendant le dîner, Edgar ne venait plus dans son lit la nuit – non pas qu'elle en eût envie, mais de ne pas avoir l'occasion de refuser ses hommages était tout simplement affreux. Juliet écoutait ces jérémiades en silence. George continuait à se glisser dans son lit et, d'habitude, elle était contente de l'y recevoir.

À la naissance de Frieda, il se montra un mari et un père modèles. Pendant les premiers mois de sa grossesse, Juliet lui cacha son état. Pensant au petit poisson dans son ventre, elle faisait en souriant la queue chez l'épicier. Lorsqu'elle en parla enfin à George, celui-ci pleura. Il ne se contenta pas d'avoir les yeux humides, il pleura à gros sanglots peu élégants, proches de l'éternuement, et de la morve se mélangea aux larmes sur son menton. Pendant un an, aucun objet ne disparut. Il changeait les couches du bébé sans jamais dire que c'était la tâche de la mère, se levait la nuit pour lui donner le biberon. Elle l'entendait chanter des berceuses hongroises, apaisant Frieda avec des mots que Juliet ne comprenait pas. Mais il y avait quelque chose qu'elle ne racontait pas à ses amies : elle lui mentait.

« Tout l'argent du ménage est dans la boîte à biscuits. »

« Non, mon père ne m'a rien donné cette semaine. »

« Mais non, chéri, ce tableau n'a aucune valeur. Il a été peint par un artiste mineur quand j'étais petite. C'est tout juste si mon père l'a accepté en paiement d'une paire de lunettes. »

L'artiste en question avait fini par remporter un modeste succès. Il avait voulu emprunter le portrait de Juliet Greene pour une exposition à Édimbourg, mais Juliet Montague avait poliment refusé. Elle avait passé tout un après-midi et un demi-paquet de cigarettes à se demander quelle excuse elle pourrait donner à son vieil ami John Milne. Toutefois, elle savait que si le tableau partait en Écosse, elle ne le reverrait pas avant longtemps. Lorsque Milne mourut un ou deux ans plus tard, elle cacha la notice nécrologique et interrompit sa mère lorsque celle-ci commença à parler de ce décès lors du dîner du vendredi soir. Couvrant la voix de Mrs Greene, elle annonça à sa famille qu'Edgar, le mari de Betty, s'était enfui avec une danseuse rousse d'un spectacle londonien. Mr Greene finit par agiter sa serviette et rappeler aux deux femmes le *lashon hora*. Juliet rougit de honte tout en espérant que la lueur qui s'était allumée dans l'œil de son mari n'avait été provoquée que par l'évocation de la danseuse rousse.

Toutefois, le portrait resta à sa place dans la salle de séjour et Juliet respira. Depuis la naissance de Frieda, George s'était comporté d'une façon parfaite. Il devait avoir changé. Cependant, elle continuait à cacher tous les objets de quelque valeur, en partie par habitude, en partie pour ne pas induire George en tentation. Lorsqu'elle fut enceinte de Leonard, son père lui donna des bons à lot pour les deux enfants. Après avoir hésité entre plusieurs cachettes, elle les dissimula derrière le cadre de son portrait. Elle glissa son *ketubah* de mariage, un billet de dix livres et l'acte de vente de la maison dans une grande enveloppe qu'elle scotcha à l'arrière du tableau.

L'arrivée de son fils avait déclenché une série d'autres disparitions. Submergé de tendresse pour cette petite créature qui porterait son nom toute sa vie et le transmettrait à ses propres fils, George sortit célébrer l'événement avec des amis. Il ne revint que trois jours plus tard sans manteau, sans ses chaussures et sans la montre qu'elle lui avait offerte pour son anniversaire. Elle ne lui fit aucun reproche, mais comprit qu'une fois de plus elle devait dissimuler l'argent du ménage dans des caches disséminées un peu partout. Elle en laissait dans la boîte à biscuits, histoire de l'empêcher de regarder ailleurs, dans des endroits plus astucieux comme le plancher de l'entrée, le sac à poussière de l'aspirateur ou le cadre du tableau.

Le jour de la disparition de George fut des plus ordinaires. Juliet trouva la trace de son mari dans le désordre qu'il laissa derrière lui. À sept heures et demie, il avait fait du thé, répandant du lait le long du comptoir de la cuisine et laissant à Juliet le soin de jeter le magma de feuilles ébouillantées de la théière. Avant de se rendre à son travail, il accompagna Frieda à l'école et embrassa sa fille sans larmes ni paroles sentimentales. Il passa la journée à rédiger des ordonnances et à faire passer des tests oculaires à des vieilles dames parfumées à l'eau de rose. Comme d'habitude, il avait remis chapeau et manteau à dix-sept heures quarante-cinq et était parti (plus tard, Mrs Greene poussa Juliet à se renseigner par téléphone auprès de Mr Ziegler, même si celle-ci savait déjà que cela ne servirait à rien). George n'avait pas paru préoccupé, il avait pensé à s'enquérir de la santé délicate de Mrs Ziegler. La seule différence entre ce jour-là et un autre, ce fut que George ne rentra pas chez lui. Lorsque Juliet revint de chez sa mère à six heures et demie, George n'était pas là. Elle n'y prêta guère attention. Elle devait s'occuper de Leonard, qui geignait parce qu'il avait mangé un trop grand nombre de *latkes* de pomme de terre chez sa grand-mère, et de Frieda qui en avait mangé trop peu et réclamait de la nourriture. À sept heures, elle baigna les enfants et les mit au lit. Ce n'est que lorsqu'elle redescendit, à sept heures et demie, qu'elle remarqua la disparition du portrait.

Elle resta assise pendant une heure à contempler l'espace vide sur le mur. On avait laissé le cadre, seule la toile avait été habilement enlevée. À présent, la dorure n'encerclait que les roses du papier peint. Apercevant les crayons de couleur de Frieda, elle traça des lignes à l'intérieur du trou, d'abord en bleu, puis en mauve et en vert. Lorsqu'elle eut terminé, elle se rassit, se demandant ce qu'elle devait faire. D'abord, pleurer, se dit-elle. C'était ce qu'on attendait d'une femme face à ce genre de situation. Dans ce cas, elle ferait bien de pleurer avant de téléphoner à sa mère, mais, chose curieuse, elle n'en avait aucune envie. Elle regarda de nouveau le mur nu. Le tableau avait disparu, George aussi. Juliet comprit que son mari ne reviendrait pas. Ce vol le lui prouvait. Le portrait était le seul objet auquel elle fût attachée et George le savait. *Il le savait.*

« Je croyais que tu m'avais dit que George avait disparu. Et tu me parles de ce stupide tableau ! »

Mrs Greene était arrivée tout agitée, versant assez de larmes pour deux, et préoccupée de détails que Juliet jugeait sans importance.

« Il ne te quitterait pas le jour de ton anniversaire !

— S'il me quitte, tous les jours se valent.

— Il ne t'a pas laissé de mot.

— Il a volé mon tableau. Inutile d'écrire. Qu'avait-il de plus à dire ?

— C'était peut-être un cambrioleur. Je suis sûre que George ne va pas tarder. »

Bizarrement, Juliet fut obligée de persuader sa mère que son mari était parti une fois pour toutes. Mrs Greene continua à se lamenter sur le fait que George n'eût pas laissé de lettre – même si, tout d'abord, elle y vit la preuve que son gendre ne pouvait pas être loin, comme s'il était simplement sorti acheter une livre de morue, ou un paquet de bonbons à la menthe, et avait été retardé. La disparition des bons et du billet de dix livres finit toutefois par la convaincre.

« Bon, eh bien, c'est un sale voleur ! Mon beau-fils, un voleur ! » Mrs Greene allait et venait en soupirant. « Il ne m'a jamais plu, tu sais. Je ne lui ai jamais fait la moindre confiance. »

Elle fouilla dans son énorme sac à main, à la recherche d'un mouchoir. « Comme c'est dommage que tu n'aies pas épousé un de ces gentils garçons ! »

Juliet repensa à sa mère dansant la polka avec George dans leur salle de séjour exiguë, à son visage rouge et humide de sueur quand elle avait accepté un petit verre de schnaps. Même à présent, à ce pénible moment de sa vie, elle n'aurait pu souhaiter avoir choisi un des favoris de sa mère.

Ce soir-là, seule dans la chambre à coucher, elle contempla le lit vide, intact, près du sien. La maison était silencieuse. Elle tendit l'oreille, espérant un miracle. Une clé tournant dans la serrure. Un bruit de pas dans l'entrée. Rien. Elle n'entendait que le tic-toc du radiateur au rez-de-chaussée, les branches du pommier gratter la vitre. Regardant de nouveau le lit inoccupé, elle se rendit compte qu'elle était frigorifiée. Toute autre nuit, elle se serait glissée dans le lit de George. Sans se réveiller, son mari aurait ouvert les bras pour qu'elle se blottisse contre lui.

Les choses auraient été plus faciles si Leonard avait pu se souvenir que son père était parti, mais il ne cessait de l'oublier et Juliet était obligée de le lui répéter sans arrêt.

« Il est en vacances ?

— Oui, de très longues vacances.

— Quand rentrera-t-il ? Pour Hanoukka ? Pour mon anniversaire ?

— Je ne crois pas, mon chéri.

— Il doit être au bord de la mer. »

Pour Leonard, les vacances signifiaient partir à la mer. Juliet se demanda si Leonard imaginait son père en maillot rayé, un seau dans une main, une sucette dans l'autre, achetant des cartes postales qu'il remplissait mais n'envoyait jamais.

À la différence de son frère, Frieda gardait le silence. Assise au bord du canapé, elle balançait ses petites jambes au-dessus du tapis brun et fixait sa mère de ses yeux verdâtres.

« Tu as compris que papa n'est plus ici, n'est-ce pas, mon chou ? »

Pour toute réponse, Frieda se contenta d'un hochement de tête. Gênée par son manque de réaction, Juliet se tortilla sur sa chaise en tripotant l'ourlet de sa jupe. Il lui semblait que sa fille la regardait d'un air de reproche.

« Je ne sais pas où il est, mais moi je reste avec vous, ma chérie. Jamais je ne vous abandonnerai. »

Les mains sagement croisées sur les genoux, Frieda continuait à se taire et à la regarder.

Juliet connaissait des femmes quittées par leur mari, mais aucune dont le mari avait simplement disparu. Ce jour-là, George était parti de chez Harry's Specs et s'était évaporé. Mr Ziegler assura à Juliet qu'il lui garderait son poste pendant un mois, mais qu'ensuite il serait obligé de chercher quelqu'un d'autre. Elle aurait voulu lui conseiller de passer une annonce tout de suite. À la différence de son entourage, elle savait que George ne reviendrait pas. Au bout d'une semaine, son père la pressa de téléphoner à la police.

« George n'a pas été assassiné, papa.

— Non, mais il faut se préparer au pire. »

Deux policiers vinrent s'asseoir dans le séjour. Posés sur la table basse, leurs casques ressemblaient à d'énormes œufs durs.

Les hommes griffonnèrent des détails sur des carnets à spirale et burent plusieurs tasses de thé. Juliet se rendit compte que, pour la première fois de sa vie, elle inspirait la pitié. Le policier le plus âgé, dont le pantalon contenait à grand-peine sa bedaine, posait les questions. Son jeune compagnon notait les réponses en jetant à Juliet des regards empreints de sympathie. Lorsqu'ils prirent congé, Juliet attrapa le plus âgé par le bras.

« Ne me plaignez pas. Je ne suis pas idiote, vous savez : je suis sûre qu'il n'est pas couché quelque part dans un fossé. Mon mari ne reviendra pas.

— Ça leur arrive parfois, madame. »

Juliet sourit. « Certainement pas au mien, croyez-moi. »

Après la visite des policiers, elle reçut celle des deux rabbins. Avec leur longue barbe et leur grand chapeau noir, ils se perchèrent côte à côte sur le canapé tels des corbeaux de mauvais augure. Coincée entre son père et sa mère, Juliet luttait contre une terrible envie de pouffer.

« Puis-je vous offrir un peu de gâteau aux graines de pavot ? » demanda Mrs Greene. Elle vit les deux religieux échanger un regard gêné. « Il vient de chez l'épicerie fine de Rose », les rassura-t-elle. Peut-être avaient-ils entendu dire que la cuisine de Juliet n'était pas casher ?

« Dans ce cas, impossible de refuser », répondit le rabbin Plotkin tandis que le rabbin Shlonsky acquiesçait par un grand sourire. « Pourriez-vous nous le servir accompagné d'un verre de citronnade ? »

Figés sur leurs chaises à dossier droit apportées de la cuisine, ils regardèrent les hommes de Dieu manger en silence. Des miettes se logeaient dans leur barbe telles des prunelles ratatinées par le gel.

« Depuis combien de temps est-il parti, mon petit ? » demanda le rabbin Plotkin.

Le rabbin Shlonsky sourit, découvrant les graines de pavot coincées entre ses dents.

« Depuis presque deux semaines, répondit Juliet.

— Ni lettre ni de coup de téléphone ?

— Rien.

— S'il vous donne de ses nouvelles, l'important est de ne pas lui faire de reproches. » Tel un directeur d'école, le rabbin Plotkin regarda Juliet par-dessus des lunettes imaginaires. « Je sais que ce n'est pas facile pour vous, mesdames (il sourit à Mrs Greene), mais vous devez vous maîtriser. Ce qui compte, c'est qu'il revienne, que vous ne le découragiez pas.

— Et s'il ne revient pas ? » murmura Mr Greene.

Les rabbins se consultèrent du regard.

« Nous n'allons pas nous inquiéter de cela pour le moment. Espérons qu'il revienne. »

Juliet se redressa sur son siège. « S'il ne revient pas, je divorcerai. »

Les rabbins se penchèrent tous deux en avant et Juliet vit de nouveau dans leurs yeux cette expression de pitié qu'elle abhorrait. « Chère madame, vous pouvez divorcer devant un tribunal civil, mais... » Le rabbin Plotkin hésita.

« Mais quoi ? »

Le rabbin Plotkin soupira et le rabbin Shlonsky, l'air malheureux, se cala de nouveau contre le dossier du canapé. « À moins que Mr Montague ne vous envoie un libellé de divorce, vous restez mariée aux yeux de Dieu. »

Le rabbin Shlonsky, un homme d'un certain âge, s'éclaircit la voix et parla pour la première fois depuis son entrée dans la maison. « Selon la loi juive, seuls les hommes peuvent divorcer d'avec leur femme. Jusqu'à ce que votre mari réapparaisse, meure ou divorce, vous êtes coincée. Vous êtes à la fois mariée et non mariée. » Il regarda Juliet de ses yeux bleus larmoyants. « Vous devenez une *aguna*. »

Juliet frissonna telle une enfant qui entend un mot sexuel pour la première fois – une nouveauté à la fois fascinante et sinistre.

Elle voulait à la fois savoir et ne pas savoir. Les autres continuaient à parler. Elle sentit, plutôt qu'elle n'entendit, sa mère se mettre à pleurer à côté d'elle et trembloter comme de la gelée.

« Oui, mais un jour elle voudra se remarier !

— C'est pour cela que nous devons le retrouver. Séchez vos larmes, Mrs Greene, il peut encore revenir. Cela leur arrive souvent, aux maris. »

Juliet se rendit compte que seul le rabbin Plotkin parlait. Le rabbin Shlonsky se contentait de la regarder de ses yeux pâles.

« Je sais qu'il ne reviendra pas. *Je le sais.* »

Mrs Greene émit un toussotement agacé et, s'emparant du mouchoir que tenait Juliet, se moucha avec bruit.

« Tu n'en sais strictement rien », dit-elle. Elle se tourna vers les rabbins. « Son mari a emporté un portrait d'elle sans aucune valeur et ma fille s'est mise dans la tête que cela signifiait qu'il était parti pour toujours. »

Le rabbin Shlonsky fronça le sourcil. « Il a emporté votre portrait ?

— Il l'a volé. »

Le rabbin Shlonsky se déplaça sur le canapé, étalant son manteau noir. « Les portraits créent souvent des ennuis, dit-il, surtout ceux des femmes. »

Ne sachant que répondre, les autres sourirent poliment. Le rabbin Shlonsky, cependant, sembla aimer le sujet. « Mon grand-père était un célèbre rabbin, à Gombeen, poursuivit-il. Comme nombre de vrais mystiques, il refusait qu'on reproduise ses traits. Sa *schul* aurait désiré qu'on peigne son portrait, mais il n'y avait rien à faire. Craignant qu'on ne lui enlève un morceau de son âme, mon grand-père n'autorisait même pas qu'on le prenne en photo. Mais les fidèles aimaient beaucoup leur rabbin et, comme celui-ci était déjà très âgé, ils voulaient un souvenir de lui. Ils demandèrent donc à un artiste local d'épier le saint homme par la fenêtre de sa chambre à coucher et de le peindre pendant son sommeil. »

Le rabbin Shlonsky fit une pause. Curieux de connaître la suite, les autres se penchèrent en avant.

« Et alors ? demanda Juliet. En est-il mort ? A-t-il quitté son village, abandonnant la communauté qui l'avait trahi ? A-t-il disparu à jamais dans la montagne ? »

Le rabbin Shlonsky prit un air perplexe. « Non. Il n'apprit jamais l'existence de ce portrait. Personne ne lui en parla. Cela l'aurait contrarié. Comme je vous l'ai dit, tout le monde l'aimait. C'était un rabbin exceptionnel. Maintenant ce tableau est accroché dans mon bureau. Je l'apprécie beaucoup. »

Même le rabbin Plotkin parut déconcerté. Il resta silencieux pendant une minute, puis il se secoua et se tourna vers Juliet.

« L'important, c'est de ne pas désespérer. Nous prierons pour le retour de Mr Montague. Ou bien pour que nous le retrouvions. Si nous restons sans nouvelles de lui, eh bien... nous pourrons commencer à nous inquiéter.

— Quand, au juste, faut-il commencer à s'inquiéter ? demanda Mrs Greene en femme bien organisée.

— S'il y a lieu de s'inquiéter, dit Juliet, il faudrait commencer tout de suite. Je vous répète qu'il ne reviendra pas. »

Pris d'une migraine, Mr Greene se frotta les tempes.

« Entre-temps, la synagogue vous aidera, Mrs Montague. »

Juliet mit un moment à comprendre que le rabbin Plotkin lui offrait la charité. Mr Greene, qui avait saisi tout de suite, répondit : « Non, merci, nous n'avons pas besoin d'aumônes. C'est à nous, à sa famille, de l'épauler. »

Juliet pressa la main de son père. « Je me débrouillerai, monsieur le rabbin. Je travaillerai. » Elle se tourna vers son père. « Je retournerai à l'atelier d'optique, si tu veux bien de moi. »

Pour la première fois de l'après-midi, Mr Greene eut un pâle sourire. Juliet essaya, mais en vain, de le lui rendre. Elle avait épousé George à dix-huit ans en partie pour échapper à Greene et Fils. Maintenant, à l'âge vénérable de vingt-trois ans, elle reprenait le chemin de la fabrique et, cette fois, c'était sans espoir de jamais s'en libérer.

Le lundi matin, de bonne heure, Mr Greene passa chez Juliet. Tous deux accompagnèrent les enfants à l'école avant de prendre le bus pour la fabrique. Perché à l'étage supérieur du véhicule, à côté de sa fille, Mr Greene avait envie de fredonner. Certes, la disparition de son gendre était une triste affaire, mais il ne pouvait s'empêcher de se réjouir du retour de sa bien-aimée Juliet dans son entreprise. Après le mariage de sa fille, il avait ressenti pendant des mois un pincement au cœur chaque fois qu'il regardait dans le bureau et se rendait compte qu'elle n'était plus là. Le bus prit trop vite le virage suivant et Juliet tomba à moitié sur lui. Il lui tapota la main.

« Eh bien, nous voilà revenus au bon vieux temps.

— En effet », acquiesça Juliet.

Elle regarda par la fenêtre. Il s'était mis à pleuvoir, de grosses gouttes s'écrasaient sur le pavé. Pour la centième fois, elle se demanda pourquoi George avait emporté le portrait. En ce qui concernait les dix livres sterling et les bons, la raison était claire. Était-il si pressé qu'il n'avait pas pris la peine de détacher l'argent du dos du tableau ? Elle imagina le portrait gisant dans un caniveau ou jeté dans une poubelle. La pluie tremperait la toile, la peinture commencerait à se craqueler et à s'écailler.

ARTICLE 3 DU CATALOGUE

« Regardez-la voler ! », Max Langford, aquarelle sur papier,
30 cm x 38 cm, 1959.

M RS GREENE Y ÉTAIT absolument opposée. Mr Greene
s'abstenait de commentaire, préférant ne pas être pris
entre sa fille et sa femme et ne réussissant qu'à les irriter toutes
les deux. Philip et Jim pensaient que c'était une idée stupide,
mais que Juliet devait faire ce qu'elle voulait. Quant à Charlie,
il fulminait en silence et ressassait son amertume. Seuls Frieda
et Leonard étaient ravis.

« Des vacances ? Deux semaines entières ? À la mer ? Juste
nous trois ? »

Leonard ne cessait d'interroger sa mère pour le seul plaisir
de l'entendre répondre par l'affirmative. C'était la première fois
qu'il partait en vacances. Il avait fait des excursions, mais n'avait
jamais passé la nuit dans un hôtel, encore moins dans un cottage. Ce dernier mot évoquait toutes sortes de choses romantiques. Des toits de chaume. Des murs en adobe. Des vaches
dans la cuisine.

Enchantée par l'idée d'un congé et par l'enthousiasme
de ses enfants, Juliet quittait Londres pour une autre raison
encore, une raison qui inquiétait Charlie et Mrs Greene : elle
avait loué ce cottage afin d'être près de Max Langford. Elle
connaissait ses tableaux aussi bien que certains endroits chers

à son cœur – Mulberry Avenue au mois de mai, par exemple, lorsque les cerisiers forment un cortège de vaporeuses mariées, ou Bayswater Road un dimanche après-midi – et pourtant elle n'avait toujours pas fait sa connaissance. La perspective du séjour à proximité du peintre l'excitait presque autant que Leonard qui, de son propre chef, avait fait ses bagages deux semaines à l'avance. Charlie avait eu beau l'avertir que Max était un reclus et un homme bizarre, elle n'en avait été que plus décidée à le rencontrer. Pour l'apaiser, elle avait dit à Charlie : « Je parviendrai peut-être à le persuader de venir à notre premier vernissage. Son absence paraîtrait curieuse. » Charlie n'avait pas répondu. Tous deux savaient que Max avait involontairement attrapé Juliet dans les poils de son pinceau. Elle y restait collée comme une mouche dans une goutte de peinture fraîche.

Charlie tint à les conduire là-bas. Le voyage de Juliet dans le Dorset coïncidait soi-disant avec une visite prévue depuis longtemps que le jeune peintre voulait rendre à sa mère et qu'il avait oublié de lui mentionner. Il pouvait déposer la famille Montague en chemin. Leonard était presque aussi ravi à l'idée de monter dans la voiture flambant neuve de Charlie, une Morris Mini Minor rouge, que par celle de partir en vacances. Ils quittèrent Londres, poussiéreuse et grise, un soir étouffant du mois d'août et parvinrent à Fipenny Hollow au moment où la lune, pareille à une montre de gousset en argent, se levait au-dessus des collines. Heureusement que Charlie connaissait le chemin. Pour Juliet, toutes les allées et toutes les haies se ressemblaient. On aurait dit le labyrinthe du Minotaure constellé de pâquerettes et de gaillets. Ils passèrent devant des portails de pierre pourvus d'écriteaux de la Caisse nationale des monuments historiques qui indiquaient les heures d'ouverture.

« Le domaine de Langford, expliqua Charlie. Du moins, avant que Max n'en fasse don aux Monuments historiques.

— Pourquoi s'en est-il séparé ?

— Pour des raisons financières. Et puis, entretenir ce genre d'endroit est une vocation. Ou devrait l'être. Or tout ce qui intéresse Max, ce sont ses tableaux et ses stupides oiseaux. »

Exaspérée par l'amertume de son ami, Juliet scruta par la fenêtre l'obscurité verte. Parfois, il suffisait qu'elle mentionne le nom de Max pour que Charlie s'énerve. Il aborda un virage à une telle allure qu'elle dut se cramponner à son siège. Elle se retourna pour voir si les enfants dormaient toujours, regrettant soudain de ne pas avoir pris le train.

Ils s'arrêtèrent à côté d'un cottage. Juliet s'extirpa de la voiture et inhala l'odeur douceâtre du chèvrefeuille. Charlie réveilla Leonard. Il l'aida à descendre sur l'accotement où l'enfant se dressa, vacillant et clignant des paupières, à côté de Frieda qui serrait son sac à dos rouge cerise contre sa poitrine.

« Je vais te donner un coup de main avec les valises, dit Charlie.

— Non, merci, nous nous débrouillerons », répondit Juliet qui avait hâte qu'il s'en aille.

Charlie la dévisagea une seconde, puis il haussa les épaules et remonta en voiture. Il repartit en trombe entre les haies, laissant la petite famille dans l'allée, devant le cottage obscur qui la contemplait de ses yeux vides.

Debout au milieu d'un fouillis de valises et de cannes à pêche, Juliet et les enfants regardèrent autour d'eux. Après une journée claire et chaude, la nuit était fraîche. Le ciel pur était constellé d'un si grand nombre d'étoiles qu'on ne pouvait en fixer une sans être pris de vertige.

Lorsque les enfants dormirent enfin, Juliet se glissa hors de la maison, la clé enfouie dans sa poche. Le cottage était à six cents mètres de celui de Max. Elle voulait simplement voir où il vivait. Elle ne frapperait pas à sa porte, pas ce soir-là. Serrant son gilet autour de ses épaules, elle s'enfonça dans le bois. L'obscurité de la campagne l'inquiétait. Chaque buisson, chaque étendue d'herbe émettait des sons insolites : crépitements, murmures, frôlements de plumes ou de fourrure. Le dais estival des arbres cachait les étoiles, les pas de la promeneuse résonnaient sur le sol. Elle entendit un bruit, non pas le trottinement d'une bête dans le sous-bois ou le vent dans les arbres, mais de la musique. Elle provenait d'un sentier qui partait du chemin principal. Telle Gretel suivant les miettes qu'elle a semées, Juliet le remonta.

Au cœur de la forêt se dressait une petite maison de brique assez laide. Comme s'ils jouaient à « un, deux, trois, soleil », les arbres et les buissons s'en étaient rapprochés, empiétant sur l'espace autour d'elle. Juliet s'adossa contre le tronc parcheminé d'un bouleau et prêta l'oreille. Une lumière brillait au premier étage. Juliet attendit, espérant entrevoir le peintre. Elle était résolue à le convaincre d'exécuter à nouveau des portraits. Ses oiseaux étaient magiques et d'une grande originalité, mais Juliet voulait qu'il tournât son regard vers des êtres humains. Elle se rappela l'esquisse de la jeune fille qu'il avait dessinée avant la guerre – en quelques coups de crayon, il avait rendu le côté malicieux et aguicheur de son modèle.

« Max Langford ! cria-t-elle dans la nuit. Je suis Juliet Montague et vous allez me peindre ! »

Au bout de quatre jours, Juliet commença à se demander si elle le rencontrerait jamais. Elle était allée frapper plusieurs fois à sa porte et avait fouillé le bois du regard pour le cas où il se serait enfui comme un renard à l'ombre des arbres. Elle avait glissé dans sa boîte à lettres des notes l'invitant pour le thé, précisant que sans nouvelles de lui elle prendrait son silence pour une acceptation. Pas de réponse. Juliet, Leonard et Frieda avaient attendu, assis à la table de la cuisine devant des œufs durs, des petits pains au lait et un de ces fromages veiné de bleu, Juliet assurant à ses enfants que leur visiteur ne tarderait pas. Mais les minutes s'écoulaient et personne ne venait.

Charlie passait chaque matin au cottage. Au grand soulagement de Juliet, il ne lui demandait pas si elle avait vu Max. Il ne lui donnait pas de conseils et s'abstenait de jubiler. Dès qu'il entendait sa voiture, Leonard courait à la porte. Il avait surmonté sa déception en apprenant que Charlie n'était ni son père ni un espion et accompagnait le jeune homme lors de ses expéditions dans la campagne environnante, que ce fût pour peindre ou pour pêcher. Grâce à lui, Juliet découvrit le cinquième jour de leur séjour à Fipenny Hollow comment s'introduire dans la maison de la forêt. Charlie et Leonard étaient revenus à temps pour dîner. Les joues roses, rayonnant de bonheur, le garçon agitait une truite dans une main, une aquarelle du poisson dans l'autre. Il tendit les deux à sa mère, quêtant son approbation.

« Nous étions en train de peindre au bord du Piddle[1] – c'est le nom de la rivière, donc ce n'est pas impoli – lorsqu'un homme est passé près de nous avec son chien. Je voulais dessiner le chien, mais il ne tenait pas en place. L'homme a regardé l'aquarelle que j'avais faite du poisson – le chien s'est contenté de la renifler – et il, l'homme, pas le chien, m'a dit qu'elle était vraiment bonne. » Leonard fit une pause pour permettre à sa mère d'acquiescer.

« Elle est magnifique, mon chéri. »

Satisfait, Leonard poursuivit : « Et il nous a raconté qu'un artiste vivait dans le bois. C'est un peintre de guerre célèbre qui donne des leçons de dessin tous les vendredis chez lui. L'homme a dit que j'étais assez doué pour y aller. C'est quand, vendredi ? »

Juliet se tourna vers Charlie. Immobile, celui-ci évita son regard.

« C'est demain, mon chéri. Mais tu n'as pas besoin d'un autre professeur. Tu as déjà Charlie. »

---

1. *To piddle* : faire pipi. *(N.d.T.)*

Ce dernier se tenait devant l'évier en pierre et vidait le poisson dans un seau. Les entrailles mouchetées de rouge et de gris glissèrent dans le récipient. Assise à la table, Frieda peignait ses ongles en rose. De la même couleur que l'intérieur de la truite, remarqua Leonard, et il se demanda s'il ne devait pas lui chiper son vernis pour son prochain tableau.

« Accompagne-moi demain, dit Juliet à Charlie. Tu sais que je dois y aller. Mais tu devrais venir aussi.

— J'y réfléchirai.

— Vous étiez amis, voyons ! Vous êtes toujours amis. C'est toi qui m'as montré ses toiles. »

Juliet lui sourit et prit un de ses poissons. Elle se passa la main sur la joue, la barbouillant de sang. Elle s'aperçut ensuite qu'elle en avait sur le bout des doigts. On aurait dit le fard d'une courtisane.

« Ce que tu dois comprendre, Juliet, c'est que Max a beaucoup changé », grommela Charlie. Il se tut un instant comme s'il cherchait ses mots. « Max Langford est un peintre de guerre privé de guerre. »

Le vendredi soir, Juliet retourna dans la forêt. Les enfants dormaient ou faisaient semblant de dormir. Elle attendit Charlie jusqu'à huit heures, puis ne le voyant pas venir, elle partit sur le chemin jusqu'à la piste entre les arbres, se demandant si la défection de son ami la soulageait ou la décevait. Comme il avait plu, le sous-bois sentait le terreau, une odeur suave, capiteuse comme le vin que la mère de Charlie servait à dîner et que Juliet se contentait de renifler. Cette fois, la forêt semblait peuplée. Des bribes de conversation et des rires flottaient dans l'obscurité. Juliet eut un pincement au cœur : certes, ce n'était pas raisonnable, mais elle avait espéré avoir Max pour elle toute seule. Elle portait dans un sac à provisions, et soigneusement enveloppée dans un torchon, la boîte d'aquarelles de Leonard.

Bien que se sentant un peu ridicule de venir au cours de dessin avec les peintures d'un enfant (ornées d'une étiquette représentant Tom et Jerry), elle n'avait pas osé demander à Charlie de lui prêter les siennes.

Des lumières jaunes filtraient entre les troncs d'arbres et, à une distance de cent mètres, elle aperçut des silhouettes groupées devant la porte. Elles se détachaient sur l'éclairage telles des poupées de papier. Après un moment d'hésitation, elle alla les rejoindre, éprouvant un sentiment de triomphe lorsqu'elle franchit le seuil d'une étroite entrée où elle se fit aussitôt happer par une foule mamelue.

Les élèves de Max, en effet, étaient presque toutes des femmes d'âge mûr, engoncées dans ces ensembles de tweed qualifiés de « pratiques » et chaussées de gros souliers de marche. Elles serraient contre elles leur attirail de peintres ainsi que les cadeaux les plus divers : bocaux de petits légumes macérés dans le vinaigre, fromage, tabouret pour la traite des vaches, pots de confiture remplis de reines-des-prés et de primevères. Elles posèrent ces offrandes sur une table en bois qui, à la lueur de la lampe à pétrole, ressemblait à une sorte d'autel païen. Dressé en l'honneur de quel dieu ? Juliet n'aurait su le dire.

Située trop loin dans la forêt pour disposer de l'électricité, la maison regorgeait de lampes à pétrole et de bougies. Encombrant toutes les surfaces, celles-ci imprégnaient l'air d'une légère odeur de kérosène et de fumée. Immobile, Juliet écouta le brouhaha des salutations que lui adressaient les inconnues. À l'extérieur, la maison était plutôt laide. Il s'agissait d'un cottage victorien construit à la va-vite, hors de vue du manoir de Langford. La façade en brique était criblée de taches de suie, le toit de tuile bas et voûté. Aussi Juliet fut-elle surprise par la beauté de l'intérieur. Comme Charlie lui avait plusieurs fois assuré que Max était bizarre et peu conventionnel, elle s'était attendue à un taudis infesté d'insectes, aux planchers pourris, au papier peint moisi et décollé. Au lieu de cela, l'entrée était tapissée d'un papier sur lequel était dessiné au pochoir un motif de pics rouges frappant de leurs becs des livres noirs pour en faire sortir des vers. Le sol était recouvert de tapis, surtout des peaux de moutons, et aux endroits dégagés brillait un plancher ciré. Des gravures sur bois et des lithographies ornaient les murs – menhirs sous une lune jaune, trois papillons de nuit, un hibou au crépuscule. Juliet aurait bien voulu que les autres femmes se déplacent pour lui permettre d'examiner ces œuvres. Les plinthes, la rampe et les portes étaient peintes en ocre, rouille et vert-de-gris, les couleurs sourdes de la palette de Max. Juliet eut l'impression d'être entrée dans un de ses tableaux. Même les rideaux étaient peints à la main. Des pois y avaient été appliqués à petits coups de pinceau et Max avait signé un coin du tissu. Par une porte entrouverte, Juliet aperçut une petite cuisine impeccable. Sur la table recouverte d'un papier ensanglanté reposaient des lapins dépiautés, à la chair rouge.

Les femmes commencèrent à avancer comme des passagers à un arrêt de bus. Juliet se plaça au bout de la queue et, franchissant une porte basse, pénétra dans une salle de séjour. Une voix d'homme, aussi calme et nette que celle d'un annonceur de la BBC, s'éleva.

« Trouvez-vous un siège, mesdames. Nous sommes au complet, ce soir. »

En effet, la pièce était bondée. Les femmes s'assirent sur des chaises pliantes, des tabourets et les canapés imprimés de motifs. Deux hommes d'un certain âge s'installèrent sur un rebord de fenêtre, pressés l'un contre l'autre comme des livres sur une étagère surchargée. Chaque mètre carré du séjour était décoré. Les pieds ronds du canapé avaient été festonnés à la peinture jaune pour représenter des pattes de lion. Des chameaux marchaient sur les corniches du plafond. Les moulures ondulaient comme des dunes. Les placards étaient badigeonnés en bleu et leurs bords soulignés par des lignes blanches. Le manteau de cheminée imitait le dos strié de vert et d'or d'un dragon, les mâchoires redoutables de cet animal mythique s'ouvraient sur le foyer où brûlait un feu. Cette débauche de détails, de couleurs et de styles aurait dû paraître écrasante, pourtant l'ensemble était du plus bel effet.

Juliet nota en souriant l'humour de cette décoration : quand un des messieurs essaya de chasser un papillon de nuit géant collé à la vitre, l'insecte se révéla être peint sur le verre. Seul un artiste pouvait agencer tous ces divers éléments, se dit-elle.

Elle se percha sur l'accoudoir d'un canapé et promena son regard sur les têtes grises, impatiente d'apercevoir Max. Elle se demanda si elle devait se sentir excitée ou effrayée. Après le portrait que Charlie avait tracé du peintre, elle s'attendait presque à voir un fou aux yeux clignotants et aux cheveux hirsutes.

« Bonsoir, Juliet Montague. »

Max se tenait à côté d'elle. Bien qu'il ne ressemblât en rien à un fou et que ses cheveux châtain-roux fussent presque bien peignés, Juliet sut que c'était lui.

« Vous ne pouvez pas travailler comme ça, dit-il en désignant son siège précaire. Si vous ne voulez pas dessiner sérieusement, autant rentrer chez vous. »

Juliet allait protester contre sa grossièreté lorsqu'elle comprit qu'il la taquinait. Il se tourna et s'éloigna. Les deux grosses femmes qui partageaient le canapé se poussèrent pour lui faire de la place. Juliet sortit le chevalet de Leonard de son sac, regrettant qu'il fût lui aussi couvert de décalcomanies représentant des personnages de dessins animés. Debout à côté de la cheminée, un bras posé sur la mâchoire écailleuse du dragon, Max s'éclaircit la voix.

« Le fait que j'aie cessé de peindre des portraits ne devrait pas vous empêcher de vous y essayer. À l'aquarelle, à l'huile, au fusain ou aux pastels, cela m'est égal. Qu'il soit ressemblant ou non m'importe tout aussi peu. Ce n'est pas ce qu'on attend d'un portrait. Si vous voulez une parfaite ressemblance, vous n'avez qu'à prendre une foutue photo. »

À l'arrière du groupe, une voix hésitante demanda : « Et qui devrions-nous peindre ?

— Moi. »

Juliet se débattait avec son portrait. Sachant à quel point elle était peu douée, elle détestait peindre et avait évité dès l'école de pratiquer cet art. Heureusement que Max avait dit que la ressemblance n'avait pas d'importance car son dessin n'avait rien à voir avec son modèle, ni avec qui que ce fût d'autre d'ailleurs. Elle était toutefois contente d'avoir ainsi l'occasion de regarder son « professeur » sans la moindre gêne. Frisant sans doute la quarantaine, il était presque maigre et bien que ses cheveux fussent parsemés de mèches grises, la façon nerveuse qu'il avait de se mouvoir lui donnait l'apparence d'un très jeune homme. Assis dans un fauteuil près de la cheminée, il lisait un journal et buvait un whisky-soda sans prêter attention aux étrangers qui remplissaient son salon. Il n'allait pas laisser ses élèves lui gâcher la soirée. Juliet se demanda pourquoi il les avait invités puisqu'il tenait tant à son intimité. Peut-être qu'il voyait toute cette histoire de cours comme une plaisanterie, peut-être cela l'amusait-il de recevoir ses voisins curieux et de les inciter à faire son portrait. La présence de tous ces corps réchauffait la pièce. Interrompant sa lecture, Max se leva et ouvrit grand les fenêtres. Les bruits de la forêt filtrèrent à l'intérieur. Craquement des arbres. Cri d'un renard.

« Je ne crois pas que vous ayez un grand avenir en tant qu'artiste, dit Max en s'arrêtant près de Juliet pour examiner son dessin.

— Je suis de votre avis.

— Ce portrait ne me ressemble pas du tout.

— Vous nous avez dit que la ressemblance n'avait pas d'importance.

— En effet. »

Les femmes installées à côté de Juliet examinèrent leur tableau pour le cas où le grand homme les jugerait aussi. Certains élèves soupirèrent parce que leur modèle s'était déplacé, mais personne n'osa se plaindre. Sans jeter un coup d'œil à un autre travail, Max quitta la pièce. Juliet regarda autour d'elle, se demandant si sa disparition indiquait la fin du cours, mais tous les autres continuaient à dessiner ou à peindre comme si de rien n'était. Effectivement, le « professeur » revint quelques minutes plus tard avec un deuxième whisky et se rassit dans son fauteuil. Il avait enlevé sa veste, ce qui suscita chez les voisines de Juliet des murmures d'exaspération. Sentant monter un vent de rébellion, Max ôta la pipe de sa bouche.

« Tous les sujets ne sont pas faciles, déclara-t-il. Ils s'agitent ou perdent les vêtements dans lesquels vous venez de les peindre. Tirez-en la leçon. »

Il s'absorba de nouveau dans la lecture de son journal. Les élèves reprirent leur pinceau ou leur crayon, certains recommencèrent leur dessin sur du papier vierge, d'autres persévérèrent avec le portrait entrepris. Juliet abandonna le sien, consciente que Leonard aurait pu faire beaucoup mieux. Au bout d'une heure, Max se leva, vida son verre puis, aussi régulier qu'une aiguille de montre, s'arrêta devant chaque chevalet pour émettre à voix basse critiques et conseils. Patient, gentil, il trouvait quelque chose de valable dans les productions les plus grossières. S'accroupissant de nouveau près du canapé, il suggéra à la voisine de Juliet d'obtenir une texture plus rugueuse par l'emploi d'une technique différente. Boutonnée jusqu'en haut du cou tel un pasteur, la femme le remercia, les yeux humides de gratitude. Max était généreux avec ses élèves sans s'abaisser à les flatter. Cependant, Juliet ne voyait pas ce qui lui valait l'adoration qu'elle lisait dans le regard de sa « camarade ». Max revint auprès d'elle.

« Vous êtes beaucoup moins sévère avec les autres qu'avec moi, se plaignit-elle.

— Oui, parce qu'ils veulent vraiment apprendre. Ce qui n'est pas votre cas. »

Juliet haussa les épaules. « À quoi bon aspirer à la médiocrité ? Je n'ai pas de talent.

— Alors pourquoi essayer ? »

Max arracha le dessin de Juliet de son carnet d'aquarelles, le froissa et le jeta dans la cheminée où il brûla pendant une minute avant de se désintégrer en flocons de cendre.

« Au moins votre travail sert à quelque chose maintenant. »

La classe observa Juliet en silence. Celle-ci sentit la chaleur de leurs regards. Soudain gênée, elle eut l'impression d'être une enfant grondée par le maître pour mauvaise conduite. Par les fenêtres ouvertes, on entendit des cloches d'église sonner dix heures et le feuillage des arbres murmurer. Max frappa dans ses mains.

« Merci d'être venus. Nous nous reverrons dans quinze jours. »

Les autres rangèrent leur attirail, fourrèrent du papier dans des sacs à provisions ou des cartables, mais Juliet ne bougea pas. Les deux messieurs solitaires remercièrent Max d'un signe de tête et, à l'unisson, saluèrent Juliet d'un coup de chapeau. Seuls les creux dans les coussins du canapé et les chaises abandonnées indiquaient que la pièce était pleine de gens un peu plus tôt. Max ne semblait pas surpris que Juliet restât et, pendant un instant, celle-ci se demanda s'il s'en était aperçu. Il ranima le feu avec une fourchette à griller le pain et, sans se retourner, il demanda :

« Je vous sers un verre ?

— D'accord. »

Il partit à la cuisine, en revint avec une bouteille de liqueur de prunelle et un autre verre. Bien qu'elle ne bût pas d'alcool, Juliet accepta celui qu'on lui offrait. Pieds nus, elle fit le tour de la pièce, enfin libre de regarder les tableaux. « Je ne les avais encore jamais vus, ceux-là. »

Max rit. « Charlie les déteste. Il tolère mes huiles, mais ces trucs-là, les gravures sur bois entre autres, le révulsent.

— Pourquoi ? Moi, elles me plaisent.

— Il les trouve trop nostalgiques, trop anglaises. Charlie, je l'ai beaucoup déçu. J'ai survécu à la guerre pour me réfugier dans cette lâcheté que représente la nostalgie. »

Se pliant en deux, Max s'assit dans un fauteuil. « Je crains qu'il n'ait raison. On se fatigue de l'Angleterre. Son humidité. Son côté étriqué. Puis on part à l'étranger et on les regrette. Couvert de sueur, j'ai peint les platanes et les temples de Louxor en rêvant de bruine et de fraises. »

Juliet promena son regard autour de la pièce. Les lampes à pétrole s'étant éteintes, elle n'était éclairée que par les bougies. Les braises jetaient un reflet rouge sur les murs. Dans ce clair-obscur, la caravane des chameaux peints au pochoir commençait sa lente marche autour des moulures-désert. Presque toutes les gravures sur bois ou sur linoléum représentaient des paysages – menhirs dressés sur le flanc d'une colline, contour voûté d'un fort, mais Juliet sentait que quelque chose d'autre vous guettait depuis le fond obscur de ces images.

« Elles ne sont pas nostalgiques. Elles sont mystérieuses.

— Voilà ce qui se passe : vous avez le mal du pays, mais une fois revenu ici vous ne cessez de penser à l'endroit où vous étiez. Les vallées et les rivières anglaises ne sont plus aussi réelles qu'autrefois. Du moins, quand je les peins. »

Juliet examina de nouveau les gravures. « C'est bizarre, dans toute votre œuvre on est toujours en automne ou en hiver. Pas un seul de vos tableaux ne représente un paysage en été. »

Max sourit. « Le printemps et l'été m'ennuient. Toute cette verdure ! Je préfère les couleurs de l'automne et la texture de l'hiver. Une fois les arbres dénudés, vous pénétrez au cœur de la forêt. »

À la pensée du retour à travers le bois nocturne, Juliet frissonna. Dans son for intérieur, elle essaya de se rassurer – elle était une femme moderne qui enseignait à ses enfants de ne pas se laisser effrayer par des histoires. En vain : les tableaux de Max la troublaient. Beaucoup trop humain, le frêne de la gravure l'épiait derrière des doigts maigres. Elle avala une gorgée de la liqueur forte et sucrée.

« Pourrais-je voir d'autres œuvres de vous ? » Elle hésita. « Les tableaux que vous avez exécutés pendant la guerre ?

— Impossible.

— Excusez-moi, je n'aurais pas dû vous demander ça.

— Il n'y a pas de mal, simplement le ministère de la Défense les a tous gardés. Je suppose qu'ils sont en train de moisir dans quelque archive. Sinon je vous les aurais volontiers montrés. »

Juliet se cala contre le dossier du canapé et, comme un oiseau qui couve, ramena ses pieds nus sous elle. Elle aurait voulu bombarder son hôte de questions. Assis en face d'elle, Max réprimait un sourire. Peut-être devinait-il sa curiosité.

« Depuis combien de temps habitez-vous ici ?

— Depuis la guerre. » Max la regarda par-dessus le bord de son verre. « Peintres et tableaux peuvent passer de mode. Au pire, je deviendrai bûcheron.

— Ça vous arrive de vous sentir seul ?

— Jamais. »

Avec ses papillons, ses dragons et ses chameaux peints, la maison elle-même devait lui tenir compagnie, se dit Juliet. Max attendait, aussi figé qu'une de ses toiles.

« Il se fait tard, dit-il. Votre mari ne va-t-il pas se demander où vous êtes passée ? »

Juliet s'agita sur son siège. Qu'est-ce que Charlie avait pu lui raconter ? « Non, il ne se demandera rien.

— Vous êtes mariée, n'est-ce pas ?

— Oui, dans un sens. Sans vouloir vous offenser, je préférerais ne pas en parler.

— D'accord, mais vous devez vous rendre compte qu'avec vos airs mystérieux vous avez éveillé ma curiosité. »

Juliet ne répondit pas. Au bout d'un moment, Max reprit : « Je me le rappelle très bien à présent. Charlie m'a dit : "Elle est mariée." Pour me mettre en garde, je suppose. »

Il se resservit et tendit la bouteille à son invitée qui refusa son offre. Il continua à boire et à parler, presque comme à lui-même. Si elle partait maintenant, poursuivrait-il la conversation sans elle ? se demanda Juliet.

« Je voulais en savoir un peu plus sur vous, dit-il. Qui était cette personne qui, soudain, tenait tellement à vendre mes tableaux ? Des marchands de Londres viennent ici de temps en temps et, à moins que je ne sois vraiment fauché, je les fuis en me sauvant dans les bois.

— Vous m'avez fuie, moi aussi…

— Mais vous, vous me paraissiez différente, poursuivit Max, feignant de ne pas avoir entendu. Pas du genre à s'associer à Charlie et à ses copains dans une de leurs combines.

— Ce n'est pas une combine.

— Sans doute. Et je vois que vous êtes l'élément moteur de ce projet. Mais je me posais des questions. Charlie collectionne les gens comme d'autres des timbres. Mais, généralement, ce sont plutôt des oisifs. »

Max posa son verre et se leva. Juliet le vit tituber une seconde avant qu'il ne s'appuie sur la cheminée. Seule cette petite défaillance trahissait son ivresse car il parlait très clairement, roulant ses mots dans sa bouche tels des glaçons. De le savoir saoul lui donna de l'audace. Elle le regarda. Il était grand. Aussi grand que George. Sans doute se conduisait-elle comme une évaporée. Elle imagina les rabbins secouant leur barbe d'un air désapprobateur, les soupirs douloureux de sa mère, mais elle constata qu'elle n'en avait cure. Fermant puis rouvrant ses yeux, elle déclara :

« J'aimerais que vous fassiez mon portrait.

— Votre portrait ?

— Oui.

— S'agit-il d'un de ces euphémismes modernes ?

— Non.

— Je n'ai fait aucun portrait depuis la guerre.

— Je sais, mais je croyais…

— Quoi ? Que je ferais une exception pour vous ? »

Juliet se sentit rougir. Regardant Max droit dans les yeux, elle répondit : « Je l'espérais. »

Max vida son verre et le posa si brusquement sur la cheminée qu'il l'ébrécha.

« Les portraits, c'est fini. Je n'en peindrai plus, fût-ce pour vous faire plaisir. »

Le lendemain matin, Juliet était en train de faire griller du pain quand on frappa à la porte de son cottage. Leonard alla ouvrir. Voyant que ce n'était pas Charlie, il s'écria d'un ton déçu :

« Oh, vous venez sans doute voir ma mère ! »

Max suivit le garçon à la cuisine et s'assit à la table. Tout à fait à l'aise, il chipa une des framboises légèrement moisies contenues dans un bol devant lui.

« Eh bien, quels seraient mes honoraires ? demanda-t-il.

— Vos honoraires ?

— Puisque vous vendez mes tableaux, vous devez connaître ma cote. Que coûterait un portrait peint par moi ? »

Assise en face de lui, Juliet tendit le bras pour prendre son toast. « Je n'ai pas les moyens de m'offrir une de vos toiles. »

Max la dévisagea alors avec ce regard avide et curieux des peintres. On aurait dit qu'il cherchait à résoudre une équation.

« J'ai passé la nuit à penser à votre tableau. Peut-être existe-t-il une solution. Je dois me montrer très prudent avec les portraits, vous savez. Il faudra que je trompe le destin. »

Juliet fronça les sourcils. Que diable voulait-il dire par là ?

Max se passa la langue sur les lèvres, puis hocha la tête. « Bon. D'accord. Je ferai votre portrait. Mais travailler pour rien est mauvais pour les affaires. Cela vous coûtera donc quelque chose. Ah, voilà : cela vous coûtera un secret, Juliet Montague. »

Après le départ de Max, Juliet s'approcha de Leonard assis en tailleur sur le linoléum pas très propre de la cuisine. Elle s'accroupit à côté de lui.

Leonard la regarda. Les joues roses, elle souriait. Tout était calme. On n'entendait que le tic-tac de la pendule et le faible bruissement des roses dont le parfum pénétrait par la fenêtre ouverte. Juliet caressa doucement le visage de son fils.

« N'est-ce pas merveilleux ? Je vais avoir un autre portrait de moi ! »

Leonard contempla ses orteils, se demandant pourquoi son estomac se nouait comme lorsque Mrs Staunton avait demandé à Kenneth Ibbotson de l'aider à fabriquer les accessoires pour la pièce de théâtre de l'école alors que lui, Leonard aurait tant voulu s'en occuper.

« Tu as déjà celui de Charlie. Il me plaît beaucoup. Je ne veux pas que tu en fasses faire un autre. »

En riant, Juliet le releva et l'embrassa sur le haut de la tête.

« Tu aimeras aussi celui de Max. Ce qu'il y a de bien avec les tableaux, vois-tu, c'est qu'on peut en avoir plusieurs.

— Mais ce sont nos vacances à nous. Rien que nous trois. Tu avais promis.

— Ça reste vrai. Mais Max habitait dans cette grande maison devant laquelle nous sommes passés. Il va nous la faire visiter. Tu n'aimerais pas la voir ? C'est presque un château. »

Leonard acquiesça d'un signe de tête, mais il n'écoutait plus. Il était en train d'apprendre que la peinture était le meilleur moyen d'intéresser Juliet. Elle l'envoyait à l'école avec des chaussettes dépareillées et des restes au lieu de sandwichs. Elle ne lui remettait jamais à temps les mots l'autorisant à partir en excursion avec sa classe (sauf s'il s'agissait d'aller à la National Gallery) et c'était lui qui devait lui dire que son uniforme était devenu trop petit. Elle ne remarquait jamais ces détails comme le faisaient les autres mères. Cependant, lorsqu'il lui présentait une aquarelle exécutée à l'école ou un dessin griffonné un samedi après-midi, il savait qu'il retiendrait son attention. Elle examinait son travail avec le même sérieux qu'elle accordait à celui des jeunes gens que Charlie amenait à la maison le dimanche et qui arrivaient du train le front en sueur, leur serviette en cuir serrée sous le bras, impatients d'entendre le verdict de Juliet. À ces occasions-là, tout le monde était banni de la cuisine, à l'exception de Leonard. Ils étalaient les dessins et les tableaux sur la table et les étudiaient en silence. Leonard entendait les artistes arpenter l'entrée et sentait l'odeur des cigarettes qu'ils fumaient pour s'armer de courage.

Pour sa mère, seules existaient deux sortes de personnes : les peintres et les autres, et il se rendait compte qu'elle préférait les premiers.

Max les emmena visiter le manoir de son enfance. Même Charlie se joignit à eux. À la surprise de Juliet, il paraissait de bonne humeur. Bien qu'il se fût opposé à sa rencontre avec Max, il se résignait maintenant au fait accompli. Les deux hommes ne tardèrent pas à se plonger dans une discussion passionnée. Juliet se sentit plus insouciante qu'elle ne l'avait jamais été depuis son arrivée dans le Dorset. Ne pouvant tous entrer dans la voiture de Charlie, ils y allèrent à pied. Les nuages matinaux se dissipèrent, révélant un ciel d'été parfait. Pareils à un panneau de la Renaissance orné de pierreries, les bas-côtés herbeux regorgeaient de fleurs roses qui se balançaient au vent. Un bus déposait d'autres visiteurs devant les grilles de la propriété et Juliet découvrit qu'eux-mêmes ne formaient qu'un petit groupe perdu parmi la horde des touristes du mois d'août. Max les conduisit le long d'une allée bordée de rhododendrons dont les fleurs tombées avaient été écrasées sous les pieds des visiteurs. Leonard portait un appareil photo – prêté par Charlie – autour du cou et mitraillait tout ce qu'il voyait : une balançoire cassée pendue à un chêne, un écureuil à la queue amputée, Frieda. Ils firent la queue pour acheter des tickets à un guichet. Max tint à payer. Juliet s'attendait à ce que la caissière binoclarde des Monuments historiques le reconnût, mais elle n'en fit rien. Max leur distribua consciencieusement les billets.

« Il vous faut choisir un mari, dit-il à Juliet. Qui préférez-vous ? Charlie ou moi ? »

Voyant son expression, il éclata de rire et tendit un billet à Charlie.

« Je choisirai pour vous, alors. Il y a une réduction pour les familles. »

Il les conduisit à l'avant d'un grand manoir élisabéthain en pierre couleur de miel. Une allée gravillonnée menait, entre deux carrés de pelouse, à une énorme porte en chêne. Des fenêtres à petits carreaux donnaient sur la campagne, mais même au soleil matinal elles paraissaient sombres et opaques. À l'étage supérieur, des personnages sculptés dans la pierre s'accrochaient à des niches. Patinés par les intempéries, ils regardaient les visiteurs en bas. Avec ses trois étages et ses fenêtres supplémentaires sous les avant-toits, la maison était immense. Des cèdres noirs ombrageaient la pelouse, mais ces arbres monstrueux ne parvenaient pas au niveau du toit. Deux ailes saillaient des deux côtés du corps de logis. Juliet eut l'impression de se trouver devant une ville.

« Maman, regarde ! Un singe ! » cria Leonard en désignant la façade.

Juliet aperçut, accroché à un pignon, un singe de pierre qui la lorgnait de ses yeux de grès.

« Allons-nous entrer là-dedans ? » demanda-t-elle.

Max eut un petit rire. « Vous n'aimez pas cette baraque, je me trompe ?

— Elle est très impressionnante.

— C'est un parfait exemple de demeure élisabéthaine, si l'on s'intéresse à ce genre de chose. Elle est même construite en forme de E. Ma mère s'appelait Elizabeth. Je crois que mon père l'a épousée pour ça. Il pensait qu'elle conviendrait à ce lieu. »

Max fouilla dans sa poche à la recherche de cigarettes. Après avoir allumé la sienne, il en offrit une à Charlie qui secoua la tête.

« Je n'arrive pas à croire que tu ne regrettes pas cette maison, dit ce dernier.

— Oh, tu sais, sans argent pour la chauffer ou réparer le toit, elle n'est guère agréable.

— Ça ne te déprime pas de la visiter ? »

Max sourit. « Je n'y viens que rarement. C'est un peu comme se rendre sur une tombe. »

Ils pénétrèrent dans un vaste hall lambrissé de vieux chêne. Un bas-relief Renaissance couvrait l'un des côtés.

« Votre cigarette, monsieur, dit une gardienne en pointant son doigt sur Max.

— Quoi ?

— Il est interdit de fumer ici. Je vous demanderai de terminer votre cigarette dehors. »

Max resta silencieux. Son visage paraissait livide dans la pénombre et, pendant un instant, Juliet se demanda comment il allait réagir. Puis il souffla dédaigneusement par les narines.

« On me demande toujours pourquoi les lambris ont cette merveilleuse patine et je réponds : "À cause des générations qui ont fumé dans cette salle." » Il leva les mains comme pour arrêter la gardienne qui fonçait vers lui sur le sol de marbre en agitant un écritoire à pince. « D'accord, d'accord. Je vais l'éteindre. »

Il alla écraser son mégot dehors, sur la maçonnerie près de la porte – par habitude, se dit Juliet –, et rentra.

« On y va ? »

Plus tard, sur le chemin du retour à travers bois, Juliet se rendit compte que Max avait dit la vérité – elle n'aimait pas la maison d'enfance du peintre. Elle préférait de beaucoup son cottage en brique. Malgré la foule de guides et de touristes qui y circulaient, le manoir sentait l'humidité et l'abandon. Ce n'était qu'une enveloppe, une sorte de musée rempli de reliques. On avait du mal à imaginer que quelqu'un pouvait y vivre, et surtout pas Max.

Les hommes marchaient devant. Max trouvait son chemin sans difficulté, se faufilant entre des arbres qui, aux yeux de Juliet, se ressemblaient tous. Frieda s'arrêta devant un groupe de jolies fleurs mauves aux étamines cireuses pareilles à de minus-cules bougies. Lorsqu'elle tendit le bras pour en cueillir une, Max cria : « N'y touche pas. Ce sont des douces-amères. Elles te donneraient une méchante urticaire. »

Le cottage en brique émergea telle une apparition de la futaie. Les enfants coururent vers lui, aussi ravis que s'il eût été en pain d'épice. Le soleil de l'après-midi n'atteignait pas cette partie du bois. Les arbres étaient trop serrés, la lumière qui filtrait à travers le feuillage était d'un vert trouble. Max les fit entrer. Parcourant la maison, les enfants aperçurent les marches d'escalier peintes, puis ils découvrirent le dragon du manteau de cheminée avant d'aller examiner le colibri dessiné au pochoir sur la fenêtre du hall.

Leonard se tourna vers sa mère. « Pourquoi notre maison ne ressemble-t-elle pas à celle-ci ? »

Juliet hésita. Elle commençait à se poser la même question.

« Cela représente beaucoup de travail, intervint Charlie. Il te faudrait la décorer toi-même. »

Saisie d'inquiétude à la vue de la lueur qui s'allumait dans les yeux de son fils, Juliet se hâta d'ajouter : « Oui, mais je préfé-rerais que tu t'en abstiennes. Si elle venait prendre le thé chez nous, ta pauvre grand-mère en aurait une attaque. »

Leonard resta silencieux, mais son expression montrait qu'il n'était pas convaincu. Max apporta du thé et des biscuits et donna aux enfants des verres d'une eau rougeâtre prise au robi-net. Leonard l'observait d'un air pensif.

« Est-ce que vous allez peindre ma mère ? Charlie a fait un portrait d'elle, lui aussi. Nous l'avons chez nous à la place d'un frigo. »

Charlie leva la tête. Après avoir posé sa tasse, il se tourna vers Max avec une nonchalance étudiée.

« Vraiment ? Je croyais que tu ne faisais plus de portraits. »

Max haussa les épaules. « En effet, mais Juliet a accepté le prix exorbitant que je lui demandais.

— Pas possible ! »

Juliet sentit ses joues s'enflammer. « Max m'a dit que cela me coûterait un secret. C'était une plaisanterie. »

Elle jeta à Max un regard implorant, mais le peintre se penchait vers Leonard et Frieda.

« Un portrait vaut bien un bon gros secret, vous ne croyez pas ? » demanda-t-il.

Ravis qu'on les inclue dans le jeu, les enfants acquiescèrent. Juliet regarda Leonard, se demandant, mal à l'aise, ce qu'il allait dire. Ce fut toutefois Frieda qui parla.

« J'en connais un, moi, déclara-t-elle.

— Ce n'était qu'une plaisanterie, ma chérie, l'arrêta Juliet. Inutile de raconter notre vie à Max. »

Max sourit. « Inutile, en effet, mais non pas interdit. »

Charlie lui lança un regard furieux.

« Laisse-les tranquilles, bon sang, explosa-t-il. Peins-la, ne la peins pas, mais n'en fais pas une telle histoire ! »

Juliet attrapa Frieda par la main et l'incita à se rasseoir, mais la fillette partit en dansant de l'autre côté de la table.

« Mon papa n'est pas vraiment mort, déclara-t-elle, même si grand-mère nous a recommandé de raconter ça à tout le monde. Il est vivant. Il a disparu quand j'avais quatre ans et Leonard deux ans. C'est pour ça que maman ne peut pas se remarier. Ni avoir un copain », ajouta-t-elle en fixant un point au-delà des deux hommes.

Suivit un profond silence. Au grand ennui de Juliet, tous les regards étaient braqués sur elle. Des larmes lui montèrent aux yeux.

Soudain Max rejeta la tête en arrière et éclata d'un rire rauque semblable au bruit d'un poing martelant du bois. Frieda sourit, puis pouffa. Voyant rire sa sœur, Leonard se joignit à son hilarité. Charlie s'esclaffa à son tour et, finalement, Juliet aussi. Elle se demandait ce qui était si drôle, à supposer que ce fût drôle, mais rire était agréable. Cela montait de son ventre à sa gorge, ses yeux se mouillaient, mais comme à présent il s'agissait d'un rire et non de pleurs, elle n'avait plus besoin de ciller pour chasser ses larmes. Max s'arrêta le premier. S'essuyant la bouche sur sa manche, il repoussa sa chaise.

« Eh bien, Mrs Montague, j'ai l'impression que je vous dois un portrait.

— On peut rester avec vous ? » demanda Leonard.

D'habitude, Juliet considérait les séances de pose comme un moment d'intimité entre l'artiste et son modèle. Cependant, cet après-midi-là, dans cette cuisine tiède au milieu de la forêt, le rire les avait tous unis.

« Je n'y vois pas d'inconvénient, déclara-t-elle. Cela dépend de Max. »

Le peintre partit chercher ses couleurs. Il revint avec un petit chevalet et une boîte d'aquarelles.

« Il n'y a qu'une seule règle à respecter. Personne ne regarde le tableau avant qu'il ne soit terminé. D'accord ? »

Les enfants hochèrent la tête.

Max était assis, parfaitement immobile. Il examinait le visage de Juliet sans toucher à son crayon ou à son pinceau. Des sourcils fournis, pareils au duvet d'un oisillon. Il avait entendu la jeune femme frapper deux fois par jour, il avait écouté le bruit qu'elle faisait de l'autre côté de la porte. Ensuite, par la fenêtre, il l'avait vue se faufiler entre les arbres en short bleu et sandales. Peu de promeneuses passaient dans ce coin vêtues de jolis shorts qui découvraient des jambes saines et musclées. Frieda était son portrait tout craché. Une ressemblance troublante. Mère et fille étaient pareilles à des poupées russes, l'une grande, l'autre petite. Il nota la courbe du front de Juliet, la naissance de ses cheveux. Il ne faisait plus de portraits. Trop dangereux. Il se fâcha contre lui-même. Non, il renoncerait à ce projet et les mettrait tous à la porte. Puis le soleil entrant par la fenêtre effleura la joue et le cou de Juliet, et il se dit que capter ce jeu de lumière pouvait être intéressant.

Il travaillait vite, mélangeant dans une soucoupe l'eau tourbeuse et la couleur. Cela faisait près de quinze ans qu'il n'avait plus fait de portrait. Le dernier, il l'avait exécuté en France, aux derniers jours de la guerre. Le paysage du Bocage normand ressemblait d'une façon poignante au Dorset, mais des fusils étaient cachés dans les haies. Les champs de blé touffus et le bétail mugissant lui avaient fait penser un instant que c'était l'Angleterre qu'ils détruisaient. Plus tard, de retour chez lui, il avait constaté, soulagé, que seule une partie de son pays avait été endommagée. Il y avait toujours des champs de blé, des biefs, des épinoches et des vergers de pommiers. Les forêts plus jeunes avaient été coupées et brûlées, mais le bois où il vivait avait été épargné. On y sentait toujours la même délicieuse odeur d'humus.

Il se mit donc à peindre sans relâche son Angleterre – un scarabée, un orme, un canard, ces vaillantes oies sauvages, oh, les oies ! – mais jamais un être humain. Jamais. À présent, il avait promis de peindre Juliet, mais, pour la protéger, il devait tromper le destin.

Ils étaient assis dans la cuisine depuis des heures. Charlie était parti se promener et fumer une cigarette, les enfants avaient joué à une caravane de nomades sous la frise des chameaux. À présent, ils étaient tous revenus voir si le tableau était terminé. Max maniait son pinceau plus lentement, il ne peignait plus à grands traits, mais appliquait la couleur à petits coups. Puis il posa son pinceau et frotta le papier humide avec une éponge qui fit un bruit semblable à celui de pantoufles glissant sur un tapis. Il s'arrêta, se cala sur sa chaise, s'étira.

« On peut regarder ? »

Leonard et Frieda s'approchèrent du chevalet. Max les chassa.

« Allez vous asseoir. »

Ils obéirent. Charlie s'adossa au comptoir. Max tourna le papier de manière à ce que les autres puissent voir tous en même temps. C'était bien Juliet, oui, Juliet en oiseau. Une femme pourvue des ailes d'une oie cendrée, les plumes étendues telles des doigts, de la même couleur que les cheveux de Juliet, et aux mêmes yeux tachetés de vert. Sa bouche s'ouvrait en un cri, son long cou était à moitié celui d'une femme, à moitié celui d'un oiseau.

Les yeux brillants, Max regarda son modèle et sourit.

« Tout va bien. J'ai fait votre portrait, mais j'ai pris des précautions. »

ARTICLE 4 DU CATALOGUE
« Juliet en mouvement », Philip Murray, acrylique sur toile,
76 cm x 63 cm, 1960.

DÉSORMAIS, CHAQUE MATIN, après avoir accompagné les
enfants à l'école, Juliet tournait à droite pour prendre le
train de Londres au lieu de tourner à gauche et monter dans
un bus qui l'emmènerait à Greene et Fils. Il lui semblait que
ce changement, à droite, et non plus à gauche, résumait tout.
Elle se surprenait à jouer à des jeux : elle touchait les mûriers
qui bordaient la rue, murmurant : « Je vous en supplie, faites que
la galerie réussisse. » L'idée d'avoir peut-être à retourner à la
fabrique de lunettes la rendait malade. Le vendredi soir, à la
table du dîner, elle s'efforçait d'ignorer les regards perplexes
et peinés que lui lançaient ses parents et de sourire à son père
quand il essayait de la rassurer. « Ne t'inquiète pas, ma chérie,
si ça ne marche pas, il y aura toujours une place pour toi dans
mon entreprise. » Depuis des années, Juliet n'avait pas été aussi
près de réciter une prière d'action de grâces qu'en ouvrant la
porte de la galerie, le matin. Elle avait cru qu'elle vivrait toute
sa vie dans une illustration en noir et blanc jusqu'au jour où
elle avait découvert qu'elle était passée dans une autre version
de celle-ci, une variante colorée à la main.

La Wednesday's Gallery se trouvait dans une ruelle parsemée
de détritus qui aboutissait à la Bayswater Road. Elle devait son

nom à cet après-midi d'avril, plus de deux ans auparavant, où Juliet avait rencontré Charlie. C'était une ancienne remise à voitures et Juliet se plaisait à imaginer qu'elle sentait encore un peu le cheval (ce qui était plus agréable que d'attribuer cette odeur aux douzaines de pigeons morts et décomposés trouvés lors de l'emménagement). Juliet avait supervisé les travaux. L'avant du local servait de salle d'exposition, la pièce suivante d'atelier. Aucune cloison ne séparait ces deux parties. Décidée à introduire une nouveauté dans le monde des galeristes, Juliet avait tenu à ce que cet espace restât ouvert. Les visiteurs pouvaient ainsi voir les peintres et leur tableau en cours. En réalité, c'était pour elle-même qu'elle l'avait aménagé ainsi − elle adorait regarder ses amis travailler ou juste entendre le cliquetis des tubes de couleur entrechoqués tandis qu'elle réglait des problèmes pratiques. Elle aimait savoir que, tout près d'elle, naissaient des tableaux qui poussaient dans l'imagination des garçons et surgissaient sur la toile telles des plantes printanières. Aussi put-elle partager l'excitation de ses amis lors de la livraison d'un paquet pour Jim. Un matin, arrivant de la gare au pas de course, comme d'habitude, elle se précipita dans la galerie et trouva Charlie, Jim et Philip debout devant une petite caisse au couvercle arraché et la sciure du contenu répandue par terre. Une douzaine de boîtes métalliques blanches étaient nichées à l'intérieur tels des œufs fraîchement pondus. L'air ravi, les trois hommes les contemplaient sans les toucher.

« Des acryliques », expliqua Jim.

Voyant que Juliet ne comprenait pas, il en ouvrit trois, les posa sur l'établi. Il trempa son pinceau dans un pot bleu et le passa sur une toile blanche. Il répéta l'opération avec du jaune et du rouge. Les couleurs étaient si vives que les lignes tracées semblaient vibrer.

« D'où viennent ces peintures ?

— Des États-Unis. »

Tous regardèrent les rayures en se disant que cette nouvelle matière devait ressembler à son pays d'origine : les couleurs du

Nouveau Monde étaient plus hardies, plus éclatantes que celles de l'Ancien. Cet après-midi-là, Jim commença le portrait de Juliet assise au bord de la piscine. Il lui avait demandé le croquis qu'il avait fait d'elle et l'avait fixé au-dessus de sa toile. À la différence de Charlie, Jim aimait peindre en musique et, cette fois, il y parvint. Le tourne-disque emplit la galerie de la voix rauque de Ray Charles. Jim travaillait vite et, tandis que Juliet passait des coups de téléphone, rédigeait des communiqués de presse et discutait avec leur nouvel encadreur, une eau bleuâtre filtrait à travers la toile. Ce soir-là, lorsqu'il fut temps pour Juliet de rentrer chez elle, Jim travaillait toujours, et elle quitta la galerie à regret, avec l'impression de sortir d'un cinéma au moment le plus palpitant du film.

Le lendemain, un samedi, Frieda et Leonard l'accompagnèrent en ville. Juliet eut du mal à convaincre sa mère que le mieux serait que les enfants enfreignent le repos sabbatique et viennent à la galerie avec elle. Mrs Greene restait en effet persuadée que les samedis étaient des jours sacrés réservés à Dieu, à l'ennui et au poulet grillé. Voyant qu'il ne servait à rien de protester, elle avait fini par renoncer aux soupirs et aux remontrances et s'était mise en devoir de préparer de bons sandwichs pour éviter que sa fille n'achète des casse-croûte non casher à un stand de Charing Cross. À la pensée d'un tel manque d'hygiène religieuse, elle était prise de colique.

Au grand soulagement de Juliet, ses enfants continuaient à considérer un voyage en ville comme une aventure. Ils arrivèrent à la Wednesday's Gallery de fort bonne humeur, les sandwichs et les cahiers de devoirs fourrés dans les cartables. Les portes ouvertes au soleil matinal laissaient échapper dans la ruelle les notes mélancoliques de James Brown. Les trois peintres étaient déjà dans l'atelier. Charlie et Philip se tenaient tranquillement à côté de Jim. Avec des gestes précis, ce dernier appliquait une couche après l'autre de peinture américaine sur la toile. De toute évidence, il avait peint toute la nuit. Les détritus de trente heures de travail gisaient autour de lui : pinceaux, pots de peinture acrylique, bocal plein d'une eau boueuse. Dans un coin de la pièce, l'emballage d'une portion de *fish and chips* empestait l'air. Pinceau à la main, les yeux rouges et la barbe naissante, Jim se dressait au milieu d'un cercle de tasses de café vides. Juliet et les enfants se joignirent aux autres. Ils attendirent en silence, les yeux fixés sur le tableau où une fille en maillot de bain sombre était apparue durant la nuit.

Juliet avait l'habitude de regarder Charlie peindre à l'huile. Il faisait un dessin préparatoire au pinceau, puis ajoutait des couches de couleur qui mettaient des semaines à sécher. Ces tableaux changeaient tout le temps – une erreur pouvait être corrigée des jours plus tard et l'image se formait lentement sur la toile, tout comme le soleil pâlissait le papier peint dans le séjour de Juliet, ne laissant, pour finir, qu'un cercle d'un jaune lumineux derrière la pendule de la cheminée. Peindre à l'acrylique était différent. Non seulement les couleurs étaient plus vives, mais elles séchaient beaucoup plus vite. Envahissant la toile, l'image apparaissait sous leurs yeux dans des tons bleus, gris et jaune orangé.

« Qui est-ce ? » demanda Frieda en désignant la fille en maillot de bain à laquelle chaque coup de pinceau donnait plus de substance.

Jim allait répondre lorsqu'il capta le regard de Juliet. Elle lui fit un petit signe de la tête.

« Un personnage imaginaire, mentit Jim.

— Ah bon », dit Frieda. Perdant tout intérêt pour le tableau, la fillette s'installa avec la dernière livraison de *Jackie* dans un fauteuil maculé de peinture. Les autres restèrent un moment à leur place, sentant que cette grande toile avait quelque chose de spécial, comme une Marilyn Monroe dans une pièce pleine de blondes ordinaires.

« Je vais modifier l'accrochage, dit Juliet. Cette toile a besoin d'espace. »

Pour une fois, Charlie et Philip n'élevèrent aucune objection. S'arrachant à la contemplation du tableau de Jim, Juliet retourna à son bureau où elle se mit à passer quelques esquisses en revue. Toutes lui parurent pauvres, ennuyeuses, comparées au bleu américain qui jaillissait à l'autre bout de la galerie. En souriant, elle regarda Leonard reprendre sa place habituelle à côté de Charlie, devant un chevalet que son ami lui avait fabriqué pour son anniversaire. Son fils aimait peindre le samedi après-midi. Il projetait des gouttes de peinture sur de grandes feuilles de papier, aspergeant de couleur le sol de ciment tel un petit Jackson Pollock à lunettes. Il tenait à faire ses devoirs sur le chevalet. Calées à l'oblique contre le bois, les fractions étaient plus jolies à voir, expliqua-t-il à sa mère.

Juliet essaya de se concentrer sur le catalogue de l'exposition sans aller regarder le tableau de Jim, mais la présence de cette toile emplissait déjà la galerie. En tapant à la machine, elle se rendit compte que les titres des œuvres de Jim étaient deux fois plus longs que ceux des autres artistes. Ils occupaient deux fois plus d'espace sur la page et ne cessaient d'attirer l'attention sur le nom de leur auteur. S'agissait-il d'un stratagème ? Jim était aussi doué pour l'autopromotion que pour la peinture. Philip posa une tasse de café devant elle. Levant les yeux, elle le remercia.

« C'est bien vous dans le tableau de Jim, n'est-ce pas ? » murmura Philip de manière à ne pas être entendu des enfants.

Jetant un regard vers Frieda et Leonard, Juliet acquiesça. « Je ne veux pas qu'ils le sachent. S'ils le racontent à leur grand-mère, elle sera horrifiée à l'idée que j'aie posé en maillot de bain. »

Philip réprima un sourire. « Eh bien, je n'en soufflerai mot. »

Juliet se remit à taper, mais Philip resta près de son bureau. Avec une nonchalance étudiée, il examina ses ongles sales et s'éclaircit la voix. « Étant donné que Charlie, Max et Jim ont fait votre portrait, je pensais m'y mettre moi aussi. »

Juliet le regarda. Des trois peintres de la galerie, c'était celui qu'elle connaissait le moins. Pour être honnête, il lui faisait un peu peur, bien qu'il fût d'une dizaine d'années son cadet. Il traversait la vie de cette démarche assurée que donne le collège privé. Il portait l'uniforme du jeune artiste, un jean et une chemise, mais la toile du pantalon était importée des États-Unis et la chemise, en soie, achetée dans un de ces grands magasins italiens au nom imprononçable. Dandy moderne, Philip ne fumait que des cigarettes Jermyn Street et parlait d'une voix traînante d'aristocrate sans avoir l'air d'ouvrir la bouche. Obligée de se pencher en avant pour le comprendre, Juliet se sentait pareille à une écolière suspendue aux lèvres de son professeur. Les tableaux de Philip étaient soignés et pleins d'humour, même si elle n'était pas toujours sûre de saisir la plaisanterie. Il excellait dans le portrait, surtout ceux de femmes passionnées de chevaux, amies fortunées de ses parents, ainsi que ceux des équidés eux-mêmes. Pour des raisons de goût personnel, Juliet avait exclu ces tableaux de l'exposition, mais leur auteur avait accepté cette décision avec sa bonne humeur habituelle. Exhalant la fumée de sa cigarette, il avait murmuré du coin des lèvres : « Oh, je vous comprends tout à fait, ma chère. Ces toiles sont purement alimentaires. »

Juliet scruta son visage, se demandant s'il la taquinait, mais Philip continuait à la regarder bien en face de ses yeux bleu pâle.

« Bon, d'accord, acquiesça-t-elle, mais je n'ai pas le temps de poser. Si vous voulez le portrait pour l'exposition, vous devrez vous débrouiller pour le peindre pendant que je travaille. »

Juliet se demanda si elle avait vraiment envie de se soumettre à l'examen de Philip. Elle était toutefois curieuse de découvrir comment il la voyait. À ses yeux, elle devait ressembler à une banlieusarde mal fagotée. Cependant, l'idée que Max et tous les garçons l'aient peinte n'était pas pour lui déplaire. Malgré elle, Max occupait une place à part dans son esprit. Le portrait exécuté par Charlie pendait dans son séjour de Chislehurst, mais celui peint par Max ornait le mur de sa chambre à coucher, face à son lit. Lorsqu'elle l'apercevait le matin, au réveil, cette image lui donnait du courage : une Juliet ailée qui s'envolait vers le ciel. Elle ne l'avait pas montrée à ses parents et, comme par un accord tacite, les enfants ne leur en avaient pas parlé. Bien que sa vie eût changé de fond en comble, sa petite maison de banlieue restait la même. La peinture écaillée sur la porte d'entrée. Le jardin négligé. Les copies en bois sombre de meubles anciens. Seule nouveauté, les deux portraits.

Juliet se remit à son catalogue en essayant d'oublier le frottement du fusain de Philip sur le papier et la sensation d'être observée. Son nez lui démangeait, mais elle se retenait pour ne pas le gratter. Distraite, elle fit une faute de frappe. C'était curieux de penser que deux hommes travaillaient à son portrait dans cette pièce ! Elle se demanda un instant si cela lui conférait un rôle de muse, puis conclut à regret qu'elle n'était qu'un objet familier comme le vase de fleurs ou le porte-parapluie que les trois garçons avaient peints eux aussi.

Frieda traversa la pièce, enleva le James Brown et le remplaça par le dernier disque de Cliff Richard. À présent, elle partageait scrupuleusement son argent de poche entre l'achat de musique et celui de bonbons.

« Arrête ces fadaises ! » cria Philip.

Frieda pouffa. « Non ! »

Philip posa son carnet de dessin, s'approcha de l'électrophone et fouilla dans le tas de vinyles appuyés contre le mur.

« J'ai acheté celui-ci la semaine dernière, pensant qu'il te plairait », déclara-t-il. Il enleva le Cliff de la platine et le jeta sans cérémonie sur les genoux de Frieda.

Il sortit un autre disque de sa pochette. « Eddie Cochran. Aux États-Unis, les filles de ton âge en raffolent. »

Frieda sourit. *États-Unis* était un mot magique. Tous les samedis, Frieda essayait de mettre du Cliff et Philip exhibait un autre disque qu'elle devait écouter à la place de celui qu'elle avait choisi. Philip était plus calé en musique que n'importe quelle autre de ses connaissances. À presque treize ans, Frieda avait décidé qu'il était temps qu'elle tombe amoureuse de quelqu'un, mais son entourage manquait terriblement de candidats. Au lycée, il n'y avait que des filles. Les garçons ashkénazes de sa rue avaient de l'acné sur la nuque, des ombres de moustache qui ressemblaient à des pattes d'araignée ou bien ils étaient trop petits et craintifs. Lorsque le frisbee interdit de Leonard atterrit sur le toit de la synagogue le jour de Yom Kippur, ce fut elle, et non un des garçons, qui alla le chercher et dut subir « le sermon numéro douze sur *Décevoir* » que lui infligea le rabbin Plotkin. Toutes ses camarades de classe en pinçaient pour quelqu'un – un copain de leur frère aîné ou un garçon brillantiné qui les avait abordées dans le bus, à moins qu'elles ne se pâment devant un poster de Tony Curtis fixé au mur de leur chambre. Un bâton de réglisse dans la bouche, Frieda examinait Philip. Il avait de beaux cheveux (d'un blond doré et juste assez ondulés, c'est-à-dire ni trop féminins ni trop plats) et il était toujours bien habillé. Aucun des autres n'avait son allure, pas même Charlie. Pensant à lui, Frieda fit la grimace. Charlie ne lui servait à rien. Son cœur ne battrait jamais pour lui, c'était hors de question. Il appartenait à Leonard. Et à sa mère.

Debout près d'elle, adossé au mur, les yeux mi-clos, Philip écoutait Eddie Cochran chanter « Summertime Blues ».

« Il est mort en mars dernier. Il n'avait que vingt et un ans. Mon âge.

— Comme c'est triste », commenta Frieda, mais elle avait la tête ailleurs. Elle se disait qu'elle n'avait qu'à tendre le bras pour frôler la main de Philip. Le fusain noircissait son pouce.

« Quand est-ce que tu m'emmènes à un concert ? demanda-t-elle comme tous les samedis.

— Quand tu auras seize ans, et si ta mère le permet », répondit le jeune peintre comme d'habitude.

Frieda leva les yeux au ciel. *Si ta mère le permet.* On en revenait toujours à elle. La fillette se laissa glisser le long du mur, s'assit les jambes croisées comme dans une réunion scolaire, feignit d'examiner la pochette du disque et de ne prêter aucune attention à Philip. Elle s'efforça de ne pas remarquer qu'il rapprochait sa chaise de Juliet et ramassait son carnet de dessin. Eddie Cochran termina sa chanson et, par-dessus le sifflement statique de l'électrophone, Frieda entendit le fusain de Philip glisser sur le papier.

« Est-ce que je peux figurer dans le tableau ? » demanda-t-elle.

Philip haussa les épaules et regarda Juliet. Serrant les poings, Frieda enfonça ses ongles dans la partie charnue de ses paumes.

« Je peux, maman ?

— C'est impossible, ma chérie.

— Pourquoi ? »

Juliet fronça les sourcils. « Philip n'en a pas le temps. Et ce portrait doit faire pendant à ceux de Max et de Charlie. Comme tu n'y figures pas, cela semblerait bizarre. »

Frieda dévisagea Juliet. Sa mère donnait trop de raisons. Ce qui signifiait, conclut la fillette, qu'aucune d'elles n'était sincère.

« Je veux que Philip fasse mon portrait.

— Il demande beaucoup d'argent pour ça.

— Mais toi, il te peint gratis. »

Philip posa son fusain et pivota sur sa chaise à la manière d'un cow-boy. « OK Frieda, je ferai ton portrait. Dès que j'aurai terminé celui de Juliet. »

Il sortit un étui en argent de sa poche, plaça une cigarette entre ses lèvres et en tendit une autre à Juliet. Frieda le regarda se pencher vers sa mère et allumer la sienne d'un geste tendre, plein de sollicitude. Oh, comme elle les détestait tous les deux !

Dès le premier coup d'œil, Juliet adora le portrait de Frieda par Philip. À la différence de Charlie et de Jim, Philip travaillait dans une stricte intimité, ne permettant à personne de voir le tableau inachevé. Lorsqu'il quittait la galerie avant Juliet, il refusait même de laisser sa toile sans surveillance. Il avait raison de se méfier car elle n'aurait pas pu résister à la tentation d'y jeter un coup d'œil. Aussi lorsque le portrait fut enfin terminé et dévoilé, elle y vit presque un cadeau d'anniversaire inattendu. Alors qu'elle s'absorbait dans sa contemplation, Juliet ressentit un grand bonheur comme si elle venait de sortir au soleil après des semaines de pluie. Elle se félicita d'avoir réclamé des portraits individuels. Elle détestait ceux de groupe. Avec ses personnages figés dans une relation unique, symbolique, les uns avec les autres, ils semblaient toujours faux. Ils lui rappelaient ces tableaux du dix-septième siècle commandés par des maris pleins de leur importance pour exhiber la richesse d'une épouse replète. Frieda avait besoin de son propre espace sur la toile – ni la mère ni la fille n'aimaient partager. Philip avait parfaitement capté cet air boudeur des adolescents, de cette fille coincée, mal à l'aise, entre l'enfance et la féminité. Assise dans l'unique fauteuil de l'atelier, elle foudroyait le peintre de ses yeux verts, ses jambes maigres repliées sous elle, un bâton de réglisse mou pendant de sa main posée sur l'accoudoir.

« Quel qu'en soit le prix, vous n'avez pas le droit de le vendre, déclara Juliet. Sauf à moi, bien sûr. »

Philip éclata de rire. De toute évidence, l'enthousiasme de la mère de Frieda l'enchantait. Elle avait réagi à son propre portrait avec plus de réserve. Certes, elle avait prétendu l'admirer et exprimé sa reconnaissance, mais tous deux savaient que l'œuvre ne lui plaisait pas. D'un côté, elle avait eu tort, Philip ne la percevait pas du tout comme une terne banlieusarde, mais, de l'autre, elle constata qu'il ne la connaissait pas du tout. Peu importait : elle en avait l'habitude. Les rabbins, les voisins, les commères de Mrs Greene l'observaient sans la voir, attendant qu'elle commette une erreur ou se montre affligée d'une tare quelconque. Pour finir, elle avait l'impression de n'être qu'un assemblage de décisions contestables et de mauvaises habitudes. En voyant pour la première fois le portrait de Charlie, l'aquarelle de Max et le tableau tout frais de Jim, elle avait été soulagée de pouvoir se reconnaître. Elle avait eu l'impression de se réveiller d'un de ces rêves où l'on disparaît dans le néant et de découvrir, tout heureux, qu'on existe encore – le verre d'eau est toujours à la même place, sur la table de chevet. Le portrait que Philip avait fait de Juliet était soigné, d'une facture habile, agrémenté d'un joli reflet sur le front, mais il restait celui d'une étrangère. Une étrangère qui ressemblait à Juliet. Dotée de plusieurs bras, elle téléphonait, tapait des lettres, essuyait le front de ses artistes tourmentés. Peut-être était-ce l'efficacité avec laquelle elle accomplissait ces tâches qui la rendait méconnaissable – pour sa part, Juliet pensait que, incapable de terminer quoi que ce fût à sa satisfaction, elle vivait à la limite du chaos – mais en fait Philip n'avait aucune idée de qui elle était. Ce n'était ni sa faute ni celle de son modèle. D'ailleurs la perfection du portrait de Frieda dissipait la déception que lui avait causée le sien.

Frieda, elle, réagit à son portrait d'une façon ambivalente, bien qu'elle changeât d'avis avec le temps. Lorsque Philip la plaça devant la toile et lui découvrit les yeux, elle eut d'abord envie de pleurer. Le tableau montrait clairement que Philip n'était pas amoureux d'elle. Il avait peint une petite fille. Certes, elle était jolie, mais ce n'était qu'une enfant au teint rose et non la vamp pourvue d'une généreuse poitrine que Frieda croyait incarner, affalée dans son fauteuil. Elle en rejeta la faute sur sa mère. Frieda avait voulu poser dans une minijupe qu'elle avait empruntée à la sœur aînée de Margaret Taylor, mais Juliet y avait opposé son veto. Si Frieda avait pu porter ce vêtement,

Philip se serait intéressé à elle et n'aurait pas peint ce stupide portrait d'une fillette à la Renoir. En outre, il ne lui avait jamais demandé son opinion, ce qui n'arrangeait pas les choses. Elle l'avait regardé rire de bonheur devant les compliments de Juliet. Seul Charlie voulut savoir ce qu'elle en pensait et lorsqu'elle lui répondit par un « beurk ! », il se contenta de glousser et de lui ébouriffer les cheveux.

Max déclina l'invitation à l'exposition. Les autres avaient prévenu Juliet qu'il ne viendrait pas, mais elle avait refusé de les écouter jusqu'au jour où arriva une carte jaune sur laquelle était inscrite en pattes de mouche : *Max Langford regrette de ne pouvoir assister au vernissage.* Au dos, il avait ajouté : *Si vous passez par ici, ne manquez pas de venir prendre le thé chez moi.* Charlie essaya d'apaiser Juliet, arguant qu'une réponse était déjà une sorte de victoire, mais elle continua à se sentir froissée et très irritée. Comme s'il y avait des chances qu'elle *passe* par la campagne du Dorset ! Au lieu d'une invitation, il s'agissait plutôt d'une façon polie de maintenir les distances. Elle lut et relut le message, y cherchant quelque signification cachée, mais n'y trouva qu'une convention mondaine.

« Qu'est-ce que tu attendais ? grogna Charlie, exaspéré par la déception de son amie. Il ne sait pas, ou ne veut pas, conduire. Il déteste prendre le train. Son monde se limite aux endroits où il peut se rendre à pied ou à bicyclette. »

Juliet ne parla plus de cette défection, mais elle la regrettait, pour Max autant que pour elle-même. Son monde à elle s'était étendu au-delà de la demi-douzaine de rues de banlieue familières, il s'était déroulé telle une carte d'état-major par un après-midi venteux, alors que celui de Max se restreignait à quelques kilomètres de forêt et à un tronçon de rivière boueuse. Savoir que, pour lui, ce minuscule coin de terre contenait un univers et qu'il pouvait passer des jours entiers à peindre, comme en extase, un scarabée luisant posé sur une feuille ou sur une crotte de renard, ne lui apportait aucun réconfort.

À l'exposition, « La baigneuse de minuit » remporta un grand succès auprès des critiques, mais le tableau préféré des visiteurs ordinaires se révéla être « Frieda ». Juliet aurait pu le vendre plus de cinquante fois et, avant la fin du vernissage, elle remplaça la discrète pastille rouge par une note manuscrite qui disait : « Ce tableau n'est PAS à vendre. » À travers la foule, elle cherchait des yeux le portrait et, lorsqu'elle l'apercevait sur le mur, souriait comme si elle avait croisé le regard d'une amie. La vraie Frieda, elle, n'était pas aussi aimable. Pendant des semaines elle avait harcelé sa mère pour qu'elle l'autorise à venir à l'inauguration, puis avait refusé de mettre la robe habillée achetée par sa grand-mère. (« Quelle horreur ! Je ne voudrais même pas qu'on m'enterre avec ça ! ») À présent, elle rôdait au fond de la pièce où elle léchait le sel des cacahuètes et chipait les carrés d'ananas en conserve au bout des cure-dents garnis de cubes de fromage.

La galerie était bondée. Juliet n'aurait jamais cru qu'on pouvait entasser autant de monde dans un si petit espace. Personne ne s'était donné la peine de répondre au carton d'invitation (à part ses parents qui avaient posté leur acceptation par retour du courrier au lieu de simplement lui en parler devant la soupe aux *kneidlach* du vendredi soir). Juliet en avait donc conclu à tort que ce silence signifiait un refus. Jusque-là, elle avait vécu dans une communauté où l'on acceptait les invitations avec ponctualité. Fêtes et dîners étaient soigneusement programmés de manière à ne pas coïncider, vu que les mêmes personnes y étaient conviées, et la nourriture nécessaire pouvait être calculée à une boulette azyme près. Comment aurait-elle deviné que les Londoniens ne répondaient jamais ? Les cartons d'invitation étaient faits pour être posés sur les dessus de cheminées, les étagères de bibliothèques ou les frigos de meublés et l'on se réservait pour d'autres possibilités de sortie jusqu'au dernier moment.

Ce soir-là, les gens semblaient tous avoir décidé de passer, ne fût-ce que pour s'assurer qu'ils ne rataient rien d'important. Comme il avait fait gris et lourd dans la journée, la galerie était aussi privée d'air qu'une boîte à biscuits hermétique. La fumée des cigarettes obligeait les visiteurs à regarder les toiles à travers un brouillard. Enfin, il se mit à pleuvoir. Les gouttes frappant les vitres et le toit plat faisaient un tel tintamarre que le murmure poli des voix s'enfla de plusieurs décibels. Étourdie par la chaleur et le vacarme, Juliet ouvrit les portes, laissant de petites flaques se former à l'intérieur. Elle n'était pas sûre de l'identité de ses invités. Elle avait regardé les photos de ceux qui avaient répondu à son carton, mais comme ils étaient peu nombreux, elle essaya de ranger les autres en plusieurs catégories. Les copains de ses artistes étaient faciles à repérer : ils portaient tous des jeans et des tee-shirts moulants. Les critiques d'art et les amis de la mère de Charlie transpiraient doucement dans leur veste de lin (les critiques se distinguaient par leurs lunettes à monture noire et leur bonne descente). Devant le buffet, plusieurs ivrognes du quartier buvaient avec application, mais elle n'avait pas le courage de les mettre à la porte. S'efforçant d'être fiers, ses parents se serraient l'un contre l'autre près de l'entrée, trop timides pour entamer la conversation avec quelqu'un. Elle aurait dû parler aux critiques, mais cette idée la rendait malade.

Jim et Charlie se tenaient devant « La baigneuse de minuit » avec un jeune homme que Juliet ne connaissait pas. Il portait des lunettes à verres épais et ses cheveux blonds décolorés touchaient son col – détail que Juliet n'avait vu que chez des filles jusque-là. Il examinait le tableau de Jim avec l'avidité d'un connaisseur. Captant son regard, Charlie fit signe à Juliet de les rejoindre.

« Je te présente notre ami David. Nous étions au Royal College ensemble. »

Juliet serra la main du jeune homme en souriant.

« Où as-tu déniché ces acryliques ? demanda David à Jim avec un léger accent du nord. Elles ne sont pas anglaises, je suppose. Les couleurs que je trouve ici sont affreusement ternes. »

Jim eut un petit rire. « Elles viennent des États-Unis, le pays de toutes les merveilles. Des bars…

— Du soleil et du sexe !

— … où l'on rencontre de jolis garçons. »

Jim et David se mirent à rire. Juliet baissa les yeux, se sentant terriblement provinciale. Avant Jim, elle n'avait jamais connu de gay. Elle associait cette particularité avec Oscar Wilde, Sodome et Gomorrhe, imaginant des dandys victoriens coiffés de hauts-de-forme, en veste d'intérieur de velours et armés d'une canne en ivoire, arpentant des rues bibliques en flammes où pétaradaient des éclairs. Elle ne s'était même pas rendu compte que Jim « en était » jusqu'au jour où, arrivant un samedi matin à la galerie avec les enfants, elle l'avait découvert endormi sur le canapé dans les bras d'un garçon de dix-huit ou dix-neuf ans à l'aspect de chérubin. Elle les avait réveillés, avait préparé du café pour tout le monde et s'était lancée dans un pénible échange de banalités avec le jeune homme aux allures exotiques qui, avait-elle appris, n'était originaire que de Bromley. Elle lui demanda poliment de partir et, rougissant jusqu'aux oreilles, pria Jim de ne pas recevoir de « visites nocturnes » à la galerie quand elle y emmenait ses enfants. Jim s'était moqué de son embarras, mais il avait obtempéré.

Elle fut soudain engloutie dans un manteau de vison, ce qui lui évita d'avoir à poursuivre sa conversation avec Jim et David. La fourrure lui chatouilla le nez et elle crachota pour l'écarter de ses lèvres.

« Je vois que vous avez découvert mes artistes », dit le manteau.

Se dégageant du vison, Juliet se retrouva face à une femme élégante d'environ quarante-cinq ans, emmitouflée dans une fourrure et moulée dans une robe de velours à la fois démodée et intemporelle. Malgré son manteau, elle ne paraissait incommodée ni par la chaleur ni par la foule, à la différence de Juliet qui commençait à se croire à la gare de Waterloo à l'heure de pointe. L'inconnue lui adressa un large sourire tout en la menaçant d'un doigt ganté.

« N'oubliez pas que c'est moi qui les ai découverts en premier. Comme j'étais à la recherche de nouveaux talents, je me suis rendue au College et je les ai trouvés. »

Après une pause, elle enleva son gant et agita furieusement les doigts. Son accent *Mitteleuropa* rappela aussitôt à Juliet son mari disparu.

« Juliet Montague, voici Bluma Zonderman, dit Charlie. Comme c'est gentil à vous d'être venue, Bluma ! » Il se pencha et embrassa la femme avec une familiarité enjouée. Jim et David se contentèrent de sourire poliment.

« Bluma est juive, elle aussi », ajouta Charlie comme si ce détail était de la plus haute importance et n'aurait pu être discerné sans son aide. Réprimant leur amusement, les deux femmes échangèrent un regard. Juliet se mordit la lèvre, incapable d'expliquer que, même si la dame en question était juive, elle appartenait au cercle distingué des réfugiés viennois ou berlinois et était aussi différente d'elle que les amis chics de Charlie. Dans un coin de la pièce, ses parents se tenaient par la main, à l'écart des autres. Sa mère suivait la fête d'un œil craintif.

« Eh bien, messieurs, qu'en pensez-vous ? J'ai fait ma meilleure offre à chacun de vous. »

Tandis que les garçons se consultaient du regard, Bluma se tourna vers Juliet. « Je crée une collection d'autoportraits d'artistes, lui expliqua-t-elle, rayonnante. J'ai l'intention d'être une nouvelle Medici. »

Interloquée, Juliet ne répondit pas, mais son silence n'eut pas l'air de gêner la mécène.

« C'est un pari, mais je pense que vous avez le talent requis, messieurs. Oui, vous l'avez. Tous les trois ! »

Debout l'un à côté de l'autre, les garçons regardaient Bluma, déconcertés par la force de son enthousiasme. Charlie fut le premier à répondre.

« C'est d'accord. »

Bluma lui prit la main et la serra avec chaleur. Un sourire de satisfaction s'épanouit sur ses lèvres.

« C'est merveilleux. Merveilleux. Et vous, Mr Brownwick ? J'achèterai votre toile vingt guinées. »

Jim hocha la tête. « OK. Vingt guinées, c'est correct, je suppose. »

Ravie, Bluma frappa dans ses mains. « Et vous, Mr Hockney ? Vous avez réfléchi ? » demanda-t-elle en roulant légèrement le r.

Juliet essaya de chasser George de son esprit.

David haussa les épaules et plongea les mains dans ses poches. « Je regrette, Mrs Zonderman, dit-il. J'admire votre initiative, mais cela m'est impossible. Pas pour vingt guinées. À ma dernière exposition, mes toiles valaient cent livres. »

Juliet écarquilla les yeux. Un étudiant qui vendait ses œuvres à ce prix ? Comment était-ce possible ? Non sans gêne, elle avait fixé celui des tableaux d'oiseaux de Max à soixante-dix livres et voulait en demander cent pour « La baigneuse » de Jim. Pour finir, ce dernier avait déclaré vouloir la garder.

« Eh bien, je vous souhaite bonne chance, Mr Hockney, dit Bluma en haussant les épaules. Quelle que soit la notoriété de l'artiste, j'offre vingt guinées, c'est tout. Dommage. J'aurais beaucoup aimé avoir une toile de vous. »

Les garçons partirent chercher des cigarettes, laissant Juliet en tête à tête avec Bluma.

« On peut découvrir un talent. Il suffit de faire confiance à cette sensation qu'on éprouve dans le ventre – quelque chose qui ressemble à de la joie ou à une indigestion – quand vous vous trouvez devant une œuvre vraiment extraordinaire. Parfois vous tombez juste, parfois non. En fait, ce n'est pas que vous ayez tort ou raison. C'est une question de chance. »

Bluma désigna le tableau de Max représentant un vol d'oies sauvages.

« Langford est le meilleur artiste, pourtant vous aurez moins de succès avec lui qu'avec les autres. Le public n'aime pas qu'un peintre d'un certain âge fasse un *comeback*. Ils pensent à tort que ses tableaux sont démodés. Ils veulent des jeunes, du nouveau. » Du menton, elle montra « La baigneuse » de Jim. « Brownwick, voilà votre vedette. La facture de cette œuvre est ordinaire et la lumière manque d'éclat, mais peu importe : le tableau semble apporter quelque chose de neuf, ce qui, entre nous, n'est pas vrai. Et puis, le gros avantage, c'est qu'il sera très beau en reproduction. Ces aplats ressortiront à l'impression et en feront oublier la monotonie. »

Pour éviter d'avoir à répondre, Juliet but une gorgée de vin. Décidée à promouvoir Max, elle se moquait de ce que disait Bluma. C'étaient ses tableaux qu'elle préférait et elle amènerait tout le monde à ses vues. Elle allait s'excuser quand Bluma lui prit le bras.

« Je ne veux pas vous ennuyer, mais je vous donnerai encore un conseil : ne couchez qu'avec un de vos artistes à la fois, dit-elle en lançant un regard vers le bar où Charlie et Philip ouvraient des bouteilles de vin. Les hommes sont plus fragiles que vous ne le pensez. »

Embarrassée et furieuse, Juliet rougit. « Je ne couche avec personne. Pour rien au monde… »

Bluma l'interrompit en riant. « Eh bien, quand vous céderez à l'un d'eux, rappelez-vous ma recommandation. Elle est aussi utile que mon commentaire sur les tableaux. Et maintenant, offrez-moi une coupe de champagne. »

Soulagée que la conversation prît fin, Juliet guida la mécène vers le buffet. Si seulement elle pouvait s'éclipser une minute ! Dans le cagibi qui faisait office de cuisine, elle aperçut Frieda et Philip : ils lavaient des verres et riaient. Elle soupira. Elle avait l'impression que plus jamais elle ne parvenait à dérider sa fille, comme si Frieda avait rejoint les rangs de ses détracteurs de Chistlehurst. Toute mince dans sa robe rouge cerise, la mère de Charlie passait d'un invité à l'autre, les yeux impeccablement soulignés de noir, à la manière sensuelle d'Elizabeth Taylor, aussi Juliet se demanda-t-elle si Charlie avait hérité de sa mère son talent de dessinateur. Valerie avait toutes les qualités dont elle, Juliet, manquait. Très à l'aise, elle savait à quelle plaisanterie il fallait rire, qui elle devait flatter et avec qui flirter. À la fois admirative et anxieuse, Juliet observait son manège. C'était elle qui était censée donner cette fête, mais elle se sentait pareille à un hêtre au milieu d'une forêt de pins. Elle avait essayé de s'habiller davantage comme ses invités. Elle n'achetait plus rien chez Minnie, dans la rue principale de sa banlieue. Ses nouvelles jupes étaient plus courtes de quelques centimètres et un peu plus ajustées. Elle mettait du rouge à lèvres tous les jours, mais, à la différence de Valerie et de Sylvia, elle ne sentait toujours pas à quel moment il fallait effleurer le bras d'un homme.

Une main fine se glissa dans la sienne.

« Tu as l'air de faire tapisserie, dit Sylvia. Viens, je vais te présenter à quelques personnes. La moitié de ces gens sont venus parce qu'ils ont entendu dire qu'une nana dirigeait la galerie, mais maintenant qu'ils sont là, ils sont vraiment épatés. »

Sylvia était la seule femme peintre de cette exposition. Juliet, qui voulait en découvrir d'autres pour la suivante, avait eu du mal à la persuader d'y participer. À vrai dire, son style n'était pas évident. À force de restaurer les tableaux d'autres artistes, elle avait fini par absorber un peu de leur facture. Sans doute était-ce comme écouter du Beethoven en boucle, puis être incapable de se sortir une suite d'accords ou une mélodie de la tête, se dit Juliet.

Souriant jusqu'à en avoir mal aux lèvres, elle laissa Sylvia l'exhiber aux collectionneurs et aux critiques. Grâce aux amabilités débitées par sa compagne, elle parvint à vendre un des tableaux de Max, le seul, d'ailleurs, de toute la soirée. Chaque fois qu'elle commençait à se sentir nerveuse, Sylvia lui mettait un autre verre de vin dans la main, sifflant comme le lapin d'*Alice* : « Bois ça, bois ça ! » Et elle obéissait, se disant que découvrir des talents ne suffisait pas, que si elle ne voulait pas retourner travailler chez Greene et Fils, elle devait apprendre à vendre, un point, c'est tout.

« Quel succès, ma chérie ! »

Se tournant, Juliet aperçut ses parents. Quand elle embrassa sa mère, elle sentit la pellicule de transpiration qui, sous les couches de poudre, recouvrait ses joues.

« Est-ce que mes oncles viendront aussi ? »

Mrs Greene se mit à farfouiller dans son énorme sac à main.

« Non, il n'y aura que nous, mon petit.

— Même pas oncle Ed ? » demanda Juliet, en s'assombrissant. Ed, le responsable des ventes de l'entreprise familiale, avait toujours été son préféré.

Mr Greene examinait un dessin par-dessus l'épaule gauche de Juliet, Mrs Greene se tamponnait le nez avec un mouchoir amidonné.

« Il est en tournée à Bournemouth. Il n'a pas pu rentrer à temps. »

Juliet comprit aussitôt. Ses parents n'avaient jamais transmis les invitations au reste de la famille. Même s'ils toléraient le changement de vie de leur fille, ils ne tenaient pas à l'afficher.

« Nous voudrions acheter un tableau. »

Leurs visages rouges et bienveillants reflétaient leur gêne. Juliet réprima un début d'irritation.

« Ce n'est pas nécessaire. »

Mr Greene fronça les sourcils et serra la main de sa femme.

« Cela nous ferait plaisir. »

Juliet aurait voulu leur être reconnaissante, mais elle se sentait pareille à Leonard lors de la foire artisanale de son école : elle avait été la seule à lui acheter un de ses télescopes fabriqués avec des rouleaux de papier hygiénique. Elle savait que ses parents ne s'intéressaient pas vraiment à la peinture. Mr Greene appréciait des objets utiles tels des lunettes ou des lampes. Sa mère, bien que plus flexible, avait néanmoins des goûts limités : Renoir, Monet et peut-être Gainsborough à cause des somptueux chapeaux. Les tableaux de la Wednesday's Gallery étaient d'un tout autre genre. Mr et Mrs Greene étaient à la fois généreux et économes. Ils lui donnaient toujours un chèque substantiel pour son anniversaire et l'avaient payée correctement pour son travail à Greene et Fils. Cependant, lorsque, à court de monnaie, elle empruntait sept pence pour acheter du lait, sa mère s'attendait à être remboursée. Mrs Greene collectionnait scrupuleusement les timbres Greenshield et les bons de rabais d'un penny que l'épicier faisait insérer dans la dernière page du journal local, mais n'hésitait pas à couvrir ses petits-enfants de cadeaux coûteux. On achetait du poulet de bonne qualité en y mettant le prix, mais manger au restaurant représentait un gaspillage absurde. (« Un vrai péché quand on a de la nourriture chez soi ! ») Juliet savait donc que la décision de ses parents d'acquérir un tableau n'était pas due à une soudaine passion pour l'art. Elle exprimait simplement leur désir de montrer qu'ils soutenaient leur unique enfant, même s'ils ne l'approuvaient pas.

« Lequel aimeriez-vous ?

— Nous avons pensé à celui-ci », répondit Mrs Greene en désignant une des toiles de Jim représentant une scène de la station balnéaire de Clacton.

On y voyait de grosses dames en maillot à volants se promener parmi des mouettes, des gouttes de glace tombant de leurs cornets sur leurs cuisses charnues.

« Tiens, pourquoi ?

— Eh bien… hésita Mrs Greene, eh bien, parce qu'il est petit, je suppose. »

Juliet poussa un soupir d'exaspération. « Est-ce qu'il vous plaît, au moins ? »

Mrs Greene se raidit. « Je me suis dit que ces grosses bonnes femmes me rappelleraient que je ne dois pas me resservir de gâteau. »

Mr Greene eut un petit rire satisfait. Ce tableau pouvait donc avoir son utilité, après tout. Juliet eut envie de leur dire de cesser de se montrer aussi gentils, qu'elle n'avait pas besoin de leur aide, qu'elle n'avait plus douze ans et que cette exposition n'était pas une foire artisanale scolaire. Qu'on devait acheter des tableaux parce qu'ils vous remplissaient de bonheur et non pour vous encourager à respecter un régime. Cependant, prise de lassitude, elle s'en abstint.

« Bon, je vais coller une pastille rouge dessus. »

Aux vacances de Noël, Juliet quitta Londres à cause d'une permanente. Elle avait eu l'impression que tout le monde en avait une. Lors du vernissage, elle avait vu un tas de femmes à la coiffure aussi bien levée qu'une fournée de *challahs* dorées. Après réflexion, Juliet s'était dit que le sentiment de malaise qu'elle avait éprouvé parmi ses invités était dû en grande partie au fait qu'elle avait les cheveux lisses. Si seulement ceux-ci avaient plus de volume, elle aurait peut-être l'assurance enjouée d'une Valerie ou d'une Sylvia. Un samedi, elle prit rendez-vous chez une coiffeuse de la grand-rue, s'attendant à en sortir transformée tant à l'extérieur qu'à l'intérieur. Déçue par la *mikvah*, elle fondait néanmoins de grands espoirs sur ce rituel séculier. Mrs Greene regrettait que cela eût lieu le jour du sabbat, mais, résignée aux multiples péchés de sa fille, exigea seulement de garder Leonard avec elle. Elle savait qu'entre aller à la synagogue ou chez le coiffeur, Frieda n'hésiterait pas une seconde. Elle continuait cependant à penser qu'on pouvait sauver l'âme du garçon.

Tandis que Juliet penchait la tête au-dessus du lavabo, du shampoing lui piquant les yeux, Frieda se plaignait de ce monde injuste où on lui refusait d'avoir une permanente, elle aussi. Elle poursuivit ses jérémiades pendant qu'une femme aux lèvres minces et aux doigts jaunis de nicotine mettait des bigoudis à sa mère, puis installait celle-ci sous un séchoir qui vous brûlait le scalp. Elle ne cessa ses récriminations que lorsqu'on eut enlevé les rouleaux, peigné les cheveux et placé Juliet devant un miroir, avec un deuxième miroir en biais pour qu'elle pût inspecter les mystères de sa nuque. Après un long regard à sa mère, la fillette s'écria alors : « Oh lala ! Je l'ai échappé belle ! » Si, avec un peu de chance, la permanente donnait du chic à certaines femmes, ce n'était pas le cas pour Juliet. Pas plus que la *mikvah*, elle n'avait opéré la métamorphose.

Le traitement était irréversible. Juliet ne pouvait rester chez elle jusqu'à ce que sa chevelure reprenne son aspect normal : elle devait préparer la prochaine exposition. Et puis, décidat-elle, le travail lui serait salutaire – il l'empêcherait de demeurer assise sur les toilettes, face au miroir de la salle de bains, et de succomber aux larmes. Elle s'efforça de cacher le désastre sous un chapeau, mais celui-ci ne tenait plus sur la masse oscillante de ses cheveux. Pour se convaincre que sa coiffure n'était pas aussi affreuse que ça, elle alla chez sa mère avec Frieda. Mrs Greene ouvrit, regarda sa fille de la tête aux pieds et s'écria : « Et c'est pour cette horreur que tu as enfreint les saintes lois du sabbat ? »

Tandis qu'elle se hâtait vers la galerie dans l'obscurité d'un après-midi de décembre, Juliet évitait les yeux des passants, se disant qu'après tout les gens ne tournaient pas la tête pour la regarder avec étonnement. Devant l'entrée de la Wednesday's, elle hésita, la clé déjà dans la serrure. Les garçons se montreraient gentils, pensa-t-elle. Ils lui feraient du thé et lui assureraient que sa coiffure lui allait bien, que c'était juste à Chislehurst qu'elle semblait déplacée. Il s'agissait d'un style londonien. Il correspondait à sa nouvelle vie, mais s'insérait mal dans l'ancienne. Lorsqu'elle poussa la porte, elle constata, étonnée, que ses amis n'étaient pas seuls. Elle mit même un certain temps à les repérer au milieu des inconnus qui remplissaient la galerie. On n'avait pas allumé l'électricité, la pièce était éclairée par des douzaines de bougies. Personne ne la vit entrer. Appuyée contre la porte, elle examina les groupes de gens assis par terre ou sur des chaises pliantes, des carnets de croquis ou des calepins à la main. Certains griffaient le papier avec un crayon ou un fusain, ici et là, Juliet aperçut un pinceau à aquarelle. Au fond de l'atelier, on avait construit une estrade rudimentaire. Assis sur le vieux fauteuil, un jeune homme et une jeune fille, tous deux complètement nus, trônaient sur cette scène improvisée. Les bougies projetaient des ombres mouvantes sur leur peau. La fille n'était guère plus qu'une adolescente. Très blonde (ses poils étaient plus foncés, constata Juliet malgré elle) et d'une maigreur juvénile, elle s'appuyait contre le garçon, la joue pressée contre son épaule.

Juliet devait avoir fait du bruit car, soudain, toutes les têtes se tournèrent vers elle. La fille sur l'estrade poussa un cri et se mit à réclamer bruyamment une robe de chambre. Juliet rougit de colère. Jusque-là, le modèle avait posé sans la moindre gêne devant une foule de gens. Quelle différence pouvait avoir fait sa venue ? Quelqu'un alluma les puissantes lumières du plafonnier, détruisant l'atmosphère créée par les bougies. Continuant à protester, la fille se débattait avec les manches d'un peignoir. Juliet fit une grimace. Elle avait l'impression d'être une surveillante qui a surpris une fête clandestine dans le dortoir. Le garçon, en revanche, ne cherchait pas à cacher son corps. La main sur sa hanche maigre, il baissait le regard vers elle.

« Jim ! Charlie ! Qui diable est cette nana ? » demanda-t-il d'une voix perçante, impérieuse.

Charlie surgit de l'assistance. Se tournant vers Juliet, il eut la bonne grâce de prendre un air penaud. « Nous pensions que tu ne viendrais pas cet après-midi. Mon Dieu ! Qu'est-il arrivé à tes cheveux ? »

Juliet se passa la main sur la masse peu familière qui surmontait sa tête. Elle lui parut étrange, comme détachée de sa personne.

« C'est une permanente. Toutes les femmes s'en font faire, répondit-elle avec raideur, le mettant au défi d'ajouter quelque chose. Mais qu'importent mes cheveux ! Dis-moi plutôt qui sont tous ces gens. »

Jim et Philip apparurent à leur tour. Ils entraînèrent Juliet à la petite cuisine située au fond de l'atelier. Pleins de sollicitude, ils allumèrent la bouilloire pour lui faire du café.

« C'est un cours de dessin de nus, expliqua Charlie.

— Je m'en suis rendu compte, dit Juliet. Pourquoi ne pas m'en avoir parlé ?

— Nous pensions que tu n'aimerais pas l'idée de personnes se baladant à poil dans ta galerie », avoua Jim, l'air gêné.

Juliet serra sa tasse. Plus que jamais, elle se sentait pareille à une vieille tante célibataire.

« C'est Charlie et moi qui avons organisé ces classes, dit Philip sans la regarder en face. Parce que la plupart des jolies filles que nous draguions dans les bars consentaient soudain à se déshabiller quand nous leur disions que nous étions des artistes. Et qu'en plus nous leur filions une demi-couronne...

— C'est ainsi que nous avons trouvé Marjorie, ajouta Charlie en désignant la blonde du menton. Non pas qu'elle soit très bonne comme modèle. Elle est incapable de tenir la pose plus de trente secondes.

— Et moi, dessiner des filles commençait à m'ennuyer, confessa Jim. J'ai pensé qu'il était temps que nous engagions quelques jolis garçons. J'en avais marre de dessiner de gros petits vieux au College. Puis les gosses du Royal ont entendu parler de nos cours et nous ont demandé s'ils pouvaient venir. Ensuite ceux du Slade. Et maintenant, j'ai l'impression que tout le monde est là.

— C'est ce que je vois, dit Juliet. Et ces cours sont payants ?

— Oui, un shilling la séance, acquiesça Charlie en sortant une boîte pleine de pièces de monnaie de dessous l'évier. Mais nous aurions fini par te mettre au courant.

— Absolument, confirma Philip. Tout le fric est là. Nous n'en avons même pas pris pour acheter des cigarettes. »

À la vue de leurs trois visages contrits, Juliet se sentit plus lasse que fâchée. Sans doute ses amis la jugeaient-ils vieux jeu parce qu'elle ne parlait pas tout le temps de sexe. George était parti depuis si longtemps ! Son célibat forcé l'avait peut-être rendue frigide. Célibat. Un mot stupide. Tous les autres faisaient l'amour. Ses peintres prétendaient le faire sans arrêt. Avec des filles, des garçons ou en solitaire. Ils n'avaient aucun scrupule à en discuter interminablement devant elle. À présent, l'atelier était plein de jeunes gens qui s'observaient afin de se choisir un, ou une, partenaire pour plus tard. Même les gens de Chislehurst le faisaient parfois. Certes, ils n'en parlaient pas, mais Mr et Mrs Nature devaient bien trouver un moment, entre deux gâteaux à la cannelle, pour le faire. Bref, tout le monde le faisait. Sauf elle.

Marjorie refusa de se déshabiller encore une fois, pas même pour une autre demi-couronne, aussi le cours se termina tôt. Plus tard ce soir-là, alors qu'elle rentrait chez elle par le train, Juliet examina son pâle reflet dans la vitre. *Je n'ai plus ma place nulle part.* Même si elle passait ses journées à la galerie en compagnie de Charlie, de Jim et de Philip, elle n'était pas vraiment des leurs. Les garçons ne pouvaient comprendre que les quelques années qui la séparaient d'eux auraient aussi bien pu être un siècle. Juliet avait commencé son existence dans la tradition de ses grands-parents. À l'âge de huit jours, on l'avait emmenée au temple pour qu'elle y reçût un nom. Cet événement avait marqué le début d'une vie de fêtes et de jeûnes parmi quelques douzaines de coreligionnaires, une vie aussi prévisible que le trou au centre des bagels de Brick Lane. Grand-mère Lipshitz aurait compris l'impulsion qui avait poussé une fille de dix-sept ans à épouser le premier homme un peu intéressant à arriver dans son village (sauf qu'ici il s'agissait de Chislehurst et non d'un *shtetl* russe). Même la disparition de George n'avait rien de nouveau. Il y avait eu des milliers d'*agunas* au cours des siècles. Le problème, c'était que Juliet l'était depuis si longtemps qu'elle avait du mal à accepter qu'un jour elle pût redevenir une femme comme une autre.

161

Vue de l'extérieur, sa vie avait beaucoup changé. Elle déjeunait avec Sylvia dans des cafés de Bayswater Road, marchandait avec des imprimeurs et des encadreurs, envoyait des invitations aux critiques, dont une à celui du *Times*, mais tous les après-midi elle refusait d'aller prendre un verre ou de se rendre à une fête et rentrait dans sa banlieue tranquille par le train. Tous les soirs, elle embrassait ses enfants et se couchait. Seule. Parfois, elle se demandait si la solitude avait une odeur, comme celle de l'humidité, par exemple. Sylvia proposa de lui arranger des rendez-vous avec de riches copains à elle. Juliet déclina son offre, consciente qu'elle ne s'intégrerait jamais dans ce milieu. Soupirant et claquant sa langue contre son palais, Mrs Greene parcourait le carnet mondain du journal. « Un de ces jours, toi aussi tu figureras de nouveau là-dedans, annonçant ton mariage avec un garçon bien, un garçon sérieux », murmurait-elle à Juliet, convaincue que ce qu'il fallait à sa fille, c'était une version améliorée de son premier mari. Juliet se taisait et entrechoquait des assiettes dans l'évier pour couvrir le bavardage de sa mère. Elle aurait bien pris un amant, mais elle ne voulait pas de mari, ni un nouveau ni l'ancien.

Les vacances de Noël commencèrent une semaine plus tard. Passant outre les protestations de ses parents et sans prévenir ses amis peintres, Juliet fit sa valise et celle des enfants. Tous trois montèrent dans un train qui les emporterait loin de Londres. Confortablement installée dans un coin du compartiment, un tas de manteaux sur les genoux, Juliet ne prêtait aucune attention aux récriminations de Frieda et n'écoutait qu'à moitié les commentaires enthousiastes de Leonard. Au bout d'une heure, bercés par le mouvement de la voiture, les enfants s'endormirent. Alors que la ville grise faisait place à un paysage verdoyant, Juliet sourit et se permit à son tour un petit somme. Se réveillant par miracle à leur gare de destination, elle descendit enfants et bagages sur un quai sombre et silencieux. Ils prirent l'unique taxi de la station, une berline Singer délabrée, qui les déposa à vingt heures trente à l'entrée d'un sentier forestier. D'épaisses ténèbres se pressaient contre eux, leur remplissaient les yeux. Même quand ils cillaient, ils ne voyaient que du noir. Inébranlable, Juliet guida les enfants parmi les arbres dont les branches dénudées semblaient montrer le chemin tels des doigts osseux. Une lumière jaune brillait à l'étage supérieur du cottage. Devant la porte, Leonard se blottit contre sa mère, tremblant de froid. Juliet frappa d'abord poliment de ses mains gantées, puis se mit à marteler le battant avec le poing. Suivirent plusieurs minutes de silence. Frieda commença à geindre. « Il n'y a personne. Nous allons tous mourir ! »

Enfin la porte s'ouvrit et Max apparut.

« Bonsoir, dit Juliet. Comme nous passions par ici, nous sommes venus prendre le thé. »

Max ne posa pas de questions. Il leur fit simplement remarquer qu'il était un peu tard pour le thé, qu'ils préféreraient peut-être dîner. Il fit cuire des œufs et coupa d'épaisses tartines sans s'enquérir auprès de ses visiteurs combien de temps ils comptaient rester chez lui ni ce qui les amenait au cottage par une nuit d'hiver. Était-ce par politesse ou par manque d'intérêt ? se demanda Juliet. Quoi qu'il en fût, cela l'arrangeait car elle aurait été bien embarrassée de lui répondre. Il ne manqua pas, toutefois, de faire un commentaire sur sa coiffure. À peine s'étaient-ils installés à la table de la cuisine pour manger du pain et du miel qu'il saisit une cuillère en bois et la fourra dans l'espèce de nid qu'elle avait sur le crâne. Elle rejeta la tête en arrière.

« Mais que faites-vous ?

— Je voulais savoir si vous portiez une perruque. Vos cheveux ont un aspect bizarre. »

Frieda rit. « C'est censé être une permanente. Elle ne fait pas cet effet-là sur d'autres femmes. Je suis sûre que si on m'avait permis d'en avoir une, ç'aurait été joli.

— Vous ne pouvez pas rester comme ça, dit Max à Juliet. Pas ici, en tout cas. Vous allez faire peur aux oiseaux. »

Il désigna le plafond où volait une bande de martinets fraîchement peints. Hérissée par ces moqueries, Juliet riposta :

« Je ne peux rien y changer. Je dois attendre que mes cheveux poussent. Essayer de les arranger ne fait qu'empirer les choses. »

Max sortit une bouteille de liqueur de prunelle et la glissa vers elle, sur la table.

« Buvez-en un coup, puis mettez votre tête sous le robinet de l'évier. Je vais couper tout ça. »

Juliet faillit protester, puis elle haussa les épaules et se servit un petit verre d'alcool. « C'est la meilleure solution, je suppose.

— Oui », approuvèrent ses deux enfants, ravis. Il était presque dix heures, mais comme leur mère ne s'en rendait pas compte, ils s'abstenaient de le lui faire remarquer.

Après avoir vidé son verre d'un trait, Juliet s'approcha de l'évier, se pencha et se mouilla les cheveux. L'eau de couleur rouille sentait légèrement la tourbe. Quand Juliet se redressa, Max lui couvrit les épaules d'un vieux torchon et la conduisit vers une chaise.

« Asseyez-vous. »

Il passa un peigne dans ses cheveux, ses doigts tièdes lui chatouillant la base de la nuque. Bercée par le bruit régulier des ciseaux, elle ferma les yeux. Les mains de Max dégageaient une faible odeur de térébenthine. À présent, les peintres de l'atelier avaient tous adopté l'acrylique, mais la senteur de peinture à l'huile et de résine sur la peau de Max avait quelque chose de familier, de réconfortant. Incapable de se détendre pendant qu'il la touchait, Juliet s'agitait sur son siège. Pour se distraire, elle fouilla dans son sac à main, en sortit un paquet de cartes postales achetées l'été passé à l'exposition Picasso de la Tate Gallery et les étala sur la table.

« Comme vous n'avez pas pu voir les tableaux, je pensais que ces reproductions vous feraient plaisir. »

Max interrompit son travail pour les regarder. « J'ai vu ces tableaux.

— Ah bon, dit Juliet, blessée à l'idée qu'il était venu en ville pour Picasso et non pour elle.

— Pas à Londres, précisa Max, à Paris, pendant la guerre.

— Nous, on les a vus huit fois ! exulta Leonard.

— Dix fois, rectifia Frieda avec une grimace.

— Charlie et ses amis n'arrêtaient pas d'en parler », ajouta Juliet.

Max sourit. « Oui, Picasso vous fait cet effet. Moi, il m'a hanté pendant des années.

— Plus maintenant ?

— Non. Maintenant ce sont d'autres fantômes, d'autres couleurs qui me hantent. » Max recula de quelques pas, le regard fixé sur les cartes. « Je pense que ce genre de coiffure-là vous siérait », déclara-t-il en désignant du bout de ses ciseaux un nu de Marie-Thérèse, la jeune maîtresse du célèbre peintre, aux seins parfaitement ronds et aux cheveux blonds coupés court, mais d'une façon asymétrique.

Juliet se mit à rire. « Je vous signale que la plupart des coiffeurs s'inspirent plutôt de pages arrachées à des magazines. »

Max haussa les épaules. Il tourna Juliet vers lui et l'examina, la tête penchée de côté comme un moineau. « Vous ressemblez à Marie-Thérèse. Vous êtes solaire comme elle.

— Disons que je lui ressemble, mais en plus habillée », plaisanta Juliet.

Max lui adressa un sourire, et elle se rappela soudain la présence des enfants. Engourdie par la douce tiédeur de la cuisine, elle se mit à écouter le rythme métallique des ciseaux. La table fut bientôt couverte de mèches qui glissaient sur les cartes postales telles des amarantes. Enfin, Max s'arrêta, les ciseaux en l'air. « Eh bien, qu'en pensez-vous ? Frieda ? Leonard ? » Les enfants regardèrent leur mère et tous deux sourirent.

Ils étaient chez Max depuis une semaine, mais ne voyaient leur hôte que le soir, au dîner. Les enfants dormaient sur les deux canapés du séjour, enveloppés d'épaisses couvertures qui leur grattaient les oreilles, au-dessous de la frise de chameaux. Juliet dormait dans la chambre de Max. Elle avait commencé par refuser, mais Max lui avait précisé qu'il ne la partagerait pas avec elle, qu'elle n'avait donc pas à s'inquiéter des *convenances* (mot qu'il prononça en réprimant un rire). De plus, il dormait rarement la nuit, assura-t-il, surtout en cette saison.

« Qui peut dormir quand les oies sauvages et le gibier d'eau font du vacarme dans les marais ? »

Juliet découvrit qu'elle en était tout à fait capable. Presque vide, la chambre de Max n'était pas décorée comme le reste de la maison. On n'y voyait qu'un portrait stylisé de femme au visage allongé et aux yeux bruns surmontés de lourdes paupières. Peint dans les tons jaunes, ce tableau était laid. Comme c'était un cadeau de sa mère, expliqua Max, il l'avait gardé. Dépourvu de tapis, le plancher était en bois brut. Un lit étroit en hêtre et une commode dans le même style constituaient l'unique ameublement de la pièce. On y sentait l'odeur de Max – huile de lin et peinture – ainsi que l'arôme frais du bois. Le premier matin, regardant autour d'elle, Juliet s'aperçut qu'il n'y avait pas de miroir, aussi dut-elle se servir de la minuscule glace de son compact pour coiffer ses cheveux courts et se poudrer le nez. Le lendemain, elle ne se donna même pas cette peine. Elle passait ses journées presque seule. Après le petit déjeuner, les enfants partaient explorer la forêt et ne revenaient, crottés et haletants, que pour réclamer davantage de nourriture. Frieda qui, à Londres, ne prêtait aucune attention à son frère et semblait en route pour une adolescence grincheuse, retournait ici à l'enfance. Lorsqu'elle réapparaissait les joues couvertes de boue (« C'est un camouflage », expliqua Leonard), elle plantait son regard dans les yeux de sa mère, la mettant au défi de faire une remarque. Juliet s'en abstenait, bien trop contente de ce répit dans la hargne adolescente que montrait souvent sa fille. Les enfants n'avaient pas besoin, ni ne voulaient, de sa compagnie et c'est à peine si elle voyait Max. Parfois il revenait subrepticement au milieu de la matinée et montait dans sa chambre où il dormait dans les draps de Juliet jusqu'au dîner. D'autres jours, il ne rentrait qu'à la nuit tombée, les vêtements couverts de débris de feuilles mortes.

Un matin, Juliet se réveilla dans une maison silencieuse. Max n'était pas revenu de sa virée nocturne et les enfants avaient déjà disparu dans la forêt. Vêtue de la robe de chambre de son hôte aux manches beaucoup trop longues pour elle, elle descendit. Après s'être préparée du thé, elle resta un long moment assise dans la cuisine tranquille à écouter bruire et craquer les arbres. Un peu plus tard, elle entendit le son d'une voiture, suivi d'un silence, puis de pas. Elle attendit qu'on frappât à la porte. Comme personne ne se manifestait, elle alla ouvrir et aperçut dehors un homme élancé qui posait deux tableaux contre le mur.

« Bonjour », dit-elle.

L'inconnu sursauta. De toute évidence, il ne s'attendait pas à voir apparaître une femme sous le porche.

« Je suis Juliet, une amie de Max.

— Tom Hopkins. Moi aussi, je suis un ami de Max. » L'homme l'examina un instant, puis lui serra la main.

« Est-ce que Max est là ? Je lui ai apporté des tableaux.

— Non, il est en promenade et j'ignore à quelle heure il reviendra. Mais entrez. Je viens de remplir la théière. »

Tom continuait à la dévisager. « D'accord. Voulez-vous me donner un coup de main avec ces paquets ? »

Ils portèrent les toiles dans la cuisine. Sans attendre d'y être invitée, Juliet commença à les déballer et les posa sur la table. Chacune représentait un jeune homme, l'un couché dans un champ de boutons-d'or, l'autre prenant un bain de soleil sur une barque retournée. Nus tous les deux. Juliet eut l'impression de les avoir déshabillés un peu trop vite, qui plus est en public, et résista à l'envie de les recouvrir du papier kraft à moitié défait. Elle jeta un coup d'œil à Tom.

« Ces tableaux sont magnifiques, dit-elle. Je devrais vous connaître, du moins de nom. Êtes-vous célèbre ? »

Son enthousiasme fit sourire Tom. « Non. Ma peinture est plutôt passée de mode, je crains.

— Parfois le public est très bête. Nous allons leur montrer qu'il se trompe. Avez-vous un marchand ? Puis-je vous vendre dans ma galerie ? Elle ne m'appartient pas vraiment, mais c'est moi qui choisis les artistes. »

Tom se mit à rire. « Au moins, vous ne perdez pas de temps, vous ! »

Se rappelant soudain qu'elle était encore en pyjama, Juliet se dandina d'un pied sur l'autre. Une chose toutefois était sûre : elle voulait ces tableaux pour la Wednesday's. Jim et Charlie dessinaient des nus et donnaient des classes de nus, mais ces portraits-là n'avaient rien à voir avec les croquis de modèles roses et blancs, comme Marjorie, en train de poser. Tom avait peint ces garçons avec hardiesse, et aussi une certaine tristesse, comme s'il avait étudié jeunesse et beauté d'un œil mélancolique – sa propre jeunesse évanouie et les garçons indifférents à l'intérêt qu'il leur portait. Une impression de solitude qui lui était familière se dégageait de ces deux œuvres.

« Je serais tellement heureuse d'exposer vos toiles à la galerie ! Dites oui, s'il vous plaît. »

Tom se gratta le nez. Il sourit. « Bon, d'accord. Pourquoi pas ? J'allais les donner à Max, même s'il oublierait sans doute de les accrocher. J'en ai tout un tas dans sa remise.

— Nous devrions boire ce thé pour célébrer notre accord, proposa Juliet, ravie. Je crois que Max a des petits pains au lait quelque part. »

À la cuisine, ils mangèrent leurs viennoiseries légèrement rassies avec de la confiture de framboise tout en regardant les deux garçons nus appuyés contre le comptoir.

« Comment avez-vous rencontré Max ? demanda Tom.

— Par l'intermédiaire de Charlie Fussel. À présent, je vends ses tableaux.

— Curieux, il ne m'a jamais parlé de vous.

— Ah bon ? » Juliet s'efforça de ne pas se sentir froissée. « Et vous ? Cela fait longtemps que vous le connaissez ?

— Oh, depuis des années ! Nous nous sommes beaucoup vus avant et pendant la guerre. Nous étions tous deux des peintres de guerre. C'était moi qui lui en avais donné l'idée. Lui, il était prêt à faire de la prison comme objecteur de conscience. Ce qu'il voulait, c'était peindre les gens et non pas les tuer. Je me suis dit qu'il fallait encourager cette attitude. »

Tom prit un autre petit pain sur lequel il étala un énorme morceau de beurre. « J'ai peut-être eu tort. Pour lui, l'armée ou la prison auraient probablement été préférables. Dans un sens, c'est pire de rester assis, d'observer et d'avoir à peindre les choses sans pouvoir intervenir. L'inertie et l'obligation de regarder sans détourner les yeux affectent un homme d'une façon bizarre.

— Je m'en doute », dit Juliet d'un air pensif en serrant sa tasse de thé.

Tom mangeait et, de ses doigts élégants, il brossait les miettes tombées sur ses genoux. La plupart des artistes que connaissait Juliet avaient de la peinture sous les ongles, des mains craquelées et jaunies par le white-spirit. Mais pas Tom. Il avait une peau impeccable et sentait la lotion d'après-rasage de luxe.

« Vous avez sûrement appris à aimer Max, dit-il, mais vous auriez dû le connaître avant la guerre. La présente version de lui est pareille à une reproduction en noir et blanc. Elle ne vous donne qu'une vague idée de l'original.

— Oh, ne dites pas ça ! C'est trop triste ! » Juliet se demanda si elle aimait Max pour cette raison-là. Certains jours, elle avait encore l'impression que George avait volé la Juliet d'autrefois, n'en laissant qu'une pâle copie.

Tom poursuivit, presque pour lui-même : « Non seulement Max était beau, mais il avait une personnalité extraordinaire. Nous étions tous un peu amoureux de lui. »

Juliet rougit et examina sa tasse. Que Tom admît si franchement ses sentiments pour Max et, de toute évidence, supposât qu'elle était sa maîtresse l'embarrassait au plus haut point. Mais, après tout, ne portait-elle pas sa robe de chambre ?

Lorsque Max revint un peu plus tard, elle sentit que Tom les observait, elle et lui, tel un ornithologue étudiant une paire de grands pouillots. Il les regardait tour à tour, curieux de découvrir la nature de leur relation. Tout à fait à l'aise, Max jeta à terre son tas de manteaux et sa boîte à peintures et embrassa son ami. « Reste à dîner avec nous », dit-il.

Tom sourit. « Il n'est que midi et demie.

— Eh bien, attends ce soir. Moi, je vais dormir. Entre-temps tu peux révéler à Juliet mes mauvaises habitudes. Mon passé trouble.

— Qui te dit que je ne l'ai pas déjà fait ? »

Max tapa sur la maigre épaule de Tom, rejeta la tête en arrière et rit. Il laissa les autres de nouveau seuls dans la cuisine. Juliet eut l'impression qu'on venait d'éteindre la lumière. Lançant un regard à Tom, elle surprit un léger soupir et comprit qu'il ressentait la même chose.

Pendant que Max dormait, Juliet alla se promener avec Tom dans la forêt. Muni d'un carnet à dessins, le peintre débita le nom de tous les arbres, des diverses variétés de mousse et même des gros insectes qui circulaient sur les troncs. « J'aurais pu devenir naturaliste, dit-il, mais j'ai choisi la peinture. À présent, tous les jeunes font du pop art. Moi, je ne suis qu'un simple peintre figuratif. Passé de mode, je suppose. »

Ce soir-là, ils partagèrent un repas composé de pain, de miel, de foie de canard et de graisse d'oie. Les enfants étaient ravis d'avoir davantage de compagnie, surtout lorsque Tom alla chercher une bouteille de vin dans sa voiture et leur en donna un demi-verre allongé d'eau. Très animés, les hommes se mirent à échanger des souvenirs.

Les enfants écoutaient en silence, espérant que leur mère ne désapprouverait pas le vin ou demanderait aux hommes de surveiller leur langage. Les meilleures histoires étaient toujours celles qui incitaient Juliet à baisser les yeux vers la table et à repousser ses cheveux derrière son oreille.

Pour sa part, Juliet remarqua qu'en présence de Tom, Max se conduisait davantage comme n'importe quel autre homme : il perdait cette réserve qui parfois la déroutait. Après le repas, quand les enfants partirent jouer, Tom sortit une lettre de sa poche.

« J'ai une offre à te transmettre. Bête comme tu es, tu vas refuser, mais Juliet pourra peut-être te raisonner.

— Bon, voyons ça, dit Max sans paraître le moins du monde offensé.

— Les Cunard Lines remettent le *Queen Mary* à neuf dans le but d'enlever des passagers à ces beaux avions tout brillants et de les ramener aux romantiques paquebots. Ils te proposent de décorer la salle à manger de la première classe – une fresque un peu fantaisiste, quelque chose de typiquement anglais qui titillera les voyageurs américains. Je leur ai parlé. Ils te donneraient carte blanche et une rémunération tout à fait correcte. »

Tom remit la lettre à Juliet. Commençant à la lire, celle-ci haussa les sourcils à la vue des conditions généreuses qu'offrait la compagnie maritime.

« Oh, Max, vous devriez accepter ! » s'écria-t-elle.

À sa grande consternation, Bluma Zonderman avait eu raison – tout le monde réclamait des tableaux de Jim et de Charlie (« c'est jeune ! moderne ! dans le vent ! sexy ! ») et personne ne voulait des oiseaux de Max. Peu importait aux critiques et aux collectionneurs qu'ils fussent les plus beaux et les plus intéressants de la galerie.

« S'ils aiment ta peinture murale, ils te commanderont des motifs pour leur vaisselle, leurs rideaux, leurs tapis, leurs menus – tout le bazar, dit Tom.

— Quelle connerie ! » grogna Max.

L'air exaspéré, Tom se tourna vers Juliet. « Quand je vous disais que c'était un imbécile ! Parlez-lui. Vous savez qu'il a besoin d'argent.

— Ce travail pourrait être intéressant, dit Juliet en se penchant vers Max. Ce serait comme décorer votre maison, mais à une grande échelle. » Voyant qu'il n'était pas convaincu, elle essaya une autre tactique. « Votre cottage a besoin d'un nouveau toit. Vous l'avez dit vous-même. Il y a des fuites quand il pleut. Que se passera-t-il l'hiver prochain ? Vous n'avez qu'à voir chaque dessin pour un menu, chaque croquis pour une fresque comme une tuile neuve.

— En plus, les Cunard te promettent deux billets en première classe pour New York, ajouta Tom. Tu pourrais emmener Juliet. »

Max rit. « Je ne prendrai aucun foutu bateau, mais Juliet a raison en ce qui concerne le toit. J'y réfléchirai. »

Renonçant à insister, Juliet et Tom le regardèrent mettre son manteau et son gros bonnet de laine. Il s'arrêta à la porte, prêt à passer une autre nuit à chasser du gibier à plume dans le marais et sur la lande. Il se tourna vers Tom.

« Tu m'accompagnes ?

— Non, répondit son ami. Il est temps pour moi de reprendre la route. J'ai un long trajet à faire. »

Max acquiesça, puis regarda Juliet. « Et vous ? Voulez-vous venir ? » demanda-t-il d'une voix douce.

Juliet se tortilla, désolée de le décevoir, mais elle n'avait aucune envie de s'aventurer dehors. Par la fenêtre dépourvue de rideau, elle voyait les ténèbres extérieures. Agitées par le vent, des branches frappaient contre la vitre tels des doigts. Elle imagina la forêt obscure qui s'étendait jusqu'au marais, la longue marche dans le froid et l'humidité, les coups de fusil. Et puis elle risquait de se perdre et de ne jamais retrouver le chemin du cottage.

« Non, merci. Demain peut-être.

— Demain, alors », dit Max, et il s'enfonça dans la nuit.

Après le départ des deux hommes, Juliet, Frieda et Leonard s'assirent devant la cheminée. Ils jouèrent à la bataille, puis firent d'interminables parties de rami, tous trichant avec amabilité. Comme l'odeur du pétrole lui donnait mal à la tête, Juliet éteignit les lampes, ne gardant que le feu pour tout éclairage. Le vent hurlait dans le conduit du foyer, et l'on aurait dit que le féroce dragon sculpté dans le manteau rugissait, la gueule remplie de flammes inversées. Les trois joueurs se demandaient chacun pour soi ce que Max pouvait bien fabriquer par une nuit pareille.

Leonard le voyait se balancer dans un hamac tendu entre les branches d'un grand chêne, dessinant une après l'autre une bande d'oies, aussi roses que des flamants, perchées près de lui.

Il regarda sa mère, se demandant pourquoi elle n'était pas partie avec lui. À plusieurs reprises, il avait supplié Max de l'emmener. *La chasse au gibier d'eau.* Cela lui paraissait encore plus intéressant que de construire une cabane de *sukkout* avec son grand-père. Cependant, Max avait déclaré que le marais, la nuit, n'était pas un endroit pour les enfants.

« Tu parlerais trop et ferais peur aux oiseaux.

— Pas du tout.

— Tu es un moulin à paroles. Tu ne peux pas t'en empêcher.

— C'est pas vrai. Pas vrai. Pas vrai.

— Tu vois ? On dirait une crécelle. Attends d'avoir douze ans. »

Leonard s'était avoué vaincu.

173

Pour sa part, Frieda se réjouissait de l'absence de Max. Il ne ressemblait ni à Philip, ni à Charlie, ni à qui que ce fût de sa connaissance. Il était vraiment trop bizarre.

Juliet, elle, s'inquiétait. Elle craignait que le vent ne précipite Max dans un ravin (elle était persuadée qu'il y en avait dans le Dorset) et qu'on ne le reverrait plus. Trop distraits pour continuer à jouer, ils allèrent se coucher de bonne heure. Après les avoir bordés, Juliet administra aux enfants une cuillerée de cherry-brandy, seule condition imposée par Max. Pas question que les gosses se baladent la nuit dans la maison et fouillent dans ses affaires. Aussi fallait-il leur donner ce léger « somnifère ». Ni Frieda ni Leonard ne s'en plaignaient, trouvant que cette liqueur était cent fois meilleure que l'huile de foie de morue préconisée par leur grand-mère.

Max revint, mais, chaque soir avant de disparaître dans la nuit, il posait à Juliet la même question : « Vous m'accompagnez ? » Alors Juliet secouait la tête et répondait : « Demain peut-être. » La galerie ne devant rouvrir qu'après le Nouvel An, elle perdit la notion du temps. Le matin, lorsqu'elle se faufilait entre les arbres, elle sentait qu'à l'inverse de Samson sa coupe de cheveux lui avait redonné son énergie d'autrefois. S'habituant à la solitude, elle cessa de compter les heures qui la séparaient du repas avec les autres. Peu à peu, elle se rendit compte qu'elle était sur le point de tomber amoureuse de Max. Il ne bavardait pas à tort et à travers comme Jim ou Charlie, tout ce qu'il disait était avisé, intéressant. Il lui racontait des histoires sur la guerre, sur son enfance dans le manoir, et même, quand elle le lui demandait, sur les femmes qu'il avait peintes dans le passé. Chose curieuse, elle découvrit qu'elle n'était pas jalouse. Elle aimait la façon dont il l'écoutait sans l'interrompre, penché en avant dans son fauteuil, sirotant un whisky. Pour la première fois depuis des années, elle avait parlé de George, des enfants, de sa situation après le départ de son mari. Lorsqu'elle eut terminé, il n'avait pas essayé de la consoler avec des mots gentils. Il lui avait simplement mis un verre d'alcool dans la main qui, à sa surprise, tremblait. Il avait rajouté une bûche dans la cheminée, puis s'était rassis près d'elle sans ouvrir la bouche. *Il y a une place pour moi dans l'espace de son silence*, s'était-elle dit.

Le samedi matin, elle dénicha une vieille paire de bottines militaires, les rembourra avec plusieurs paires de chaussettes et marcha pendant des heures. Quittant les limites familières de Fipenny Hollow, elle se fraya un chemin jusqu'à la lande sauvage où les ajoncs, constellés de fleurs jaunes, étaient recouverts d'une couche de givre. Dans le lointain, elle vit étinceler la mer, froide et noire sous un soleil hivernal suspendu très bas dans le ciel. Comme le papotage des garçons de la galerie, leurs éternelles allusions au sexe lui semblaient loin ! Elle ne pouvait toutefois s'empêcher de remarquer que, même ici, sur la lande, les lapins s'accouplaient activement sous les buissons – davantage pour se tenir chaud, supposa-t-elle, que par un désir irrésistible. Alors qu'elle retournait vers la lisière de la forêt, là où les broussailles dorées cèdent la place aux arbres, elle rencontra Max qui rentrait. Ils se dirigèrent ensemble vers la maison. Le peintre ne s'était pas rasé depuis plusieurs jours, la barbe grise qui ourlait son menton s'harmonisait avec les tons argentés du bois. Ils marchaient du même pas sans éprouver le besoin d'échanger de menus propos. On n'entendait que le craquement des fougères gelées sous leurs pieds. La douceur humide du matin s'était transformée en un froid hivernal. Lorsqu'ils atteignirent Fipenny Hollow, le brouillard gela, créant des guirlandes de givre sur les branches. Le soleil de midi s'efforça de monter au-dessus des hêtres, puis, abandonnant la partie, dégringola derrière la colline. Juliet eut l'impression d'être tombée dans une de ces scènes d'hiver de la National Gallery, un Breughel peut-être, mais quand elle en parla à Max, celui-ci répliqua :

« Non, il faudrait que ce soit un peintre anglais. Seul un Anglais peut comprendre cette lumière mate. Il s'agit d'un paysage paisible. Toute sa beauté réside dans ses textures, ses ombres, ses nuages. Constable était obsédé par les nuages, le saviez-vous ? Dans son journal intime, il ne parle que de l'aspect du ciel.

— Ça ne doit pas être folichon comme lecture. Je croyais que les journaux intimes étaient faits pour se vanter de ses aventures amoureuses ou dire du mal de ses amis.

— Est-ce cela que vous notez dans le vôtre ? La liste de vos amants ?

— Non, répondit Juliet en pensant qu'une telle liste serait d'une décevante brièveté. Je n'en tiens pas, mais si j'en écrivais un, j'y dirais pis que pendre de tout le monde pour le cas où quelqu'un s'aviserait de le lire sans permission. »

Max rit. « Je ne vous savais pas si cruelle. Écoutez ! »

Tendant l'oreille, Juliet n'entendit que le gazouillis des oiseaux et le craquement des arbres. Le jour baissait, l'air froid coupait comme un couteau. Max montra le ciel.

« Il va neiger. N'importe quel météorologue ou paysagiste pourrait vous le dire à la vue de ces nuages. Vous pouvez même l'entendre. »

Juliet leva les yeux vers le ciel obscurci où le soleil couchant teintait de mauve le dessous des nuages.

« Resterez-vous à la maison alors ?

— Oh, non. Cette nuit sera la meilleure de toutes. »

Cependant, ce soir-là, Max ne demanda pas à Juliet si elle voulait l'accompagner.

D'abord, elle crut qu'il l'avait fait. Cette question était aussi familière que la réplique du loup dans un conte. Mais il n'en était rien. Max se contenta de se lever, de mettre son manteau et de partir.

Après son départ, Juliet regarda le rebord de fenêtre couvert de neige, les flocons collés à la vitre. Elle joua aux cartes avec les enfants, près du feu, mais fut incapable de se concentrer.

Frieda et Leonard en profitèrent pour tricher encore plus que d'habitude.

Lorsqu'un oiseau bleu sortit du coucou trafiqué par Max pour siffler minuit, elle coucha les enfants et leur administra leur dose de cherry-brandy. Avant de monter dans sa chambre, elle alla à la cuisine prendre un verre d'eau. Une boîte de munitions était posée sur la table ainsi que plusieurs pinceaux d'aquarelle de réserve. Cela aurait pu être extraordinaire de partir dans la nuit et de regarder Max peindre avec de la neige... S'attardant près de la fenêtre, elle aperçut son reflet dans la vitre, puis elle se rendit compte qu'il ne s'agissait pas de son visage. C'était celui de Max.

Elle attrapa son manteau, deux écharpes et laça ses bottines de ses doigts tremblants, craignant que le temps qu'elle sorte son ami ait disparu. Elle ferma doucement la porte pour ne pas déranger les enfants, essayant de ne pas penser à ce qui se passerait s'ils se réveillaient au milieu de la nuit et trouvaient la maison vide. Max se tenait sous un gros chêne, tous deux étaient poudrés de givre. Apercevant Juliet, il sourit.

« Vous m'avez attendue. »

Max haussa les épaules. « Je savais que vous viendriez cette nuit. » Il fit tomber de la neige de ses bottes. « Allons rejoindre les autres dans le marais.

— Quels autres ?

— Les chasseurs. Moi, je ne tire pas, je peins. » Il enleva une deuxième veste posée sur ses épaules. « Tenez, je l'ai apportée pour vous. Votre petit manteau ne vous protégera pas du froid. »

Il lui tendit un vieux blouson d'aviateur de la RAF. Le cuir en était craquelé, mais la doublure en peau de mouton avait gardé la tiédeur de son corps. Il partit d'un bon pas dans la forêt, Juliet s'efforçant de rester à sa hauteur. Il ne neigeait plus, mais lorsque les arbres s'ouvrirent sur la lande, un terrain tout blanc s'étendait sous le ciel. L'éclat de la neige faisait briller la nuit d'une étrange lueur. Le sol gelé résonnait sous les chaussures à clous de Juliet. Frissonnante, cette dernière regrettait de ne pas avoir emporté de chapeau. Voyant sa détresse, Max plaça sur sa tête sa propre casquette. Elle avait une légère odeur de sueur et de laine mouillée.

« Courage ! dit-il. C'est assez loin. »

Ils marchèrent durant des heures, c'est du moins ce qu'il sembla à Juliet. Descendant la pente de la lande, ils se rapprochèrent de l'étendue sombre et silencieuse de la mer. Par endroits, la terre dégelée cédait sous leurs pas. De gros brins d'oyats noirs perçaient la neige. Fatiguée, Juliet se mit à glisser. Max lui prit le bras pour la retenir.

« Nous y sommes presque, dit-il. Vous voyez ce ruisseau ? Là où il forme un coude, il y a quatre chasseurs. »

Scrutant les ténèbres, Juliet aperçut l'éclat métallique d'un canon de fusil. Quatre hommes emmitouflés dans des manteaux et des chapeaux se blottissaient dans le tournant du cours d'eau, le dos dissimulé par de grosses touffes d'herbe. Lorsque Max et Juliet s'accroupirent à leurs côtés, l'un d'eux les salua d'un signe de la main.

« Elles sont venues ?

— Pas encore. Nous les avons entendues là-bas, dans le marais. »

Saisissant Juliet par la main, Max l'obligea à s'étendre près des autres. « Essayez de ne pas vous faire descendre », marmonna-t-il.

Quatre têtes se tournèrent vers elle, quatre chapeaux se soulevèrent. Juliet se tortilla, mal à l'aise. Au-dessous d'elle, la boue était dure et froide. Elle ne sentait plus ses orteils et, quand elle tenta de les remuer, elle fut incapable de dire s'ils bougeaient ou non. Il faisait si froid et si clair que la lumière semblait gelée, mais, emmitouflée dans son blouson d'aviateur, Juliet avait chaud. Trois labradors, serrés l'un contre l'autre comme des saucisses brunes dans une poêle, étaient couchés entre les hommes. De la vapeur montait de leurs bouches haletantes. Il n'y avait pas de vent, le silence se solidifiait, s'allongeait. Juliet sentait les autres tendre l'oreille à côté d'elle. Les chiens reniflaient l'air, leurs queues battant le sol à un rythme irrégulier. Les minutes s'écoulaient, Juliet n'aurait pu dire combien. Elle n'avait pas mis sa montre et ne savait pas lire l'heure dans le mouvement des étoiles. Bien que réveillée, ses pensées vagabondaient avec les nuages sombres et lisses. Lorsqu'elle se passa la langue sur les lèvres, elle leur trouva un goût de pin et de sel.

« Les oies aiment le calme, murmura Max. Elles ne tarderont pas. »

Soudain la nuit s'emplit d'un bruit d'ailes. Des cris se répercutent dans les collines, la plainte des bernaches dominant le cri aigu des courlis et celui, rauque, des canards. D'un seul mouvement, les hommes lèvent leur fusil et Juliet plaque sa main sur sa bouche pour ne pas hurler. Pourquoi tirer ? Pourquoi ? Dans le fossé, Max sort son bloc à dessins et un pinceau qu'il trempe dans le ruisseau. Les oiseaux continuent leur vacarme. Davantage semblables à des aboiements, leurs appels, presque surnaturels, font frissonner Juliet. L'aube est encore loin, mais le reflet de la neige illumine leur ventre et, pendant un instant, Juliet se demande s'il s'agit d'oies sauvages ou de glaçons ailés. Venues du rivage lointain, elles piquent vers la terre, rasent les buissons. Les voilà au-dessus d'eux. Le ciel n'est plus qu'un océan d'ailes. Juliet lève la main comme pour les toucher. Des coups de fusil éclatent. Des grains de plomb montent, retombent en pluie sur le sol, trouant la neige. Une oie s'abat, brisée, sa gorge percée à jamais silencieuse. Une deuxième. Elles tombent l'une après l'autre. Juliet ne s'empêche plus de crier, mais il est trop tard, les oies n'ont plus besoin d'elle. La bande vire en direction de la côte, s'enfuit vers la sécurité de la mer, abandonnant leurs compagnes mortes éparpillées sur la neige. Les chasseurs se lèvent, sifflent leurs chiens et commencent à ramasser le gibier. Max et Juliet restent sur place. Le pinceau de l'artiste, trempé une fois dans le ruisseau, une autre fois dans la neige, danse sur le papier. Juliet n'a jamais vu quelqu'un peindre aussi vite. Elle se rend compte qu'elle observe un peintre de guerre constatant les séquelles d'un siège suivi d'une bataille. Les joues rouges, le front couvert de sueur, Max a l'air d'exulter.

Leonard ne dormait pas. Il entendit sa mère partir, puis un murmure de voix dans la forêt. La maison était pleine de craquements. Comme toutes les maisons. Celle de ses grands-parents était particulièrement bruyante. Quand il était petit, cela l'effrayait, mais sa mémé l'avait rassuré, expliquant que la maison avait d'aussi vieux os qu'elle et méritait qu'on la plaigne. Cependant, le cottage de Max battait tous les records. Il gémissait et craquait comme lorsque Kenneth Ibbotson tirait sur les articulations de ses doigts pendant les cours de maths. Les soirs de vent, Leonard trouvait ces bruits normaux, mais, les jours calmes, ceux-ci semblaient augmenter d'intensité. C'est à cause de tout ce bois de construction, se dit-il. Il avait étudié le sujet en classe de sciences. Cela avait un rapport avec la chaleur, la dilatation et la contraction. Ou s'agissait-il là simplement d'une histoire qu'on se racontait pour se tranquilliser ? Il regarda Frieda. Sa sœur dormait à poings fermés. La réveiller brusquement eût été encore plus dangereux que d'affronter la maison insomniaque. Il se glissa hors du lit et se rendit à la cuisine. Voilà ce que je vais faire, se dit-il. Je boirai un autre petit coup de somnifère. Grimpant sur une chaise, il sortit la bouteille de cherry-brandy et s'en versa une bonne cuillerée. Le sommeil ne venant pas, il monta au premier, emportant le brandy à tout hasard. Frieda et lui n'ayant pas le droit d'entrer dans la chambre de Max, il se sentit très excité, à moins que ce ne fût un effet de l'alcool. La pièce était tout ce qu'il y avait de plus banal. Il y régnait une odeur bizarre. Leonard distingua le parfum Yardley de sa mère mêlé à des effluves moins familiers. Dans l'ensemble, toutefois, elle n'avait rien d'extraordinaire et Leonard ne comprenait pas pourquoi on leur avait interdit de l'explorer. Il aperçut, accroché au mur, le portrait d'une femme très laide, aux yeux sombres. Un peu grisé par l'alcool, il décida qu'il détestait ce portrait. Comme tous les portraits, d'ailleurs. Ils ne faisaient que vous créer des ennuis. Ayant trouvé une bonne solution, il sourit. Il aspergerait le tableau de brandy, puis y mettrait le feu tels les puddings de Noël que les gosses avaient dessiné en classe. Après avoir dévissé le bouchon, il jeta du liquide sur l'objet de son déplaisir. La plus grande partie de l'alcool dégoulina le long du mur. Il recommença l'opération, vidant presque la bouteille, fit tomber le tableau et l'expédia dans l'âtre. S'emparant d'une boîte d'allumettes posée sur la commode, il en alluma une et regarda une série de petites flammes bleues ramper sur la surface de la toile. Au bout d'un moment, il y ajouta la boîte d'allumettes pour faire bonne mesure. Les flammes bleues virèrent à l'orange. Lorsqu'il s'assit sur le plancher, il se rendit compte que la tête lui tournait. Le visage incandescent, la femme dans la cheminée le fixait des yeux, puis ses cheveux se mirent à rougeoyer.

Juliet et Max revinrent peu avant l'aube. Juliet ouvrit doucement la porte de la cuisine et, en chaussettes, alla voir les enfants. Ils dormaient à poings fermés. Leonard ronflait. Juliet sourit, soulagée de ne pas avoir été surprise. Contrairement à ce qu'elle pensait, elle pouvait peut-être faire n'importe quoi et personne ne s'en apercevrait. Elle était morte de fatigue. L'attrapant par le bras, Max l'entraîna dans l'entrée et referma la porte du séjour. Sans un mot, il la conduisit en haut des marches et dans la chambre qu'ils avaient partagée jusque-là à des heures différentes. Il se déshabilla rapidement et sans gêne, puis grimpa, nu, dans le lit étroit.

«Venez.»

Debout au milieu de la pièce, Juliet se sentait incapable de bouger.

« N'est-ce pas pour cela que vous êtes venue ? »

Après un moment d'hésitation, elle se mit à rire.

« Je suppose que oui. »

Elle avait essayé de ne pas penser au motif de son escapade. À présent, elle le comprenait. Max se souleva sur un de ses bras maigres. La lumière de l'aube qui pointait à la fenêtre le faisait paraître fatigué. Distinguant les os sous sa peau, elle pouvait imaginer à quoi il ressemblerait âgé.

« Pourquoi êtes-vous venue ? répéta-t-il.

— Pour coucher avec vous. »

Elle ôta son pull et commença à ouvrir son chemisier. Ses doigts glacés luttaient avec les boutons. « Cela fait si longtemps... » Elle chercha un euphémisme, mais les trouva tous ridicules. Il lui fallait prononcer son nom. « Cela fait si longtemps depuis George...

— Combien de temps ?

— Sept ans. »

Le visage de Max n'exprima ni surprise ni amusement.

« Eh bien, viens. Tu as assez attendu. Mais quelle responsabilité pour moi ! »

Juliet eut un sourire crispé. « Je suis inquiète. J'ai peur d'être devenue frigide. Ça arrive, tu sais. Après toutes ces années. »

Max gardait son air sérieux. « Eh bien, voyons ce qu'il en est. Au moins, tu seras fixée. »

Juliet enleva son pantalon, son slip et se tint toute nue sur le plancher. Le froid lui donnait la chair de poule. La tête penchée de côté, Max l'examinait avec l'œil du peintre, étudiant les contours de son corps. Puis il cessa de montrer cet intérêt scientifique : il eut soudain l'expression d'un homme pressé de coucher avec elle.

Il rejeta l'édredon et elle s'allongea près de lui. Elle voulut dire « Je crains de ne plus savoir m'y prendre », mais le baiser de Max l'en empêcha. Elle essaya de ne pas penser, surtout au fait que cet acte charnel l'éloignait encore davantage de son ancienne vie. Elle s'efforça de ne sentir que la chaleur des mains de Max, la rugosité de ses doigts de peintre sur sa peau. Elle n'avait pas été à la *mikvah* depuis des années. Sans doute ne purifiait-on pas son corps pour un amant illicite, mais les baisers insistants de Max descendaient sur son ventre et elle trouva difficile de penser à autre chose. Je ne dois pas crier, se dit-elle.

Plus tard, Max se tourna vers elle et lui adressa un sourire gamin.

« Pas frigide, donc, dit-il.

— En effet », reconnut Juliet.

Ils restèrent allongés côte à côte sans se toucher. Juliet se dit que c'était cette intimité qui lui avait le plus manqué. Maintenant que l'anxiété de la « première fois » avait disparu, ils pouvaient passer au bonheur de se découvrir mutuellement. Elle avait les cuisses humides – une autre sensation oubliée. Sans doute était-ce idiot de prendre pareil risque. Mais vu l'état de béatitude dans lequel elle se trouvait, il lui était impossible de s'inquiéter à ce sujet. Si jamais cela arrivait, ils viendraient vivre dans les bois. Le ridicule de cette idée la fit rire. La transpiration se refroidissait à peine sur son corps qu'elle se demandait déjà si elle retournerait en ville.

« Regarde ! » s'exclama Max en désignant la cheminée.

Un tableau au cadre roussi et tordu était coincé dans l'âtre. Sautant du lit, Juliet s'en approcha et le dégagea au moyen de petites secousses. Le visage de la femme était brûlé, ses traits noircis, effacés par la fumée.

« Comment diable a-t-il atterri là-dedans ? » demanda Max.

Assis autour de la table de la cuisine, ils prenaient leur petit déjeuner à l'heure du déjeuner.

« L'un de vous a-t-il mis le feu au portrait qui se trouvait dans la chambre de Max ? » demanda Juliet d'une voix basse, sévère.

Incapable de continuer à manger son œuf à la coque, Leonard leva des yeux affolés.

Frieda regarda son frère. « En tout cas, moi, j'ai rien fait, grogna-t-elle.

— C'était moi », dit Leonard d'un ton pitoyable.

Depuis son réveil, il savait qu'il lui faudrait avouer sa bêtise.

« Mais pourquoi, chéri ? s'étonna Juliet. Je ne comprends pas. »

Leonard fit la grimace et farfouilla dans son œuf avec sa cuillère. Comment pouvait-il expliquer son acte ? Sa haine pour le tableau lui avait paru si logique pendant la nuit !

« Il était affreux, finit-il par lâcher.

— Ce n'est pas une excuse, déclara Max en rapprochant sa chaise. Si tu n'aimes pas un tableau, tu devrais en peindre un qui soit meilleur. On ne détruit pas les œuvres d'art, Leonard. En particulier les portraits. Les mystiques croyaient que les portraits, peints ou photographiques, contiennent une partie de l'âme du modèle. Mal exécutés ou non, ils sont dangereux. Il faut les traiter avec respect.

— Tu vas me punir ? demanda Leonard en regardant sa mère d'un air sombre.

— Regrettes-tu ce que tu as fait ?

— Oui.

— Recommenceras-tu ? voulut savoir Max.

— Non.

— Pas de punition, alors », décida Max en jetant un coup d'œil à Juliet.

Leonard eut l'impression que le remords lui mordillait les tripes tel un petit poisson. Il était toutefois certain de deux choses. D'abord qu'un portrait mal exécuté ne contenait pas la moindre parcelle d'âme et, ensuite, qu'un jour il peindrait des toiles bien meilleures.

Trois jours plus tard, ils reprirent le train pour Londres. Au lieu de dormir, Juliet sourit béatement de Dorchester à Waterloo. Sur le quai de gare, au moment des adieux, Max avait embrassé Juliet avec maladresse, devant les enfants. Frieda les observa d'un œil critique. Ils avaient tellement moins d'allure que les couples au cinéma ! Juliet n'avait même pas claqué ses talons – il était vrai, admit Frieda, que sa mère portait une lourde valise et que Max n'était pas très doué pour le baiser. Il n'avait pas l'air d'être un bon amoureux. Trop vieux.

« Est-ce que Max est ton petit ami ? demanda-t-elle plus tard, dans le train.

— On peut dire ça, oui », répondit sa mère. *Petit ami.* Ces mots étaient beaucoup plus simples que celui de *mari.*

« Et tu ne veux pas qu'on le dise à grand-mère ? s'informa Leonard.

— Non, confirma Juliet en évitant le regard de son fils, ne le lui dis pas. »

À son grand soulagement, ses règles arrivèrent aussi ponctuellement que le bus 227. Cependant, Juliet se dit que c'était stupide de continuer à prendre des risques et se rendit chez son médecin. Elle avait bien l'intention de coucher à nouveau avec Max, et le plus tôt possible. Si seulement elle pouvait persuader son amant de venir en ville ! Aller aussi loin que le Dorset pour faire l'amour n'était pas commode, se dit-elle en souriant. Le cabinet médical était plein de bébés qui pleuraient et de mères aux visages fatigués. Juliet avait essayé d'obtenir un rendez-vous pour le soir, mais la secrétaire l'avait informée que ceux-ci étaient réservés aux hommes « puisqu'ils devaient travailler dans la journée, les pauvres ». Juliet avait tenté d'expliquer qu'elle travaillait, elle aussi. Par le combiné, elle avait entendu le sourire indulgent de la femme à l'autre bout du fil : « Oh, je suis sûre que votre patron vous permettra de vous absenter quelques heures. Dites-lui qu'il s'agit d'un problème féminin. » Assise dans la salle d'attente, elle sentait que toutes ces mères qui allaitaient la regardaient. Peu lui importait. Elle croyait entendre leur bavardage intérieur et imaginait leurs commentaires dès l'instant où elle quitterait la pièce : *Elle est bien trop vieille pour faire carrière. Et vous avez vu son rouge à lèvres ? Pas étonnant qu'elle ne porte pas d'alliance.* Pour la première fois en sept ans, elle avait enlevé sa bague et l'avait cachée au fond de son tiroir à lingerie.

« Mrs Montague. »

Juliet prit le couloir au sol recouvert de linoléum qui empestait l'antiseptique, l'eau de Javel et le shampoing antipoux. Elle l'avait déjà descendu d'innombrables fois avec les enfants pour des fièvres, des entorses, des urticaires ou des vaccins. Quand était-elle venue consulter pour elle-même la dernière fois ? Elle s'arrêta devant le cabinet, plus angoissée qu'elle voulait bien l'admettre.

Lorsqu'elle ouvrit la porte, le docteur Ruben sourit, le visage rayonnant du plaisir de la voir.

« Bonjour, chère madame. Il y a si longtemps que je ne vous ai vue ! Non pas que nous souhaitions voir nos patients trop souvent… Je ne vous ai pas aperçue à notre fête de Hanoukka. Vous avez raté un excellent plat de poitrine de bœuf. »

Le docteur Ruben était le médecin de la famille depuis l'époque précédant la création du NHS, le National Health Service. La famille Greene était passée avec lui de la médecine privée à celle de la nouvelle Sécurité sociale. Face à ce sourire bienveillant, à ces lunettes demi-lune, Juliet sentit ses paumes devenir moites. Elle aurait dû aller consulter un médecin inconnu, mais il était trop tard. Elle avait pris une matinée de congé et, d'ailleurs, elle ne manquait pas de courage.

« J'aimerais prendre la pilule.

— Mr Montague est donc revenu ! *Mazel tov !* Mrs Ruben ne me raconte jamais rien. Mais peut-être lui a-t-on demandé le secret et suis-je en train de la calomnier ? »

Déconcertée par le fait que ce gentil docteur, cet homme si bon, puisse se réjouir du retour d'un mari dissolu, Juliet resta silencieuse pendant un instant. C'était ce même médecin qui lui avait conseillé de se reposer, de ne pas tenir compte des stupides murmures qu'elle suscitait et qui était passé chez elle tous les soirs pendant une semaine quand Leonard ne voulait pas s'endormir de crainte de faire des cauchemars. *Il n'a pas besoin de médicament, juste qu'on lui lise une histoire. Il a juste besoin d'entendre une voix d'homme.* Juliet vit qu'il mourait d'envie de décrocher son téléphone et d'appeler sa femme pour lui annoncer la merveilleuse nouvelle.

« Mon mari n'est pas revenu. »

Le docteur Ruben fronça les sourcils et remonta ses lunettes sur son nez. Son expression joyeuse s'évanouit.

« Mais vous désirez que je vous mette sous la nouvelle pilule.

— Oui.

— Elle est réservée aux femmes mariées.

— Je suis mariée.

— Mais votre mari n'est pas revenu.

— En effet. »

Juliet soupira. Combien de temps cette conversation allait-elle continuer à tourner en rond ?

« Docteur, je désire prendre la pilule. Je suis mariée et j'ai cru comprendre que vous étiez donc autorisé à me la prescrire.

— Certes, mais…

— L'homme avec lequel j'ai des rapports n'est pas mon mari. J'ai attendu sept ans. Je pense que ça suffit. Mais je voudrais éviter de tomber enceinte. »

Le docteur Ruben la regarda, l'air malheureux. Juliet se tut. Elle ne supplierait pas le praticien. Elle craignait d'ailleurs que, si elle en disait plus, il refusât sa demande. S'avouant vaincu, le médecin prit son stylo.

Déjà à la porte, elle se retourna. « Docteur ? »

Le médecin leva les yeux, ennuyé à l'idée d'entendre d'autres révélations déplaisantes.

« Je vous demanderai de ne parler de ma visite à personne, ni à Mrs Ruben, ni à ma mère. »

Le docteur Ruben se raidit. « Je vous rappelle que j'ai prêté un serment. »

Juliet hocha la tête, contente malgré tout de lui avoir demandé la discrétion.

Après le dîner, Juliet et Mr Greene firent la vaisselle ensemble. La chaleur qui régnait dans la petite cuisine embuait les vitres. Alors que Juliet plongeait une casserole graisseuse dans l'eau bouillante, son père s'éclaircit la voix.

« Pendant qu'elles faisaient la queue pour acheter des foies de poulet, Mrs Levi a fait à ta mère des remarques déplacées », dit-il. Il essuya ses verres de lunettes. « Et, cette année, on n'a pas demandé à ta mère de confectionner ses célèbres *rugelach* pour le *kiddush* de Rosh Hashana. Cela l'a beaucoup peinée. »

Au lieu de répondre, Juliet frotta la casserole un peu plus fort.

« Elle les a apportés quand même, mais je n'ai pas pu m'empêcher de remarquer à la fin de la réception que presque personne n'en avait pris. Pourtant, l'année dernière Mr et Mrs Nature avaient été obligés de se partager le dernier. »

Juliet soupira et prit la pile d'assiettes. Elle savait que le téléphone de ses parents ne sonnait plus autant qu'autrefois et que les amies de sa mère se disaient souvent occupées lorsque Mrs Greene les invitaient à emmener leurs petits-enfants pour jouer avec Frieda et Leonard. Mr Greene rangeait méthodiquement la vaisselle propre. Il ne prononçait aucune accusation, mais tous deux comprenaient que la conduite de Juliet était la cause de l'attitude réservée des voisins. Après la disparition de George, le bon peuple de Mulberry Avenue s'était demandé dans quelle mesure Juliet était responsable de cet abandon, mais il lui avait témoigné de la sympathie. Pendant des années, ces gens avaient noté son courage face à la vie et, tandis qu'ils mangeaient leurs *latkes* ou leurs sandwichs au bœuf salé, vanté la façon merveilleuse dont elle se débrouillait. Tout cela avait changé. Mrs Harris et ses amies avaient remarqué que l'existence de Juliet n'était plus aussi tranquille. Le bruit courait qu'elle avait un petit ami (« À son âge ? C'est ridicule ! ») et qu'elle emmenait ses enfants dans le Dorset où elle avait cette sordide liaison. (« Qui aurait cru que le sud-ouest de l'Angleterre était un tel lieu de débauche et de vice ? ») Tout le monde savait qu'elle batifolait en ville avec des artistes et qu'elle n'allait plus jamais à la *schul*, même les jours de grande fête.

Juliet jeta un coup d'œil à son père. Il ne s'était pas rasé avec sa précision coutumière, ses lunettes à grosse monture ne parvenaient pas à cacher ses cernes mauves. Il avait l'air vieux. Elle fut saisie par un sentiment de culpabilité.

« Papa, ne vaudrait-il pas mieux, pour toi et maman, que nous déménagions, les enfants et moi ? »

Horrifié, Mr Greene baissa son torchon. « Ne m'enlève pas mes petits-enfants ! Nous pouvons supporter quelques regards bizarres, mais pas de perdre votre présence à côté de chez nous. J'aurais dû me taire. »

Juliet laissa le remords s'installer dans sa poitrine. Elle pensait que cette conversation était terminée, mais lorsqu'elle revint dans le séjour, Mrs Greene envoya les enfants jouer au premier, bien que, d'habitude, elle tînt à ce que toute la famille restât ensemble pour échanger des banalités. Lorsque son père lui versa un verre de xérès, Juliet comprit que c'était grave. Elle pensa d'abord que le docteur Ruben avait rompu sa promesse, puis que ses parents allaient essayer de la persuader de renoncer à la galerie.

« Dis-lui, Davey. Regarde, elle est devenue toute blanche ! » s'écria Mrs Greene.

Mr Greene se racla la gorge. « Il s'agit de George. George, ton mari », précisa-t-il comme si Juliet pouvait penser qu'il parlait d'un autre George.

Juliet avait la tête qui tournait. Sa mère montait toujours le chauffage à gaz au maximum. L'odeur et la chaleur qui régnaient dans le salon rendaient Juliet un peu malade.

«Vous permettez que j'ouvre une fenêtre? demanda-t-elle en se levant.

— Mais on va perdre toute cette bonne chaleur! objecta Mrs Greene. Et vu le prix du gaz... »

Juliet aurait voulu répondre que rafraîchir l'atmosphère était justement le but recherché, mais, s'avouant vaincue, elle se rassit et se passa la langue sur ses lèvres sèches.

«Tu voulais me parler de George? demanda-t-elle d'un ton aussi désinvolte que possible.

— Oui. » Mr Greene regarda sa femme, posa sa main sur son genou potelé recouvert du tissu de sa robe à fleurs. « Figure-toi que nous l'avons retrouvé. »

ARTICLE 9 DU CATALOGUE

« Bain de soleil sur la plage de Venice », Tibor Jankay, huile sur toile, 76 cm x 114 cm, 1961.

« TE RENDRE AUX ÉTATS-UNIS avec un homme qui n'est pas ton mari ? murmura Mrs Greene comme si elle craignait qu'un étranger puisse l'entendre dans l'intimité de son salon.

— Voyager avec mon mari serait difficile, non ? rétorqua Juliet que la frustration rendait irritable.

— Que diront les gens ? s'inquiéta Mrs Greene en se tamponnant les yeux.

— Rien du tout, à moins que tu bavardes. »

Mr Greene leva la main pour rétablir la paix. « J'ai pensé que nous pourrions lui envoyer une lettre. Tu ne devrais pas y aller toi-même. Ta mère a raison : ce ne serait pas... » Il s'éclaircit la voix, cherchant le mot juste. « Ce ne serait pas *convenable* de voyager avec ton ami. Nous pouvons envoyer un de tes oncles. Ed a toujours voulu visiter l'Amérique. Je paierai son billet.

— Non, papa. Je dois y aller moi-même. George ne répondrait jamais à une lettre. S'il est là-bas, c'est à moi de le retrouver. »

Refusant de s'avouer vaincue, Mrs Greene fit entendre un gloussement indigné. « Et les enfants ? Tu ne vas tout de même pas les prendre avec toi alors que tu vis dans le péché à bord de ce bateau ? »

191

Juliet se mordit la lèvre. Sa mère condamnait-elle le péché ou le fait qu'il fût commis sur un bateau ? Avant son mariage, elle l'avait mise en garde contre les dangers de l'amour conjugal dans des lieux inhabituels. Juliet supposait que cet avertissement s'appliquait aussi à l'amour extraconjugal.

« Nous aurons tous des cabines séparées, précisa-t-elle. Les enfants aiment Max. Pour eux, ce sera une belle aventure. »

Elle avait caché à sa mère le fait qu'elle et les enfants habitaient chez Max quand ils se rendaient dans le Dorset, laissant Mrs Greene supposer qu'ils empruntaient un cottage comme ils l'avaient fait lors de leur premier séjour. Mr Greene fronça les sourcils, il enleva ses lunettes, les essuya sur son pantalon avec les mêmes gestes que Leonard. Il avait l'air triste, ce qui perturba Juliet davantage que la colère feutrée de sa mère. Elle gratta une tache sur sa jupe. C'était décidé. Le lendemain du jour où elle avait découvert où se trouvait George, elle avait pris un train et débarqué chez Max avec deux sandwichs du British Rail et un thermos de café. Elle l'avait informé qu'il devait accepter l'offre des Cunard Lines, traîné au village et attendu devant la cabine téléphonique pendant qu'il passait son appel et demandait que les deux tickets de première classe pour New York fussent changés en quatre couchettes classe touriste. À sa grande surprise, Max n'avait élevé aucune objection. Après qu'elle lui eut expliqué la situation, il s'était contenté de hocher la tête et avait répondu : « Tu dois aller aux États-Unis, c'est évident. »

Le voyage devait avoir lieu en été. Juliet fermerait la galerie en août et ne la rouvrirait qu'en septembre. Max, les enfants et elle passeraient tout un mois en Amérique. Consternés, ses parents refusèrent de venir leur dire au revoir à Southampton. Juliet soupçonnait sa mère d'avoir peur de se retrouver face à Max. Que sa fille eût un amant *goy* était une chose, le rencontrer en était une autre.

Le jour de leur départ, Juliet et les enfants restèrent malgré tout sur le pont et scrutèrent le quai pour le cas où les grands-parents apparaîtraient à la dernière minute. Leur espoir étant déçu, Juliet fut obligée de hausser les épaules et de dire d'un ton désinvolte : « Ç'aurait été un trop long voyage pour eux. N'empêche que vous leur manquerez. »

Trois jours plus tard, ils étaient déjà à plus de la moitié du chemin. Seule sur le pont supérieur de la classe touriste, Juliet contemplait la mer grise et verte qui s'étendait sous les nuages tandis que le soleil montait peu à peu de derrière la courbe terrestre. À part elle, seul l'équipage était debout. Au-dessus, sur le pont de la première classe, des stewards en uniformes blancs allaient et venaient, ouvrant des parasols et posant des coussins sur les chaises longues – Juliet frissonna à la pensée d'un bain de soleil dans ce froid. Il était près de six heures, ou était-ce cinq heures ? Les pendules changeaient tous les jours et elle commençait à perdre la notion du temps. Serrant son gilet autour d'elle, elle s'appuya au bastingage.

Elle fouilla dans la poche de sa jupe et en retira une coupure de journal. Le fin papier commençait à se désintégrer tant elle l'avait plié et déplié. À part les mots THE JEWISH DAILY FORWARD imprimés en gros caractères en haut de la page, le texte était en yiddish. Mr Greene avait traduit les parties intéressantes en anglais et les avait inscrites soigneusement au crayon entre les lignes typographiques. Sur la page opposée, s'étalaient, telle une collection de repris de justice, les photos granuleuses de vingt hommes. Plusieurs d'entre eux arboraient de splendides moustaches, quelques-uns des barbes orthodoxes touffues. Certains souriaient à l'objectif, d'autres fronçaient les sourcils, mais aucun n'avait l'air penaud – toutes ces photos avaient été prises avant le crime. Au-dessus de ces visages, Mr Greene avait écrit la traduction du titre : *Une galerie de maris disparus.*

George Montague se trouvait au milieu de la page. Il adressait à Juliet un sourire radieux comme s'il était enchanté d'avoir sa photo dans le journal. Elle se demandait à quel moment elle avait été prise et ce qui avait provoqué ce sourire. C'était curieux de penser à toutes les choses insignifiantes qu'elle avait dû oublier. Un mari disparu n'était pas très différent d'un mari décédé, sauf qu'on ne se sentait pas coupable lorsqu'on commençait à l'oublier. Sous le visage de George, il y avait un texte incompréhensible en yiddish. Mr Greene en avait fourni la traduction.

Le 8 avril 1953, George Montague abandonna sa femme et leurs deux bébés, Leonard et Frieda. Sa femme n'a plus eu de ses nouvelles depuis. Il paraît que Mr Montague s'est établi aux États-Unis. Il avait vingt-neuf ans lors de sa disparition. Son épouse lui demande, pour le bien de ses enfants privés de père, de regagner le domicile conjugal ou de se faire délivrer un certificat de divorce par le rabbin le plus proche. Toute personne connaissant la nouvelle adresse de Mr Montague est priée de contacter Mr G. Jones, box N° 8674, Brooklyn, NY.

Chaque fois qu'elle relisait cette annonce, Juliet avait une impression bizarre. Sa famille avait été réduite à sa plus simple expression comme un bouillon trop cuit et sa voix remplacée par les mots d'un mystérieux Mr G. Jones (détective privé). Anonyme, elle était seulement « sa femme » et, dans le journal, elle posait des questions qu'elle n'avait jamais posées en réalité. Bon, d'accord, Leonard et Frieda étaient des « enfants privés de père », mais cela la faisait penser aux orphelins des romans de Dickens et ne semblait se rapporter ni à une Frieda renfrognée, enfermée dans sa chambre avec le tourne-disque qu'elle avait chipé au salon, ni à un Leonard qui semait des pièces de mécano dans toute la maison. Et ils n'étaient certainement plus des « bébés ». Interrogé à ce sujet, Mr Greene expliquait que ce texte était destiné à émouvoir, vu que George lui-même pouvait tomber sur cette annonce. Et il fallait bien admettre, se dit

Juliet, que ses parents étaient passés maîtres dans l'art de vous donner des remords.

C'était curieux de voir George au milieu de tous ces inconnus, mais à présent lui aussi était devenu un étranger. Elle n'avait pas regardé une photo de lui depuis des années. Peu après son départ, elle l'avait découpé de leurs instantanés, incapable de le voir lui sourire comme si de rien n'était. Elle savait que Leonard avait fouillé dans la boîte à chaussures de son placard, à la recherche d'un portrait de son père, et peut-être Frieda aussi, mais sa fille, plus soigneuse, rangeait les affaires derrière elle.

Juliet regarda la page de journal. À côté de la photo de George, quelqu'un – pas son père – avait écrit au feutre rouge : *George Molnár, Gorgeous George's Glasses, Culver City, Californie.* Rien d'autre. Aucun indice quant à l'identité du scripteur. Tout ce que Mr Greene avait pu dire à Juliet, c'était qu'une enveloppe était parvenue dans la boîte postale de Gerald Jones, à Brooklyn, avec, à l'intérieur, cette page arrachée à un journal et portant cette information. Aucune lettre d'accompagnement, aucune demande de récompense ni d'offre de renseignements supplémentaires.

Elle rangea le papier dans sa poche. Il était temps qu'elle retrouve son mari. Qu'éprouverait-elle une fois libre ? Une fois qu'elle ne serait plus une *aguna*, mais une divorcée ? Ce dernier mot avait quelque chose de fascinant. Elle le voyait couvert de manteaux de fourrure et de diamants. Elle sourit. Il n'y aurait pas de diamants pour elle, mais peut-être son portrait en petite fille, bien que George dût l'avoir vendu depuis des années. À cette pensée, elle ressentit une bouffée de colère et de tristesse – elle avait grande envie de récupérer ce morceau d'elle-même.

Allongée dans le noir près de Max, elle sentait parfois le tiraillement de la chaîne invisible qui la reliait à George. Il avait fait d'elle une femme pas entièrement respectable. Même si la respectabilité ne l'intéressait plus, elle voulait choisir la façon dont elle assurerait sa réputation. Une fois divorcée, elle aurait à supporter chaque vendredi soir la série de prétendants invités par sa mère – tous aussi gentils et ennuyeux les uns que les autres. Mrs Greene n'aurait de paix que lorsqu'elle verrait sa fille convenablement remariée. Lui était-il jamais venu à l'esprit, se demanda Juliet en souriant, qu'elle pouvait épouser Max? Non pas qu'elle eût l'intention d'épouser qui que ce fût, pas même Max. Elle en avait assez d'être une épouse.

Les vagues frappaient la coque du navire. L'horizon s'éclaircissait, la mer moutonnait interminablement de toutes parts.

« George Montague, prends garde! J'arrive! » cria Juliet dans la lueur de l'aube. À l'avant du bateau, une hirondelle de mer prit son envol. Pendant un moment, elle rasa la surface de l'eau, puis, à grands coups de ses ailes blanches, s'éleva dans les airs.

Dans l'après-midi, la mer devint houleuse. Des vagues couronnées d'écume roulaient des deux côtés du navire qui tanguait telle une grand-mère ivre dans un fauteuil à bascule. Prise de nausée et trouvant Max couché dans leur cabine qui empestait le whisky bon marché, elle alla se réfugier dans une des couchettes des enfants. La minuscule pièce était calme – ayant la chance de ne pas souffrir du mal de mer, Leonard et Frieda étaient partis à la recherche de distractions dans le salon de la classe touriste. Allongée sur le lit de Leonard, Juliet tira le rideau du hublot, occultant l'horizon agité. Elle dormit plusieurs heures. À son réveil, il faisait nuit et la mer était calme.

« On a essayé de ne pas te réveiller, dit Leonard.

— Pourtant tu as dormi drôlement longtemps! ajouta Frieda.

— Regarde! J'ai gagné un dollar au bingo, annonça Leonard en brandissant un billet vert. Avec ça, je vais me payer un hamburger.

— Je continue à croire que tu as triché.

— Pas vrai. »

Juliet s'assit. Oubliant qu'elle se trouvait sur la couchette inférieure, elle se cogna la tête. Alors qu'elle frottait la bosse naissante sur son front, elle vit que les enfants étaient assis en tailleur sur le petit espace de plancher, à côté du lavabo. Mr et Mrs Greene lui avaient enjoint de leur cacher la vraie raison du voyage. *Dis-leur n'importe quoi, Juliet. Que ce sont les vacances de leur vie, par exemple. Ils n'ont pas besoin d'en savoir davantage sur cette désagréable affaire. Ils ont oublié leur père. Inutile de remuer tout ça.*

Elle avait mal à la tête.

« Donne-moi un peu d'eau, chérie », dit-elle à Frieda.

Sa fille remplit un verre à dents et le lui apporta. Elle but le liquide frais à petites gorgées. Il avait un vague goût de menthe. Elle soupira. Elle en avait tellement assez de garder des secrets ! Mettant la main dans sa poche, elle sentit le froissement familier de la page de journal.

« Allez, on va faire un brin de toilette, puis monter dîner. »

De retour dans sa cabine, Juliet se peigna et aspergea d'eau son visage avant de s'asseoir au bord de la couchette de Max. Elle ne lui demanda pas s'il se joindrait à eux – il n'avait pas mis les pieds dans la salle à manger depuis leur première nuit à bord. Les yeux mi-clos, il lui sourit.

« Désolé, mais je n'ai vraiment pas le pied marin.

— En effet, confirma Juliet.

— J'avais oublié à quel point je détestais être en mer. »

Juliet haussa les épaules. Elle avait faim, de plus l'haleine et la voix pâteuse de Max lui indiquaient que son ami était déjà ivre. Aucun des hommes de sa famille ne buvait à part un verre de vin casher le vendredi ou une goutte de schnaps les jours de fête. Les beuveries sporadiques de Max la perturbaient. Pendant ces crises, elle restait à distance. Elle comprenait que, même sans l'existence de George, elle ne pourrait jamais mener une vie normale et paisible aux côtés de Max. Elle essayait d'en prendre son parti.

Affalé sur la couette à motifs de feuilles, il lui rappelait Antée, le dieu-démon dont la force dépendait de son contact avec la terre. Maintenu en l'air par Hercule, il perdit toute sa vigueur. L'âme de Max résidait dans les bois de Fipenny Hollow. Privé de l'odeur de l'humus forestier, il dépérissait. L'air marin le débilitait. La veille, elle avait fouillé dans sa trousse de toilette à la recherche de pâte dentifrice, mais au lieu du genre d'objets qu'on y trouve d'habitude, elle était tombée sur un tas de feuilles sèches – chêne, frêne, hêtre – et d'aiguilles de mélèze.

Dans la salle à manger fraîchement repeinte, Juliet et les enfants étaient assis à une table commune, sous l'une des fresques de Max. Ce n'était qu'en la regardant de très près qu'on s'apercevait que les joueurs de cricket en tenue blanche avaient tous une tête d'oiseau anglais – des hiboux maniaient la batte contre des pinsons et une mésange bleue lançait la balle. Ces images fantaisistes composaient une sorte de collection folklorique d'une Angleterre rurale qui n'avait jamais vraiment existé. Juliet trouva bizarre d'être en mer sur cette glorification flottante de la terre. Sous la rampe d'escalier, des Lièvres de mars batifolaient à la lueur d'une lune de la moisson, de petits bonshommes sortaient de derrière des chênes et les arbres d'un verger laissaient tomber leurs fruits sur la place du village et le toit de chaumières.

Des garçons allaient et venaient pour servir de l'aspic de jambon. Les petits pois de conserve suspendus dans la gelée luisaient telles des algues prises dans la glace. Seul Leonard semblait ravi. Selon lui, il n'avait jamais mangé un repas aussi infect. Juliet rêvait d'être de retour sur la terre ferme et de déguster un œuf à la coque. Dans deux jours, ils seraient à New York. Une fois débarqué, Max redeviendrait lui-même. Juliet essaya d'oublier qu'il détestait Londres. Pour les États-Unis, ce serait sûrement différent.

Après le dîner, une fois les enfants au lit, Juliet mit son manteau et monta sur le pont. Il faisait froid, le vent jouait une chanson sur les câbles du navire et la plupart des passagers étaient descendus fumer dans le salon agréablement chauffé. Frissonnante, Juliet se blottit dans un transat et regarda l'eau noire écumer dans l'obscurité. Elle consulta sa montre : presque onze heures. Avant même d'apercevoir Max, elle détecta l'odeur de sa pipe.

« Hou ! hou ! Je suis ici ! » appela-t-elle.

Max approcha en chancelant, puis il s'arrêta et se força à marcher droit de ce pas raide des ivrognes.

« Foutue houle ! grommela-t-il.

— Cela n'a rien à voir avec la mer. Elle est parfaitement calme ce soir. »

Réchauffé par l'alcool, Max était en chemise. Il se laissa tomber sur une chaise longue à côté d'elle, répandant du tabac brûlant sur le sol.

« T'ai-je jamais parlé de mon dernier voyage en mer ?

— Je ne crois pas. »

Max sortit sa blague à tabac et entreprit de bourrer à nouveau sa pipe. Ses doigts maladroits en semèrent la moitié sur son pantalon.

« Eh bien, il s'est terminé par un naufrage. Te l'ai-je dit ? »

Juliet se tourna et le regarda. Son visage paraissait tout blanc dans l'obscurité.

« C'était pendant la guerre. Du Caire, j'avais été envoyé à Cape Town et, de là, on m'avait renvoyé en Angleterre. J'étais très content de rentrer. Dans ma cabine, j'avais une vingtaine de carnets de dessins et d'innombrables aquarelles, des soldats endormis dans le désert, des officiers, des mulets devant la citadelle, des femmes voilées, tu vois le genre. »

Bien qu'elle n'eût jamais vu ces images, Juliet hocha la tête.

« Et puis j'avais une série de portraits de soldats – des dizaines d'entre eux me demandaient un croquis pour leur femme ou leur petite amie. Certains de ces gars étaient partis de chez eux des années plus tôt et ils craignaient que leurs épouses ne les oublient complètement. Nous avions tous entendu des histoires au sujet des Yankees. Un portrait les montrant en héros raviverait l'affection de ces dames ou les ferait mettre leur Yankee à la porte pour une nuit ou deux – du moins l'espéraient-ils. »

Max finit de bourrer sa pipe. Il sortit une boîte d'allumettes, mais ses mains tremblaient tellement qu'il était incapable d'en frotter une. Quand Juliet la lui prit, elle sentit que ses doigts étaient glacés. Elle craqua une allumette. Pendant une minute, Max tira sur sa pipe en silence, la fumée se mêlait à la vapeur de son haleine.

« Comment s'appelait ce navire ? demanda Juliet.

— Le *Laconia*.

— Je crois en avoir entendu parler.

— C'est possible. Il s'agit d'une des catastrophes célèbres de la guerre. Nous étions quelque part dans l'Atlantique du Sud quand nous avons été touchés par une torpille. C'était en début de soirée. Je buvais un verre au bar avant d'aller dîner. Le bateau a tremblé, gémi comme un homme frappé par une balle. La glace derrière le comptoir s'est brisée, une pluie de bouteilles cassées s'est abattue sur nous. Je ne me souviens pas d'avoir eu peur, mais je sais que je me suis fait du souci pour les dessins dans ma cabine. J'avais promis d'envoyer ces portraits aux épouses de mes gars dès mon arrivée à Blighty. » Max s'interrompit, l'air un peu embarrassé. « Et puis je m'étais acheté une montre assez chère à Cape Town. Je n'avais pas envie que tout cela sombre avec le bateau. Passe-moi un bout de ton manteau, tu veux ? »

Avec un soupir, Juliet enleva son pardessus et en recouvrit leurs jambes. Max se rapprocha.

« Je suis descendu dans ma cabine et j'ai fourré les portraits dans ma veste. Surtout les aquarelles et trois ou quatre dessins au crayon. Quand je suis remonté sur le pont, des cordes pendaient sur les flancs du navire et l'équipage s'efforçait de caser les quelques femmes et enfants à bord dans les canots de sauvetage. Le bateau penchait déjà à un sacré angle. Plus d'un passager a glissé directement dans la flotte. Je ne me suis pas attardé pour voir si on les repêchait. Si tu t'es jamais demandé si j'étais un héros, la réponse est non.

— Je ne me suis pas vraiment posé la question », répondit Juliet d'un ton qu'elle voulait léger.

Max haussa les épaules. « C'est possible, mais la plupart des femmes aiment croire que leur *boyfriend* est un héros en puissance, même si sa bravoure n'est pas évidente. Moi, je ne voulais qu'une chose : rester vivant. Il y avait peu de chances que j'y réussisse, mais j'allais m'y efforcer. Ça ne me disait rien de descendre vers la mer par une corde, je peux te l'assurer. Je me suis écorché les mains, mais j'ai atterri sain et sauf dans un des canots de sauvetage. Quand celui-ci a été plein, un marin l'a recouvert d'une bâche épaisse. Au-dessous de cet abri, cela sentait encore plus mauvais qu'un cadavre de cerf. Un des matelots novices avait déféqué dans son pantalon. »

Le son d'un orchestre débitant les tubes de la décennie précédente – des arrangements de chansons de Dean Martin et de Bing Crosby – leur parvenait du pont de première classe. Le navire se balançait comme un berceau sur les vagues. On entendait la houle frapper légèrement les flancs du bateau. Juliet imagina le *Laconia*, sa coque dévorée par les flammes.

« Nous avons dérivé pendant quatre jours dans le canot, entassés sous la bâche. De temps à autre, nous apercevions le sous-marin. Au bout de deux jours, nous avons été à court de nourriture, au bout de trois, nous n'avions plus d'eau. Il ne me restait que ma montre et les portraits fourrés dans ma veste.

— Mais tu as survécu.

— Le cinquième jour un bateau est apparu à l'horizon, il s'est dirigé droit sur nous. Nous avons prié pour que ce soit un navire allié. Eh bien, nous n'avons pas été exaucés.

— Que s'est-il passé ? Il vous a ignorés ?

— Non. C'était un bateau de la France de Vichy. L'équipage ne s'est pas montré très amical, mais au moins ils nous ont sortis de la flotte. J'ai quitté le canot en dernier. Non pas par courage : j'étais simplement trop fatigué pour bouger. Il faisait très chaud et nous étions tous brûlés par le soleil. J'avais bien essayé de me protéger le visage et les mains avec ma veste, mais ça n'avait pas marché. Regarde, on voit encore les cicatrices des cloques. »

Max se pencha vers Juliet et lui montra une marque luisante au-dessus de sa lèvre.

« Une fois en sécurité sur le bateau de Vichy, je me suis soudain rendu compte que j'avais laissé ma foutue veste, avec tous les portraits de soldats, dans le canot. J'ai essayé de redescendre, on m'en a empêché. J'aimerais pouvoir dire que je me suis battu, que j'ai poché l'œil d'un de ces salauds trop zélés, mais ce serait un mensonge. L'épuisement m'avait enlevé toute combativité. Assis sur le pont, j'ai regardé les matelots couper les cordes des canots et tous mes portraits partir à la dérive. »

Max se tut un moment, les yeux fixés sur la mer.

« Certains de ces soldats ont fini par rentrer chez eux, mais la plupart d'entre eux n'ont pas eu cette chance. Tombés sur les champs de bataille étrangers. Disparus présumés morts. J'avais gardé une liste des hommes que j'avais peints parce que j'avais besoin d'une adresse pour envoyer leur portrait à leur femme. Quand je l'ai relue, j'ai vu que le taux de décès était terrible. Catastrophique. Qu'un gars espérait ne pas être envoyé à Tripoli ou à une autre boucherie du même genre était normal, mais il devait aussi prier que je ne le peigne pas. Je me suis rendu compte que mon foutu carnet de dessins était un véritable Livre du Jugement dernier. Si je peignais un homme, il était probable qu'il ne s'en tirerait pas.

— Je suis sûre que tu te trompes, chéri.

— Peut-être que oui, peut-être que non. Toujours est-il que je ne pouvais prendre ce risque. J'ai donc juré qu'après la guerre je ne peindrais plus personne. »

Juliet posa la tête sur l'épaule de son ami. Elle lui prit la main, caressa la petite bosse sur son index due aux heures passées avec un pinceau entre les doigts. Parfois elle oubliait presque que Max était différent des autres hommes. Mais c'était bien pour cela qu'elle l'aimait. C'était comme s'il manquait un morceau à leur être, celui de Max et le sien. Aucun des deux n'essayait de combler ce vide avec l'autre, mais ils se tenaient compagnie, adoucissant leur solitude respective.

« Je ne t'accompagnerai pas, Juliet, murmura Max.

— Que veux-tu dire ? Tu es ici.

— Je ne viendrai pas à New York.

— Ne dis pas de bêtises ! Nous sommes presque arrivés.

— Oui, mais je ne descendrai pas à terre. J'ai tout arrangé avec le commissaire du bord. Je reste sur le bateau et rentre en Angleterre. Ton billet et celui des enfants sont toujours valables. Vous serez peut-être obligés de partager une cabine au retour…

— Comment peux-tu nous abandonner à New York ? Je n'ai jamais été à l'étranger, pas même en France.

— Tu te débrouilleras très bien. En fait, tu t'en sortiras mieux sans moi. »

Juliet lâcha la main de son compagnon et s'éloigna de lui.

« Je comprends que tu détestes être sur ce bateau. J'ignorais cette histoire du *Laconia* et je suis navrée pour toi. Mais New York est sur la terre ferme, bon sang ! Ce n'est pas logique. »

Max haussa les épaules et détourna le regard. « Il faut que je rentre chez moi. Cette expédition est au-dessus de mes forces. T'accompagner était une erreur. »

Il tendit le bras et tapota le genou de Juliet comme si elle était un chien. « Ensuite, vous pourrez tous venir chez moi me raconter vos aventures. J'ai télégraphié à Tom. Il viendra me chercher à Southampton et me ramènera à la maison. »

Fâchée, Juliet recula brusquement. Son manteau tomba par terre.

« Tu t'en sortiras très bien, répéta Max.

— Oh, tais-toi, je t'en prie ! »

Max se leva. Dégrisé, il avait retrouvé son équilibre. Il ramassa le pardessus et en entoura les épaules de Juliet avant de l'embrasser sur le sommet de la tête.

« Excuse-moi, Juliet. »

Là-dessus, il s'enfonça dans l'ombre et la lueur de sa pipe finit par se réduire à un point rouge. Juliet passa sa langue sur ses lèvres, elles étaient salées. D'un pont supérieur lui parvinrent les accords d'un orchestre médiocre et elle imagina des dames aux cheveux bleuis danser dans les bras de leurs maris en traînant les pieds. Les ampoules accrochées aux étais du navire se balançaient au rythme des vagues. Machinalement, elle plongea les doigts dans sa poche et frôla la page de journal.

La défection de Max n'eut pas l'air de perturber les enfants. Frieda garda le silence. Se demandant si sa fille l'avait écoutée, Juliet répéta la nouvelle.

« J'avais parfaitement entendu, dit Frieda en haussant les épaules. Charlie, lui, ne nous aurait pas abandonnés.

— C'est sûr et certain », acquiesça Leonard en lançant à sa mère un regard de biais.

Se sentant coupable, Max avait offert son appareil photo à Leonard. Quand sa mère, sa sœur et lui eurent débarqué, le garçon prit une photo de la petite silhouette qui leur faisait signe du haut du pont supérieur, la pipe tenue en l'air, son foulard à motifs cachemire flottant au vent. Frieda et lui répondirent à grands renforts de moulinets des deux bras. Juliet, elle, ne bougea pas.

Cette nuit-là, dans leur minable chambre d'hôtel du centre-ville, ils furent incapables de s'endormir. Ils étaient trop fatigués et trop excités. Quelque part derrière les rideaux marron agités par la brise s'étendait New York. *New York !* Tout agité, Leonard enfonça le doigt dans la brûlure de cigarette qui trouait le couvre-lit.

« Hé ! Vous dormez ? demanda-t-il dans un murmure théâtral.

— Non, répondit Frieda.

— Non », ajouta Juliet.

Ravis que leur mère entre dans le jeu, les enfants se mirent à rire. Ce renversement de situation faisait peut-être partie de la vie aux États-Unis.

« Quelle heure est-il ? s'informa le garçon. Je n'ai pas sommeil. »

Juliet tâtonna sur sa table de chevet, à la recherche de sa montre. « Quatre heures du matin.

— On peut se lever ? »

Sous sa couverture, Juliet haussa les épaules. « Bon, d'accord.

— J'ai envie d'un hamburger, annonça Leonard. J'ai toujours le dollar que j'ai gagné au bingo.

— Eh bien, allons-y, dit Juliet. Encore faut-il que nous trouvions un restaurant ouvert. »

Avant qu'elle ne puisse ajouter quoi que ce fût et briser le charme, les enfants enfilèrent leurs vêtements de la veille. Quelques minutes plus tard, ils sortaient dans le couloir de l'hôtel dont la lumière jaune vacillait comme frappée par les ailes de phalènes invisibles. Tous trois se tinrent automatiquement la main. Pour une fois, Frieda n'éleva aucune objection. Dehors, la rue était tranquille. En fond sonore, on percevait les bruits de la ville pareils au ronronnement d'une dynamo. Dans la lueur blanche des réverbères, ils virent passer un taxi paresseusement en quête d'une course. De l'autre côté de la rue, clignotait l'enseigne au néon d'un *diner* illuminé tel un paquebot dans la nuit. Juliet tira les enfants de l'autre côté de la rue et à l'intérieur du restaurant. Leonard était tout pâle d'excitation.

« Ils ont des box ! murmura-t-il, impressionné. Et des banquettes rouges !

— Allez, viens. » Juliet essaya de l'entraîner vers un siège, mais Leonard refusa de bouger.

« Non. Regarde. »

205

Le garçon désigna un écriteau en plastique qui disait : « Veuillez attendre qu'on vous place. » Derrière le comptoir carrelé, un cuisinier à la mine fatiguée grattait une plaque chauffante. Il était coiffé d'un chapeau de lin plié qui, aux yeux de Leonard, ressemblait aux bateaux en papier que Kenneth fabriquait en cours de maths et qu'ils faisaient flotter dans la mare pendant la récréation. Le garçon soupira de bonheur. Les États-Unis étaient vraiment un pays magique où les restaurants restaient ouverts toute la nuit et où les gens portaient des bateaux sur leur tête. Une serveuse s'approcha d'eux, la bouche peinte en rouge écarlate même à cette heure indue. Elle sourit aux enfants, révélant une tache de rouge à lèvres sur ses dents.

« Comment allez-vous ce matin ? Asseyez-vous où vous voudrez. »

Leonard regarda la multitude de box vides et l'étendue accueillante du comptoir, incapable de se décider. Se sentant soudain très fatiguée, Juliet les poussa vers l'espace cloisonné le plus proche. La serveuse resta près d'eux, attendant leur commande.

« Que désirez-vous prendre ?

— Un hamburger », répondit Leonard sans hésiter. Le père de Cornflake Jones, qui avait un jour visité les États-Unis, déclarait que ce plat était le plus savoureux qu'il eût jamais mangé.

« Un hamburger. Et comme boisson ? Un milk-shake ? Un lait malté ? »

Les enfants la regardèrent sans comprendre.

« Je vous apporterai deux laits maltés au chocolat. Vous allez adorer ça ! »

La jovialité de cette femme épuisait Juliet. Comme dans un brouillard, elle entendait ses enfants parler de leur voyage. « Nous sommes en vacances… venus d'Angleterre… Los Angeles… quatre jours en car… Et Frieda qui a le mal des transports… ça sera affreux… j'ai hâte de voir ça… » Elle regarda son reflet dans la vitrine. Dehors, il faisait encore nuit et leur petit groupe était encadré tel un tableau – le comptoir astiqué, le cuisinier en tenue blanche, la serveuse avec sa bouche aussi rouge qu'une balafre et, au loin, des lumières qui s'allumaient à mi-hauteur du ciel, signe que les premiers lève-tôt commençaient à penser à leur nouvelle journée.

Leur voyage se résuma à une succession de relais routiers, de montagnes de carte postale, de café graisseux et de brossages de dents au bord de la route. Assis dans le car, ils transpiraient contre le tissu rugueux des sièges et regardaient défiler les États-Unis par la fenêtre. Juliet se sentait si petite ! Plus petite qu'une des fourmis de son jardin qui parvenait à se rendre du poirier à la table de sa cuisine. Elle avait l'impression d'avoir bu une gorgée à la fiole « Bois-moi » d'*Alice au pays des merveilles* et pris la taille d'une poupée. Alors qu'ils avançaient vers l'ouest, les plaines, de plus en plus vastes, s'étendirent vers des horizons vides, ponctuées seulement par des fermes isolées et l'interminable ruban gris de la route. En Angleterre, les chemins contournaient des haies, des collines, des arbres – même une fois l'arbre disparu, le virage vous indiquait qu'un chêne ou un frêne s'était dressé à cet endroit. Ici, pas un seul arbre le long de la route, le terrain était plat, plus lisse encore que le pantalon du samedi de Mr Greene. Parfois, Juliet et les enfants s'endormaient plusieurs heures et, à leur réveil, ils étaient incapables de juger d'après le ciel infini et l'espace couvert d'une herbe grise aplatie s'ils avaient ou non progressé. En début de soirée, le ciel s'embrasait à l'horizon, lentement d'abord, comme la flamme d'une allumette, jusqu'à ce qu'il prenne feu et incendie les nuages vagabonds, flambant dans des tons vermillon. Si Max avait employé un tel rouge dans un de ses tableaux, Juliet aurait dit qu'il était trop fort, tel le rouge écœurant d'un dessin d'enfant, mais ici, les couleurs semblaient différentes. Sous le grand soleil de midi, sa veste en tweed perdait son relief, mais son foulard mauve Liberty brillait, les taches jaunes du tissu prenant l'éclat de l'or.

Le soir, ils s'arrêtaient dans un restaurant du bord de la route, tous aussi poussiéreux et décrépits les uns que les autres. Les vêtements froissés, les jambes raides et mal assurées, les voyageurs descendaient du car, pour manger et se soulager avant d'y remonter, prêts à rouler de nouveau dans l'obscurité, la tête cognant contre la vitre, le pull transformé en oreiller.

Leonard perdit la notion du temps. Combien de jours avaient-ils passés dans ce car – deux, trois ou cent ? Il avait également oublié combien de fois Frieda avait vomi. Sa sœur paraissait plus maigre et plus maussade que jamais. Dans les *diners*, elle aspirait du Coca avec une paille et le regardait d'un œil envieux boire un milk-shake après l'autre sans craindre qu'ils ne lui remontent dans la gorge. Tantôt il s'asseyait à côté de sa mère, tantôt à côté de sa sœur (sauf quand elle avait la nausée) et, de temps en temps, à côté d'A-mé-ri-cains pur sucre. C'était ce qu'il préférait. Entre Louisville et Fort Smith, il voyagea à côté d'un représentant de commerce dont la serviette était bourrée d'imitations de montres de marque (mais qui donnaient tout aussi bien l'heure exacte). Pendant qu'ils partageaient des sandwichs au pâté de viande arrosé de ketchup, Leonard l'écouta parler de ses problèmes avec l'alcool, de sa relation difficile avec sa belle-mère qui l'avait poussé à la boisson, et regarda les photos de « mon petit garçon, Huck Junior ». Il se demanda si son père à lui était assis quelque part dans un car, partageant des sandwichs avec un autre gosse et lui montrant des instantanés de « mon fils Leonard ». Il y avait des chances.

Ils arrivèrent au centre de Los Angeles au milieu de l'après-midi du cinquième jour et descendirent du car sous le soleil brûlant de Californie. Une chaleur étouffante régnait entre les bâtiments, pas un souffle de vent n'agitait les feuilles des palmiers poussiéreux. Ne supportant pas l'idée de prendre un autre bus, Juliet fourra les enfants dans un taxi qui les déposa une demi-heure plus tard devant un immeuble d'habitation lugubre, à Venice. Juliet examina les enfants – Leonard en pantalon sale et tout ébouriffé, Frieda à la peau grise, les yeux cernés de mauve, clignant des paupières dans la vive lumière. S'efforçant d'oublier son mal de tête, Juliet tambourina sur la porte d'entrée. Au bout de quelques minutes, un homme vint leur ouvrir. Il était maigre, complètement chauve et pourvu d'une barbe touffue – ce qui, selon Leonard, le faisait ressembler à un œuf posé à l'envers dans un couvre-œuf. Il leur fit grimper plusieurs étages. Les enfants traînaient leur valise, les heurtant contre chaque marche. Tout en haut, le barbu chauve les fit entrer dans un appartement, remit une clé à Juliet et disparut dans l'escalier.

Après son départ, la petite famille, prise d'un accès d'énergie, se mit à s'activer. Ils inspectèrent les placards, vérifièrent la douche et les toilettes à moitié cachées par un rideau de plastique moisi. Leonard ouvrit une porte et poussa un cri.

« Ce n'est pas un placard, mais un… jardin ! » conclut-il après avoir cherché le mot juste.

Frieda et Juliet le suivirent dehors, sur un toit de ciment. En équilibre sur le rebord, un unique pot dans lequel se mourait une plante était ce qui se rapprochait le plus d'un jardin, mais, derrière un fouillis de câbles électriques et téléphoniques, ils découvrirent l'océan. Un océan, et non pas une mer comme à Margate ou à Swanage. Une bande de sable blanc s'étirait jusqu'à l'horizon, bordée au nord par une chaîne de montagnes voilée par une nappe de brume. Plissant les yeux, Juliet scruta le rivage. *Es-tu là, George ? Nous laisseras-tu te trouver ?*

« On peut aller se baigner ? demanda Leonard, fasciné par l'étendue étincelante.

— Demain. »

« Nous voudrions louer des bicyclettes », lança Juliet à travers la porte du gérant. Elle frappa de nouveau. L'homme finit par apparaître, vêtu d'un pyjama orange, une cigarette roulée à la main pendue à ses doigts.

« Des bicyclettes ?

— Oui. »

Mickey, car tel était le nom du chauve, écarquilla les yeux, de la cendre de cigarette tomba sur la moquette crasseuse.

« Au nom du Ciel, pour quoi faire ? »

Juliet réprima un soupir d'exaspération. « Pour circuler, évidemment. »

Rejetant la tête en arrière, Mickey éclata de rire, découvrant deux rangées de dents jaunes pareilles à des grains de maïs. Du revers de la main, il essuya de la salive sur sa bouche.

« Excusez-moi, mais personne, absolument personne, ne se déplace en vélo à Los Angeles ! »

Il fit une pause pour permettre à Juliet de comprendre l'absurdité de sa demande, mais cette dernière resta impassible. « C'est une voiture qu'il vous faut, finit-il par ajouter.

— Je ne sais pas conduire. »

Mickey regarda Juliet pendant une minute, puis il sortit dans le couloir, emportant avec lui une bouffée de l'air vicié qui régnait dans sa chambre. « Vous avez de l'argent ?

— Un peu, répondit Juliet en pensant aux quelques billets cachés dans le frigidaire de l'appartement.

— Mon frère est absent pour quelques semaines. Je pourrais vous louer sa voiture à un très bon prix.

— N'avez-vous pas entendu ce que je vous ai dit ? Je ne sais pas conduire. »

Agitant sa cigarette, Mickey chassa cette objection. « Rien de plus facile. Je vous montrerai les manœuvres de base, ensuite vous vous entraînerez. »

Une heure plus tard, Juliet était assise au volant d'une grosse Plymouth marron, Mickey à ses côtés. Installés sur la banquette arrière, Leonard et Frieda admiraient l'audace de leur mère. Un autre épisode dont il ne faudrait pas parler à leur grand-mère.

« Je crois que vous avez pigé », déclara Mickey en fin d'après-midi.

Concentrée sur la conduite de l'énorme véhicule, Juliet ne répondit pas. La Plymouth bringuebalait au milieu de la chaussée tel un bateau dans la houle. Les rues qui avaient semblé si larges paraissaient dangereusement étroites à présent. À la surprise de la conductrice novice, Mickey se révélait être un excellent moniteur. Plein de patience, il souriait de son sourire jaune, sa cigarette oscillant au bout de son bras pendu à la fenêtre. Il n'avait pas l'air de se préoccuper du bon état de la voiture – il n'émit aucun son lorsque Juliet érafla toute une rangée de véhicules en stationnement ou lorsqu'elle heurta le trottoir au moment de tourner dans Wilshire Boulevard. Il lui demanda de s'exercer à se garer, puis de les emmener à Sunset alors que la circulation de l'heure de pointe épaississait tel du porridge.

« Eh bien, nous y voilà, annonça-t-il soudain.

— Nous y voilà ? répéta Juliet, ignorant qu'ils étaient censés avoir une destination.

— Je vous avais bien dit que conduire était un jeu d'enfant. Vous pouvez me déposer ici. »

Il désigna un bar pourvu d'une enseigne au néon vert. Sans mettre son clignotant, Juliet obliqua vers le trottoir, déclenchant un concert d'avertisseurs. Mickey sauta à terre avec une étonnante agilité.

« Et comment je rentre, moi ? » lui cria Juliet.

Son moniteur la regarda, les yeux ronds. « Mais vous êtes motorisée !

— Oui, mais je ne sais pas comment retourner à Venice. »

Mickey se gratta le nez. « Demandez votre chemin aux gosses. Ils doivent le connaître. »

Là-dessus, il disparut. Juliet se tourna vers les enfants.

« C'est vrai ? Vous pourriez me guider ? »

Frieda et Leonard secouèrent la tête. Le vacarme des klaxons s'intensifiant, Juliet appuya sur l'accélérateur. Incapable de distinguer le soleil à travers l'écharpe de brouillard, elle essaya de deviner la direction de la mer. Sur la banquette arrière, les enfants se tenaient la main. Prise dans un déferlement de véhicules, Juliet fut propulsée sur l'autoroute. Ne sachant comment s'en échapper, elle roula dans la file du milieu, regardant d'autres voitures flotter telles des épaves à ses côtés. Au crépuscule, quand la circulation devint plus fluide, elle se surprit, dans une sorte d'ivresse, à accélérer. Soudain, elle quitta la ville. Les arbres firent place au désert, une poussière chaude entra par la fenêtre, la frappant au visage. Elle sourit de plaisir. *Je peux aller n'importe où. Je ne me suis pas perdue. Je suis libre.* Sa petite maison de Chislehurst appartenait à un autre monde. Un panneau indiqua « Las Vegas 320 km ». Après leur interminable voyage en car, cela ne lui sembla pas tellement loin. Tout ce qui comptait pour elle se trouvait dans la voiture. *Je pourrais tout aussi bien disparaître, continuer à rouler et ne jamais revenir. M'installer ici, recommencer ma vie.* Un gros oiseau noir l'observait depuis le bas-côté. Perché sur un morceau de métal tordu, il avait l'air hostile. La route s'étirait, grise, sans fin. Les premières étoiles apparurent près d'une lune pareille à une rondelle de citron.

Jetant un coup d'œil dans son rétroviseur, Juliet vit que ses enfants s'étaient endormis, pelotonnés l'un contre l'autre. Une vague de tendresse l'envahit. Elle se revit après son accouchement de retour chez elle, serrant Frieda contre sa poitrine, terrifiée à l'idée que le bébé pouvait se casser comme une poupée en porcelaine. George la lui avait ôtée des bras et l'avait posée sur leur lit. Éperdus d'admiration, ils étaient restés à contempler cette petite créature parfaite au visage écarlate. Frieda la mettait parfois mal à l'aise. Lorsqu'elle avait six ans et que Juliet allait la chercher à l'école, mère et fille rentraient en bus sans échanger un mot, même si Juliet se creusait les méninges pour trouver un sujet de conversation. Elle avait toujours l'impression que

Frieda la désapprouvait. Leonard était différent. Dès l'instant où la sage-femme le lui avait tendu, elle avait compris qu'ils resteraient toujours amis. Déjà à deux semaines, il lui avait souri, ce qui, de l'avis de son entourage, était impossible. Réconfortée par ce souvenir, elle se gara. En ouvrant la boîte à gants, elle découvrit une bouteille de bourbon. Elle descendit de voiture et but une gorgée au goulot, se disant qu'elle ne buvait pas pour le plaisir, mais pour célébrer ce moment. L'alcool fixe un événement comme le vernis fixe le bois des bancs de jardin. Même les rabbins les plus austères buvaient aux mariages. Ces libations les rapprochaient de Dieu, à ce qu'ils prétendaient. Renversant la bouteille, Juliet dessina un cercle par terre et regarda la poussière absorber le liquide. Elle imagina Max dans sa verte forêt. Puis ses pensées allèrent vers George.

Des voitures passèrent à toute allure, soulevant du gravier, ensuite la route redevint silencieuse. Elle pouvait remonter dans la Plymouth et continuer à s'éloigner, mais elle décida d'être raisonnable. Elle retournerait à Los Angeles.

Le lendemain, elle commença à chercher George. Descendant la promenade de Venice Beach, ils passèrent à côté de deux peintres qui avaient dressé leur chevalet à la limite de la plage et aperçurent quelques surfeurs âgés, aux barbes aussi blanches que l'écume des vagues. Pendant que Frieda et Leonard construisaient un château de sable sous l'œil de deux ivrognes qui leur offrirent des capsules de bouteilles de bière pour décorer les remparts, Juliet chercha « Gorgeous George's Glasses, Culver City » dans l'annuaire d'une cabine téléphonique. Pourvue de l'adresse, elle se demanda comment expliquer cette visite aux enfants. Leonard posa ses lunettes sur une serviette près d'elle, puis se rua sur Frieda et la poussa dans l'eau. Juliet s'allongea sur le sable en écoutant leurs cris. Elle ramassa les lunettes de son fils, les essuya avec un pan de son chemisier. Oserait-elle ce geste ? Pouvait-elle être aussi méchante ? Puis, avant d'avoir eu le temps de changer d'avis, elle tordit les lunettes, les cassant en deux. Les enfants émergèrent de l'eau et, haletants, se jetèrent sur le drap de bain. Leonard chercha ses lunettes à tâtons. Lorsqu'il les trouva, ses yeux s'emplirent de larmes. « Oh ! » s'exclama-t-il. Il s'accroupit sur le sable et regarda à travers les verres comme s'ils étaient deux monocles. « Je n'y vois rien, gémit-il. Il va falloir que je rentre en Angleterre.

— Mais non, mon chéri, nous les ferons réparer sur place, assura Juliet. C'était un accident. Je me suis assise dessus. Je suis vraiment navrée. » Elle se pencha et embrassa Leonard sur sa joue salée par les larmes et l'eau de mer. « Je connais un opticien près d'ici. »

Le magasin de Gorgeous George se trouvait au bout d'une rue de banlieue bordée de maisons basses, de palmiers poussiéreux et de pelouses aussi vertes que de l'eau dentifrice. Juliet mena les enfants vers la boutique. Elle dut aider le pauvre Leonard, à moitié aveugle, à contourner une bouche d'incendie.

La peinture de la porte s'écaillait, les lunettes de la vitrine avaient besoin d'être dépoussiérées. Une mouche cognait contre la vitre. Au comble de l'énervement, Juliet frotta ses mains moites contre sa jupe et s'immobilisa. Elle ne se sentait pas prête à entrer. Cela faisait près de quinze ans qu'elle s'était rendue chez Harry's Specs, dans la rue principale de Penge, déterminée à rencontrer leur bel assistant opticien, George Montague, quatorze ans depuis son mariage sous la *chuppah*, et huit ans depuis le jour de son anniversaire où son mari était parti travailler et n'était jamais rentré chez lui. Elle regarda ses enfants et son anxiété vira à la colère. Prenant une profonde inspiration, elle ouvrit la porte. Que George et elle se revoient dans un magasin d'optique paraissait tout à fait logique.

« Bonjour, madame. Je m'appelle Vera. Puis-je vous aider ? »

Une femme vêtue d'une élégante robe d'été jaune lui adressait un sourire de parfaite vendeuse. La quarantaine, elle avait des cheveux noirs et brillants, des yeux bleu foncé bordés de cils épais. De ses sandales ouvertes dépassaient des orteils aux ongles vernis pareils à des morceaux de sucre d'orge. Juliet fouilla dans son sac et en extirpa les lunettes cassées de Leonard.

« Nous avons eu un petit accident. Pouvez-vous me les réparer ? »

Vera les ôta des doigts de Juliet et les posa sur le comptoir.

« Je vais voir ça. » Sous sa voix basse à l'accent californien perçaient des inflexions européennes. Juliet essaya de les situer. « Nous allons vous arranger ça, bien sûr, mais, malheureusement, l'opticien est absent aujourd'hui.

— Oh ! »

Le cœur de Juliet reprit un rythme normal. Elle n'aurait su dire si c'était de soulagement ou de déception. À l'autre bout du magasin, Frieda et Leonard jouaient avec de grosses lunettes de soleil en plastique. Après avoir dégluti péniblement, Juliet demanda d'un ton dégagé :

« Je suis bien dans le magasin de George, n'est-ce pas ? George Montague ? Pardon. George Molnár ? »

Vera leva brusquement la tête. Elle resta silencieuse un moment, puis retrouva son sourire professionnel.

« En effet, le propriétaire de ce magasin s'appelle George. Vous le connaissez ? »

Juliet fronça les sourcils. « Je n'en suis pas sûre. Je l'ai peut-être rencontré, mais il y a très longtemps de cela. »

Vera se pencha de nouveau sur le comptoir. « Vous êtes ici en vacances ?

— Oui, nous vivons en Angleterre.

— Quel nom dois-je inscrire sur le ticket ?

— Leonard Montague. »

Des gloussements lui parvinrent du coin du magasin et le présentoir à lunettes vacilla dangereusement. Frieda le rattrapa à temps.

215

« Arrêtez de jouer avec ces lunettes, ordonna Juliet. Venez ici et tenez-vous tranquilles jusqu'à ce que nous ayons fini. »

Les enfants obéirent. Le nez chaussé d'une énorme paire de lunettes dont la monture était parsemée de pois, Frieda s'accouda au comptoir.

« Tu me les achètes, maman ? »

Juliet regarda le prix et tressaillit. « Non, elles sont beaucoup trop chères. »

Vera ne dit rien. Elle se contenta de regarder Frieda, la tête penchée de côté, puis, avec ce qui sembla un grand effort, se lança de nouveau dans un boniment commercial.

« Elles font fureur en ce moment. Toutes les vedettes de cinéma en portent. » Elle fit une pause. « Je peux vous accorder une remise de deux dollars.

— S'il te plaît, maman. Oh, s'il te plaît ! s'écria Frieda. Ce sont les plus belles lunettes de soleil du monde ! »

Juliet ne put s'empêcher de rire de son enthousiasme. Frieda fit bouger les lunettes sur son nez. Elles étaient monstrueuses.

« Magnifiques ! approuva Vera. Passe-les-moi. Je vais les ajuster. »

Se rendant compte qu'elle s'était laissé manipuler, Juliet soupira.

« Je te préviens que tu n'auras pas d'autre cadeau pour le restant de notre séjour, dit-elle, mais Frieda pivotait sur elle-même, extasiée.

— Je ne te demanderai plus rien. *Plus jamais.*

— Tu m'en achètes une paire à moi aussi ? dit Leonard.

— Nous faisons de très belles lunettes de soleil à verres correcteurs, roucoula la vendeuse, tout en surveillant Frieda qui tournoyait de plus en plus près du présentoir.

— Non, trancha Juliet.

— Revenez demain après-midi. Je veillerai à ce que les lunettes de ce jeune homme soient prêtes. »

Juliet passa sa langue sur ses lèvres sèches.

« Pensez-vous que George sera ici ?

— Non », répondit Vera sans sourire.

Juliet fit sortir les enfants. Elle s'arrêta sur le seuil et se retourna. Elle venait de situer l'accent caché derrière les sonores voyelles américaines. C'était un accent hongrois, le même que celui de George. Chez cette femme, il se mêlait aux sons du Nouveau Monde et non à ceux, plus familiers, de Londres, mais Juliet ne l'en reconnaissait pas moins.

Cette nuit-là, une fois les enfants couchés sur le canapé convertible, Juliet, incapable de trouver le sommeil, franchit la porte qui n'était pas un placard et sortit sur le toit. La mer scintillait dans l'obscurité. Un clochard ou un chien fouillait dans les poubelles, quelque part, en bas. Elle tapota sa poche, écouta le froissement de la page de journal. George, son mari, possédait-il à présent un magasin d'optique à Culver City ? Ou s'agissait-il d'un autre George ? Elle imagina leur réunion. Elle avait huit ans de plus que lorsqu'il avait disparu et les enfants n'étaient plus les bébés qu'il avait abandonnés. À l'époque, Leonard était un bambin joufflu qui commençait tout juste à marcher, titubant à travers le séjour avec un sourire béat. Juliet se sentit de nouveau envahie par la colère. Elle se força à ouvrir ses poings. Et George, à quoi ressemblait-il maintenant ? Malgré ses efforts, elle continuait à le voir aussi inchangé qu'une photo. Elle avait beau essayer de le vieillir – clairsemer ses cheveux, l'affubler d'une bedaine et de lunettes à monture d'écaille –, il gardait l'aspect d'un acteur déguisé. Elle soupira et le vieux George revint au galop – cheveux noirs, costume flottant sur sa charpente quel que fût le nombre de *latkes* de pomme de terre que Mrs Greene lui faisait avaler. Elle se remémora ce sourire en biais qu'elle aimait tant autrefois et ses battements de pied lorsqu'il chantait des ballades hongroises à Frieda.

Le matin, malgré leurs protestations, elle obligea les enfants à se doucher et à mettre des vêtements propres. D'où ses gémissements lorsque, une demi-heure plus tard, Leonard renversa son café sur le pantalon blanc de Frieda. Après tout, la cécité temporaire de son fils n'était-elle pas sa faute? Elle rinça le pantalon, le pendit sur le câble du téléphone comme sur une corde à linge et alluma une cigarette. En petite culotte, Frieda s'assit près d'elle.

« Il y a un opticien ici, à Venice, l'informa-t-elle.

— Ah oui? »

Juliet s'efforça de prendre un air indifférent.

« Ce n'était pas la peine de prendre la voiture et d'aller aussi loin que Culver City.

— Tu n'aurais pas eu tes superbes lunettes alors.

— Ouais, c'est vrai », reconnut Frieda. Elle mordit dans sa tartine de beurre de cacahuète et regarda Juliet avec les yeux de sa grand-mère.

La voiture était un vrai four. Les enfants se tortillèrent sur la banquette arrière, leurs cuisses humides couinant sur le siège de plastique. Entraînés dans le flot de la circulation, ils se perdirent deux fois. Frieda et Leonard réussirent à ne pas pouffer de rire quand leur mère proféra un juron. Vera leur avait demandé de revenir dans l'après-midi, mais Juliet voulait arriver en avance dans l'espoir d'attraper George. Mieux valait le surprendre. Elle lui présenterait Frieda et Leonard. « Voici les gosses que tu as abandonnés. Voici ton fils. » Tel un rot involontaire, un rire s'échappa de ses lèvres. Jamais elle ne se serait exprimée ainsi. Ces mots semblaient sortir de la stupide annonce que son père avait passée dans le *Jewish Forward*. Il se pouvait aussi que George ne reconnaisse pas ses enfants. Alors elle partirait sans dire un mot.

Ils arrivèrent peu avant dix heures. La brume avait fait place à un soleil couleur d'abricot. Des hommes en chemises à col ouvert identiques tondaient d'identiques pelouses tout le long de la rue, remplissant l'air d'une odeur d'herbe coupée qui rappela à Juliet les étés anglais. À sa surprise, elle éprouva un frisson de nostalgie. La porte du magasin était ouverte. Ils entrèrent. Personne. Se chamaillant gaiement, les enfants se précipitèrent de nouveau sur le présentoir des lunettes de soleil. Juliet attendit au milieu de la boutique. L'aiguille de la pendule murale rampait sur le cadran. Dehors, les tondeuses ronronnaient. Plusieurs minutes s'écoulèrent sans que quelqu'un apparût. Juliet regarda autour d'elle, puis se glissa derrière le comptoir. Le cœur battant, elle hésitait, se demandant ce qu'elle cherchait. Des commandes enfilées sur un pique-notes côtoyaient une caisse enregistreuse et des lunettes nichées dans un casier. Aucun objet personnel. Ni photos de gosses souriants ni boutons de manchettes en or marquées des initiales GM, à l'aspect étrangement familier. Apercevant deux portes au fond du magasin, elle en ouvrit une et regarda à l'intérieur. C'était un atelier d'opticien vide avec son fauteuil en cuir à haut dossier et une boîte en bois remplie de verres pareils à un assortiment de chocolats. Elle referma la première porte et se dirigea vers l'autre sur laquelle on lisait en petits caractères noirs le mot « Privé ». George se trouvait certainement derrière. Juliet porta la main à sa gorge, lissa ses cheveux. Fermant les yeux, elle imagina un salon tapissé de papier bleu, une lampe en forme d'étoile de mer et George assis dans un fauteuil, lisant le journal, une tache de dentifrice sur le menton.

« Mrs Montague ? »

Ouvrant les yeux, Juliet se retrouva nez à nez avec la femme de la veille.

« Excusez-moi, je… »

Incapable d'inventer une explication, Juliet s'interrompit, mais Vera sourit de ses dents blanches et haussa les épaules.

« Je suis un peu en avance, dit Juliet. Juste pour le cas où les lunettes de mon fils seraient prêtes. »

À cet instant, on entendit un fracas. Leonard venait de renverser le présentoir et les coûteuses lunettes de soleil commençaient à glisser par terre.

« Ce n'est pas grave », dit Vera. Elle se précipita vers le lieu du désastre et redressa le présentoir. « Il n'y a rien de cassé.

— Mr Molnár est-il là ? demanda Juliet d'un ton dégagé.

— Pas aujourd'hui, madame. Il ne travaille presque plus, vous savez, ajouta Vera. Il a près de quatre-vingts ans.

— Ah bon ? » fit Juliet. Ses épaules s'affaissèrent sous l'effet de la déception. Elle scruta le visage de Vera. Il était aussi dénué d'expression que celui d'un mannequin. « Le George que je connaissais doit être beaucoup plus jeune. »

Vera alla prendre les lunettes de Leonard dans le casier. « Cela fera un dollar pour la réparation et cinq pour les lunettes de soleil. »

Juliet compta les billets en silence. Accablée par sa déconvenue, elle avait la nausée.

« Avez-vous des toilettes ? s'enquit-elle.

— Je regrette, répondit Vera un peu trop vite, mais vous pouvez aller au drugstore, en face. Laissez vos enfants ici. Je m'en occuperai. »

Juliet marmonna un remerciement et sortit en hâte au soleil. La cacophonie des tondeuses lui donnait la migraine. Elle traversa en vitesse, regardant automatiquement du mauvais côté. Une grosse camionnette bleue dut faire une embardée pour l'éviter. Le conducteur klaxonna et brandit le poing. Juliet courut se réfugier dans le drugstore, laissant la porte claquer derrière elle. Bien qu'il fît grand jour, des tubes fluorescents vacillaient à l'intérieur. D'innombrables rangées de boîtes rouges, bleues et jaunes de lessive proclamaient : LE PLUS ÉCLATANT, LE PLUS EFFICACE, BLANCHEUR ÉBLOUISSANTE, de sorte qu'elle eut l'impression de traverser un tunnel de pop art.

Les toilettes sentaient l'eau de Javel et un parfum bon marché à la vanille. Même là, les lumières étaient trop vives. Elle pensa à Max et à son horreur de l'électricité. Un soir au lit, pour le taquiner, elle l'avait traité de luddite et de vieux grincheux. Max lui avait adressé un de ses sourires rusés et exhalé une bouffée de fumée de sa pipe. « Qu'est-ce que vous avez tous, Charlie et compagnie ? Pourquoi tenez-vous tant à éclairer au néon les recoins obscurs ? Pourquoi faut-il résoudre tous les mystères ? L'incertitude est pourtant source d'un certain plaisir. »

Se penchant au-dessus du lavabo, Juliet s'aspergea le visage d'eau froide. Ce fiasco était-il sa faute ? Aurait-elle dû s'abstenir d'essayer d'éclairer des recoins obscurs ? Elle pensa à Vera, à ses petits yeux vigilants. Cette femme lui rappelait les curieux qui vous épiaient de derrière leurs rideaux, chez elle, à Chislehurst. Si seulement la personne qui avait griffonné « Essayez George Molnár » sur la page de journal avait indiqué son nom ! Cependant, quel que fût cet inconnu, il, ou elle, avait cru que le George Molnár de Gorgeous George's Glasses était son George à elle, et non un vieillard de quatre-vingts ans. Au fil du temps, elle avait fini par croire qu'elle se résignait à ne pas retrouver son mari – tout comme on se résigne à boiter ou à souffrir d'un mal de tête irréductible –, mais ce fichu bout de papier lui avait donné de l'espoir. Toutes ces années de sage résolution avaient été balayées en une seconde. Ils avaient entrepris ce long voyage et, à moins que ses recherches n'aboutissent, elle ne pourrait jamais divorcer. Et elle ne récupérerait jamais son portrait. Juliet se redressa, sortit un peigne de son sac. Elle repensa à sa petite maison de Chislehurst, à ses murs qui se couvraient peu à peu de tableaux. Celui de Charlie dans le séjour, celui de Philip dans l'escalier, les croquis de Jim fixés à son miroir et la toile de Max, la Juliet-oiseau, près de son lit – la première chose qu'elle voyait à son réveil. Il y en aurait certainement d'autres, mais il en manquerait toujours un. Ce morceau d'elle-même resterait perdu, enchaîné à George. Penchée au-dessus du lavabo, elle remarqua une fêlure grise dans la porcelaine et passa l'ongle de son pouce dessus. En tout cas, elle était sûre que Vera était hongroise et qu'elle mentait.

Dans le magasin, Frieda et Leonard, las d'attendre, commençaient à s'agiter. Derrière le comptoir, Vera se limait les ongles tout en surveillant la porte.

Ayant retrouvé son assurance en même temps que sa vue, Leonard était occupé à transformer en avion une annonce publicitaire sur papier glacé. L'engin s'éleva péniblement dans les airs, vacilla sur quelques mètres et s'écrasa honteusement sur le dos telle une mouche morte. Poussant un soupir, Leonard le ramassa pour tenter un nouvel essai.

« Ta technique ne vaut rien. »

Levant les yeux, Leonard aperçut un garçon de dix-sept ou dix-huit ans au visage criblé de taches de rousseur.

« Je t'ai dit que tu n'avais pas besoin de venir au magasin aujourd'hui, Jerry », grommela Vera en sortant de derrière le comptoir.

Jerry bâilla. « Oui, mais je m'ennuyais. » Il se tourna de nouveau vers Leonard. « Tu veux que je te montre comment fabriquer un bon avion ? »

Plein d'admiration pour ce garçon inconnu, Leonard acquiesça d'un signe de tête. Jerry s'accroupit à côté de lui et s'empara d'un autre prospectus qu'il se mit à plier et à replier savamment. Leonard essaya de se rappeler chacun de ses gestes, prêtant plus d'attention à cette opération qu'il n'en avait jamais accordée à quoi que ce fût dans sa vie. Jerry se leva, un avion de papier parfait sur la paume de sa main.

« Voyons si celui-ci vole. »

D'un mouvement brusque du poignet, Leonard le lança en l'air. L'avion plana jusqu'à l'autre bout du magasin, puis atterrit avec élégance sur le comptoir.

« Waouh !

— Tu sauras en fabriquer un maintenant ?

— Je crois que oui.

— Bonne chance, mon vieux. »

Frieda contemplait Vera, lui enviant ses longs ongles rouges. Cette dame était encore plus élégante que les mannequins qu'elle voyait dans les magazines, chez le dentiste. Elle se demanda si sa mère se vernissait les ongles avant le départ de son père. Selon les revues de mode, les hommes aimaient ça. Reportant son attention sur le nouveau venu, elle l'examina de derrière ses lunettes de soleil. Très grand, il avait les cheveux roux et des bras musclés tavelés de taches de rousseur. Comme il ne semblait pas avoir remarqué sa présence, elle essaya de s'entortiller autour du dos d'une chaise. Lorsque Jerry leva les yeux et lui fit un clin d'œil, elle réprima un sourire.

« Hé, je te connais », lança-t-il.

Vera se tourna brusquement vers lui.

« Ouais, enlève un peu tes lunettes », continua Jerry.

Docile, Frieda les monta sur son front.

« Mais bien sûr ! Tu es Elizabeth Taylor ! »

Frieda sourit et devint écarlate, couleur qui jurait avec sa monture de lunettes orange.

De retour du drugstore, Juliet ouvrit la porte pour les enfants.

« Venez maintenant. Merci de les avoir gardés », lança-t-elle à Vera.

Elle ne remarqua ni l'avion en papier que Leonard serrait dans sa main ni l'adolescent aux yeux noirs qui les observait à travers la vitre tandis qu'ils s'éloignaient à la hâte.

Vera Molnár attendit que Juliet Montague ait atteint le bout de la rue et resta immobile jusqu'à ce que la voiture eût repassé devant le magasin. Ensuite, elle alla à la porte, tourna l'écriteau « Ouvert » du côté « Fermé » et s'adossa un instant contre le battant vitré.

« Quelque chose ne va pas, maman ? » demanda Jerry.

Vera sourit. « Tu es un brave garçon, mon petit *aidesh*. Si nous déjeunions tôt aujourd'hui ? » Elle ouvrit la caisse, en sortit une poignée de monnaie. « Va donc acheter quelques hot-dogs chez le traiteur. »

Après le départ de son fils, elle franchit la porte marquée « Privé » et pénétra dans l'appartement situé derrière le magasin.

Elle mesura plusieurs cuillerées de café moulu, posa la cafetière sur la cuisinière. En attendant que l'eau bouille, elle entra dans le petit séjour tapissé de bleu. Des rideaux volaient dans la brise, une abeille se posa sur le téléviseur. Vera s'assit sur le canapé râpé et regarda le poster, une reproduction des «Tournesols» de Van Gogh. L'impression laissait à désirer – les pétales étaient bruns plutôt que dorés – et l'affiche était fixée de travers. En outre, elle ne couvrait pas entièrement le rectangle plus foncé sur le papier peint, là où un tableau plus grand pendait autrefois. Vera s'en souvenait fort bien – cette toile avait été l'unique bel objet qu'ils possédaient. Le portrait d'une fillette aux cheveux bruns et aux yeux verts qui avait ramené ses jambes maigrelettes sous elle comme si elle ne pouvait s'arrêter de remuer. Si elle n'avait pas connu la vérité, Vera aurait pu croire que c'était celui de la gosse qui venait de quitter son magasin. Comment s'appelait-elle encore? Frieda. Mais Vera savait qui en avait été le modèle. L'autre femme de George. Mrs Juliet Montague.

Pendant la semaine suivante, Juliet roda sur la promenade de Venice Beach, la montant et la redescendant comme si George allait apparaître entre les fissures du ciment. Elle écrivit au détective privé de Brooklyn, lui demandant de lui envoyer l'enveloppe qui avait contenu la page de journal, mais l'homme répondit sur une carte postale représentant l'Empire State Building qu'il l'avait jetée et ne se rappelait pas le cachet de la poste. Pas très professionnel pour un limier! Entre-temps, les enfants se baignaient, se disputaient, mangeaient trop de glaces et surveillaient leur mère en catimini.

Leonard commençait à se demander s'il ne s'était pas trompé. Qui sait si l'espion en mission secrète n'était pas son père, mais sa mère ? Il la surveillait de près, se réveillait la nuit pour vérifier si elle était dans son lit, si elle ne s'était pas glissée dehors pour filer quelqu'un. À sa surprise, elle était toujours là. Il l'entendait soupirer dans le noir et sentait l'odeur des cigarettes qu'elle allumait sans les fumer. Cependant, il avait lu assez de romans policiers pour savoir qu'il fallait employer des moyens détournés pour la démasquer. Aussi fouilla-t-il ses poches pendant qu'elle était sous la douche. Il découvrit la page de journal froissée, examina la galerie de photos. Elle était donc bien en mission. Une mission si secrète que Frieda et lui ne devaient pas en prendre connaissance. Assis sur le lino de la cuisine, il étudia la série de portraits d'hommes, essayant d'associer la photo encerclée de « George Molnár » avec le vague souvenir qu'il gardait de son père. Plissant les yeux pour mieux se concentrer, il évoqua la photo de mariage de ses parents – Juliet en robe blanche à côté d'un homme qui avait un trou à la place de la tête. Il remplit ce vide avec le visage de George Molnár – comme lui, Leonard, avait passé la tête par l'ouverture pratiquée dans l'effigie en carton d'un cow-boy, un jour, à la foire, pour se faire photographier par son grand-père. S'il en avait eu la possibilité, lequel de ces hommes du journal aurait-il choisi comme père ? Heureusement, George ne portait pas de barbe, ces espèces de plumeaux qui vous cha-touillaient et retenaient toutes sortes de choses – des miettes, des parcelles de votre déjeuner, des clés et des trucs comme ça. Le bruit de la douche s'était tu et il entendit le flop-flop des pieds de sa mère sur le carrelage de la salle de bains. Il remit le papier à sa place et se demanda s'il allait parler de sa décou-verte à Frieda. Par la porte entrouverte qui donnait sur le toit, il aperçut sa sœur. Installée sur le rebord de la terrasse (là où on leur avait strictement interdit de s'asseoir), elle balançait ses jambes et faisait des bulles grosses comme des ballons de plage qu'elle crevait d'un doigt crasseux. Depuis leur arrivée en Californie, Frieda avait en permanence sur elle un paquet poisseux de Bazooka Joe.

« Frieda, tu me files un de tes chewing-gums ? demanda-t-il en la rejoignant.

— Fiche-moi la paix. »

Leonard se tourna et rentra dans l'appartement. Non, décida-t-il, il ne lui dirait rien.

Le mardi, alors qu'elle se hâtait le long de la promenade pour acheter des bagels pour le petit déjeuner, Juliet passa à côté de plusieurs artistes en train de peindre, leurs chevalets enfoncés au bord de la plage. Instinctivement, elle ralentit pour regarder leurs œuvres. Les deux premiers tableaux étaient de banales marines au pastel – couleurs plates, eau beaucoup trop calme – mais le dernier retint son attention. Elle s'attarda derrière la chaise du peintre et le regarda travailler en silence. Une jeune femme aux cheveux auburn volait dans un ciel constellé d'étoiles, au-dessus d'une bande de sable blanc. Sous le pinceau de l'artiste, la mer devenait sombre et agitée.

« Alors, ça vous plaît ? demanda l'homme sans se retourner.

— Oui », répondit Juliet.

Elle attendit un moment, regardant des chevaux blancs sortir des vagues peintes et des mouettes nocturnes encercler la fille volante. L'homme finit par lui désigner un banc du bout de son pinceau.

« Asseyez-vous. Vous me donnez mal aux jambes.

— Oui, mais alors je ne verrai plus rien.

— Dans ce cas, je ferai une pause et m'assoirai avec vous. »

Le peintre se mit debout, se tourna vers Juliet et souleva son feutre. Il avait la soixantaine, des cheveux gris clairsemés, des yeux du même bleu que la mer dans son tableau.

« Je m'appelle Tibor Jankay, dit-il en tendant une main tachée de peinture.

— Juliet Montague. »

Ils se serrèrent la main, contents l'un de l'autre, et s'installèrent côte à côte sur le banc.

« Qui est cette fille dans votre toile ?

— Vous. »

Juliet rit.

Tibor sortit un grand carnet à dessins de son sac et le lui tendit.

« Jetez-y un coup d'œil, si cela vous intéresse », dit-il.

Il alluma une cigarette, tira son chapeau sur ses yeux.

Somnolant à moitié, il se mit à fredonner entre ses dents. Juliet feuilleta les croquis, des fusains pour la plupart. Dessinés à grands traits énergiques, ils représentaient presque tous la même fille. Ses cheveux se répandaient en cascade, son profil montrait un solide nez juif. Certaines de ces esquisses étaient en couleurs. La plupart du temps auburn, les cheveux de la fille étaient parfois rouges ou jaunes. Juliet soupira.

« Quoi ? Vous n'aimez pas ? demanda Tibor en ouvrant un œil.

— Mais si, au contraire. Je suis en vacances et je ne m'étais pas rendu compte à quel point j'étais affamée de peinture.

— Je vous comprends, déclara l'artiste. Moi aussi j'aime les tableaux. Les tableaux et le soleil. Il n'y a pas mieux que le soleil de la Californie. Il est supérieur de cinquante-trois pour cent à tous les autres soleils, le saviez-vous ? »

Juliet se demanda s'il plaisantait. Tibor sortit une barre de chocolat Hershey de sa poche.

« Vous en voulez un bout ? demanda-t-il. Il ne vaut pas le chocolat européen, mais j'ai dû choisir entre un chocolat de bonne qualité et un soleil de bonne qualité. »

Il parlait avec le même accent *Mitteleuropa* que Vera, sauf que, chez lui, les intonations « Vieux Continent » étaient plus fortes, plus près de la surface. Par politesse, Juliet accepta un carré de chocolat à moitié fondu. À part ce vieil homme, Leonard était la seule personne de sa connaissance qui aimât manger du chocolat au petit déjeuner. Elle devait sans doute retourner à l'appartement et réveiller les enfants, mais elle prenait plaisir à rester assise avec Tibor et à se prélasser dans la tiédeur matinale de la Californie. Alors que le peintre lui tendait un autre morceau de chocolat, Juliet se rendit compte de sa solitude avec un serrement de cœur pareil à une crampe.

« Vous êtes le premier adulte auquel je parle depuis notre arrivée aux États-Unis », avoua-t-elle.

Tibor sourit. « Encore faudrait-il savoir si je suis vraiment adulte. »

Juliet rit. La plupart des gens lui auraient demandé pourquoi son mari ne l'accompagnait pas ou aurait fait quelque commentaire sur le fait qu'elle voyageait seule.

« Revenez ici demain, à la même heure, dit Tibor. Je ferai votre portrait. »

Juliet sursauta. Il ne lui était jamais venu à l'idée que quelqu'un la peindrait en Californie. Réconfortée par cette pensée, elle ferma les yeux. La ville, autour d'elle, bourdonnait d'activité, tout le monde filait en voiture d'un endroit à l'autre. Ses enfants et elle s'étaient glissés inaperçus dans ce flot continu et personne ne remarquerait leur départ. Cependant, une toile exécutée ici, à Venice Beach, la relierait à cet endroit et ce lien subsisterait après leur retour chez eux.

« Oh, avec plaisir ! s'écria-t-elle. J'essaierai de venir, ajouta-t-elle, regrettant vaguement d'avoir promis aux gosses de les emmener voir le panneau géant de Hollywood.

— À demain, alors. »

Juliet lécha le chocolat sur ses doigts. Oui, bien sûr qu'elle viendrait.

Le lendemain matin, Tibor regarda Juliet descendre la promenade, un grand sac de plage en ficelle à la main et flanquée de ses enfants. Leonard était plein de curiosité, Frieda de mauvaise humeur. Pourquoi tout le monde voulait-il peindre sa mère ? se demandait la fillette. Cependant, à la vue de Tibor, elle se rasséréna. Elle avait supposé que la plupart des peintres ressemblaient à Philip, à Charlie ou à Jim, mais cet homme lui rappelait son grand-père. Qu'il peigne donc sa mère si ça lui chantait! Quant à elle, elle ne poserait jamais pour lui, dût-il la supplier.

Il y avait du vent et la plage grouillait de lanceurs de cerfs-volants tropicaux. Des surfeurs barbotaient dans l'eau. La plupart s'ébattaient dans les bas-fonds, fouettés par les vagues. Seuls deux ou trois galopaient par-dessus les crêtes tels des cavaliers de cirque montés à cru.

« Je vais me baigner », annonça Frieda. Elle se tortilla pour enlever son jean et traversa la plage en direction des surfeurs.

« Reste là où je peux te voir et garde un œil sur ton frère, lui cria Juliet.

— Je préfère rester ici et regarder monsieur travailler, dit Leonard.

— D'accord, acquiesça Tibor.

— Vous peignez à l'huile ou à l'acrylique? » demanda le garçon.

Tibor eut un petit rire. « Tu peins, toi aussi?

— Oui, répondit Leonard en se rengorgeant, mais je veux bien jouer les assistants pour une fois. »

Après avoir étendu une serviette sur le banc, Juliet s'assit, les jambes allongées. Elle regarda les cerfs-volants claquer dans le ciel, écouta le bavardage des hommes.

« Vous avez un accent, fit remarquer Leonard.

— Toi aussi », riposta Tibor.

Le garçon se tut un moment pour réfléchir. « Oui, pour vous j'en ai un, mais le vôtre n'est ni américain ni anglais, il est *étranger*.

— Hongrois. »

Juliet lança un coup d'œil à son fils, se demandant si cela signifiait quelque chose pour lui, s'il se rappelait que son père avait cette nationalité.

« Vous avez toujours aimé peindre? reprit Leonard.

— Oui, toute ma vie, et ça représente pas mal d'années. Elle aurait pu être courte, remarque, mais j'ai été sauvé par un dessin. »

Leonard cessa de rincer des pinceaux et regarda Tibor. Juliet s'agita sur son banc.

« Vous, dit le peintre en pointant sur elle son couteau à palette, arrêtez de bouger. Si vous restez tranquille, je vous raconterai une histoire. »

Avec l'assurance d'un vieil artiste qui se moque de l'opinion des autres, il trace de grandes lignes rouges sur la toile. En soixante ans, il n'a pas vendu un seul tableau. Il aime dire en plaisantant qu'il vendrait plutôt ses gosses, mais des gosses, il n'en a pas. Il a juste une maison bourrée de peintures. Elles encombrent l'escalier, le palier, sa chambre. Elles s'entassent contre le mur de la chambre d'amis, contre des caisses dans le garage. Peu lui importe qu'il en soit submergé – elles ne sont pas à vendre. Ni maintenant ni plus tard.

Les cheveux de Juliet apparaissent en premier. Ils volent au vent comme les queues plumeuses des cerfs-volants. Suit le disque éclatant du soleil qui rebondit sur l'horizon tel un ballon de plage jaune. Le peintre parle. Ils écoutent.

« J'étais dans un train, un train horrible roulant vers un endroit innommable. Un de ces endroits où l'on vole l'âme des hommes. Nous étions tellement entassés que lorsque l'un de nous s'évanouissait ou mourait, il restait debout, immobilisé par les autres. Mais j'avais un burin dans la poche et j'ai commencé à creuser l'un des panneaux du wagon, ouvrant un trou juste assez large pour laisser passer un type maigre. Or, à l'époque, j'étais encore plus mince que toi. »

Tibor agita son pinceau en direction de Leonard qui le regardait fixement, se gardant de l'interrompre.

« Mes compagnons d'infortune criaient et m'injuriaient, m'accusant de leur créer des ennuis, disant qu'à cause de ce que j'avais fait tous seraient punis. Je les ai suppliés de s'enfuir avec moi. Savez-vous combien d'entre eux m'ont écouté ? »

Leonard fit signe que non.

« Aucun, reprit Tibor. Je suis donc parti tout seul. Par mon trou, j'ai regardé défiler le paysage enneigé. Parfois, on voyait une ferme isolée, parfois plusieurs d'entre elles ou des groupes de petites maisons en bois qui formaient un village. J'ai attendu que le train soit loin de tout puis, tandis que les femmes m'engueulaient et que les hommes me tapaient sur la tête, je me suis glissé à travers le panneau cassé et j'ai sauté sur la voie. J'y suis resté couché aussi tranquille qu'une souris qui sait qu'une ménagère la guette pour l'assommer avec un journal roulé. Le train est passé en grondant au-dessus de moi. Je me suis dit que j'allais sans doute mourir, mais qu'il valait mieux finir comme ça que de recevoir une balle dans la nuque ou… »

Voyant que Juliet secouait presque imperceptiblement la tête, il s'interrompit, haussa les épaules.

« Votre mère a raison, déclara-t-il. Inutile que vous sachiez ces choses-là à votre âge. Le train, donc, passe au-dessus de moi pendant une éternité et soudain, c'est le silence. Je suis seul. La nuit tombe et le froid s'accentue. Tu viens d'Angleterre, Leonard ? »

Le garçon acquiesça en cillant des yeux.

« Alors tu ignores ce qu'est un vrai froid. Votre pays est un peu humide, mais, en comparaison, il y fait presque chaud. Dans l'est de l'Europe, le froid gèle si profondément vos os qu'ils tombent en poussière et épaississent la couche de neige. Je savais que je devais trouver un abri pour la nuit sous peine de mourir. Mais comment ? J'étais au milieu de nulle part, dans une vaste étendue de neige où l'on ne voyait que des arbres noirs et, ici et là, un loup affamé, aussi maigre que moi. Je ne portais qu'un léger manteau et pas d'écharpe. J'ai marché jusqu'à ce que la lune soit haute dans le ciel, jusqu'à ce que j'aperçoive enfin une lumière. Une ferme isolée qui se dressait au bord de ce désert glacé.

— Ils vous ont laissé entrer et donné à manger ? » s'enquit aussitôt Leonard.

Tibor sourit. « J'avais bien trop peur pour frapper à la porte. Je me suis faufilé dans la cour où j'ai trouvé une énorme meule de foin mélangée avec de la fiente de poule. J'ai rampé à l'intérieur et j'ai fourré des poignées d'herbe dans mes vêtements pour me tenir chaud.

— Ça devait gratter, non ?

— Terriblement. Et puis, il y avait toutes sortes de petites bestioles dans le foin. »

Tibor lança un coup d'œil à Juliet pour lui faire comprendre qu'il ajoutait ce détail à l'intention de Leonard.

« Je sombre dans le sommeil et je dors si bien que je tombe à travers le monde, le ciel, au-delà de la lune et des étoiles. »

Juliet s'aperçut que, tout en parlant, Tibor peignait une étoile de mer aux couleurs éclatantes couchées sur la plage. Il recula, l'examina, puis, poussant un soupir, la recouvrit de sable jaune. Le mollusque disparut dans la toile, caché comme un fossile dans les couches successives de peinture.

« Le matin, je suis réveillé par une vive douleur dans ma jambe, puis dans mon postérieur. Quelque chose me mord. Je me dégage du foin et j'aperçois le fermier. Il se penche au-dessus de moi, prêt à me piquer de nouveau. "Voleur ! crie-t-il. Juif !" Il essaie de m'attraper et je sais qu'il va aller chercher la police. Il me tient par le col. Bien qu'à moitié étouffé, je parviens à articuler : "Je ne suis pas un voleur ! Je vous paierai pour la nuit que j'ai passée ici !" Le bonhomme arrête de m'enfoncer son fichu outil dans le corps pour rire à gorge déployée. Un son désagréable. "Et avec quoi tu vas me payer ? dit-il. Ton manteau ? Tes souliers ?" Je regarde mes bottes trouées, mon pardessus râpé et je me dis : "Si je me dépouille de ces vêtements, je mourrai cette nuit." Puis je me rappelle que ma poche contient un crayon et un carnet de dessins. "Je ferai votre portrait, je bafouille. Je suis peintre. Si mon travail ne vous plaît pas, vous pourrez me dénoncer, me prendre les souliers et tout ce que vous voudrez."

« Le gars grogne une réponse que j'interprète comme un assentiment. Il m'emmène dans la cuisine pour pouvoir poser au chaud. Heureusement! Comment aurais-je pu dessiner dehors avec des doigts tremblants? La pièce est nue. Elle ne contient qu'une table, un fourneau assez sale et deux chaises. Il s'assied sur l'une d'elles, moi sur l'autre, et je me mets à dessiner, sachant que ma vie en dépend. Mes doigts sont raides, couverts d'engelures – j'ai l'impression d'être un pianiste qui essaie de jouer du Beethoven avec des gants –, mais je les force à travailler. J'essaie de donner de lui l'image qu'il souhaite – un personnage héroïque, fort, fougueux –, mais je veille soigneusement à conserver une ressemblance. Il serait furieux si ses copains se mettaient à rire et déclaraient que le portrait n'avait rien à voir avec lui. Je garde ses petits yeux porcins et son nez d'ivrogne. Je lui montre le résultat. »

Leonard se pencha en avant. « Et alors? Que s'est-il passé ensuite? »

Tibor resta un moment silencieux, puis il se leva. Juliet le regarda, les yeux emplis de tristesse. Elle se rendait compte que le peintre avait édulcoré son histoire. À cause de Leonard, il l'avait transformée en aventure. Elle ne savait que dire. S'en apercevant, Tibor lui adressa un petit signe de tête, à elle et à la Juliet du tableau. Après avoir redressé son chapeau, il se tourna vers Leonard en haussant les épaules.

« Ensuite? Eh bien, j'ai survécu. J'ai passé le reste de la guerre en tant que peintre ambulant. J'allais d'une maison à l'autre et je faisais le portrait des fermiers, de leurs femmes et de leurs filles, les laides comme les jolies. Et je suis toujours en vie. »

Là-dessus, il retourna à son travail. *Moi aussi, j'ai été sauvée par un tableau*, se dit Juliet. *Le portrait de Charlie m'a empêchée de sombrer dans le désespoir et m'a fait entrer dans un monde plein de couleurs.*

Le lendemain matin, Tibor continua à peindre Juliet. Leonard resta auprès d'eux. Il se contenta d'abord de regarder travailler l'artiste, puis il demanda une feuille de papier pour s'y mettre lui aussi.

« Tu vas dessiner la mer ? demanda Tibor. Un peintre a besoin d'outils adéquats. »

Le garçon promena son regard sur la plage où Frieda, allongée sur le sable, prenait un bain de soleil.

« Non, je vais faire un portrait », répondit-il.

Tibor fouilla dans son sac et en tira un assortiment de crayons. « Tiens, commence avec ceux-là. »

Frieda lança à son frère un regard noir.

« Qui t'a donné la permission de me dessiner ?

— Tais-toi. Tu m'empêches de me concentrer. »

Frieda grommela quelque chose et ferma les yeux, mais le faible sourire qui apparut sur ses lèvres trahit sa satisfaction. Au bout d'une demi-heure, Tibor posa son pinceau et se pencha sur le croquis de Leonard. Après l'avoir examiné d'un air solennel, il hocha la tête.

« Le gosse a capté son modèle. La bouche est un peu trop grande et le menton trop pointu, mais les yeux sont parfaits. Oui, c'est bien elle. »

Juliet, à son tour, regarda le dessin. Elle embrassa Leonard sur le crâne. Frieda se retourna sur le sable pour voir son portrait, elle aussi.

« C'est pas trop mauvais, reconnut-elle. Allez, viens te baigner, petit morveux. »

Les enfants coururent vers la mer en se chamaillant gaiement.

Tibor s'étira et bâilla. « Alors, Juliet Montague, pourquoi êtes-vous ici, dans cette belle Californie ? S'agit-il de simples vacances ? Visiter la France ou le Norfolk aurait été plus facile. Le Norfolk est bien en Angleterre, non ?

— Je suis ici à cause d'une toile. D'une toile et d'une galerie. » Juliet plongea la main dans la poche de sa robe, en extirpa la page de journal. Tibor l'examina, remuant les lèvres pour lire le texte yiddish.

« La Galerie des maris disparus, traduisit-il. Cet homme entouré d'un trait au crayon, c'est votre mari ?

— Oui.

— Et vous pensez qu'il est ici, à Los Angeles ?

— Oui, mais je ne l'ai pas encore trouvé.

— Essayez donc ce magasin, Gorgeous George's Glasses.

— C'est ce que j'ai fait, dit Juliet. Il n'était pas là. Savez-vous où je pourrais obtenir des renseignements ? Quelqu'un doit le connaître. »

Tibor la regarda avec des yeux inexpressifs.

« Il est hongrois, précisa Juliet. Il s'appelait Molnár.

— Je ne connais personne de ce nom. Et je ne connais plus aucun Hongrois. Ils fréquentent un certain café. »

Juliet se redressa brusquement, renversant un vase plein de pinceaux. Un flot d'eau verte se répandit sur le ciment.

« Pouvez-vous m'y emmener ?

— Non. Je n'y mets jamais les pieds. Mais je vous en donnerai l'adresse. »

Juliet joua avec l'idée de demander à Mickey de surveiller les enfants, cependant, après réflexion, elle conclut que ceux-ci seraient plus en sécurité tout seuls. Une fois qu'ils furent couchés, elle attendit que leur respiration devienne régulière, puis se glissa hors de l'appartement, ses chaussures à la main.

Quand la porte d'entrée se referma, Leonard, qui avait seulement fait semblant de dormir et se demandait s'il n'avait pas un peu exagéré ses ronflements, s'assit dans son lit. Il avait compris que sa mère manigançait quelque chose dès l'instant où elle s'était remis du rouge à lèvres au lieu de se brosser les dents. Il descendit l'escalier derrière elle, dans l'obscurité, s'efforçant de ne pas marcher sur le bas de son pyjama hérité, à sa grande honte, de Frieda. Après avoir entendu la porte de l'immeuble s'ouvrir et se refermer, il se précipita sous le porche et, à travers la vitre, vit sa mère monter dans la Plymouth et démarrer. Il regarda les feux de position disparaître au coin de la rue. Le trouverait-elle, cette fois ? Son père reviendrait-il à la maison cette nuit ?

Juliet se gara. Le volant glissa entre ses mains moites, les pneus grincèrent contre le trottoir. Couleur de nicotine, les lumières du café se répandaient sur le trottoir. Elle descendit la vitre et pendant un moment écouta les salves de rire et la musique qui s'échappaient de l'intérieur. Des années plus tôt, au début de leur mariage, George l'emmenait souvent dans ce genre d'endroit. Elle prenait même plaisir à rester assise à côté de lui pendant qu'il battait ses partenaires aux échecs à plate couture. Ceux-ci réagissaient alors d'une façon mélodramatique, typiquement slave. Se laissant retomber contre le dossier de leur chaise, ils l'attrapaient par le bras et gémissaient : « Ach, votre mari me tue ! Il me saigne à blanc. Par pitié, allez me chercher un autre schnaps. Et aussi un petit gâteau aux graines de pavot. »

Elle entendit pleurer un violon et des bottes marteler le plancher sur un rythme très ancien – un *shtetl* au beau milieu de Culver City ! Dommage que Tibor ne l'eût pas accompagnée. Le vieil homme s'était montré inflexible. « Je ne retournerai jamais en Hongrie. Il fait beaucoup trop froid là-bas. Comme je vous l'ai dit, c'est ce bon soleil d'ici qui me maintient en vie. »

Elle espéra que le vacarme et la foule lui permettraient de se glisser dans l'établissement sans se faire remarquer, mais le violoniste baissa son archet et vingt paires d'yeux se braquèrent sur elle. Regardant droit devant, Juliet s'approcha du bar.

« Un café, s'il vous plaît. »

Le patron, un homme d'âge mûr, chauve, dont la chemise se tendait sur sa bedaine, se pencha avec difficulté. Il remplit un verre d'un liquide clair, à l'odeur âcre. Juliet le flaira d'un air méfiant.

« C'est quoi, ça ? demanda-t-elle.

— Du café », répliqua l'homme avec un reniflement de dédain.

Derrière le comptoir, une grosse femme en tablier fleuri essuyait des verres avec un torchon crasseux et grondait des enfants invisibles. En arrière-fond, on entendait les sons d'un spectacle de télévision et des rires préenregistrés. Les clients cessèrent de regarder Juliet et retournèrent à leur partie d'échecs, de cartes ou à leurs distrayantes chamailleries. Dans un coin, un homme lisait le *Jewish Forward*. Juliet se demanda quels individus figuraient ce mois-ci dans la Galerie des maris disparus. Le café regorgeait de visages familiers. Elle aperçut le crâne dégarni de son père, le sourire narquois de l'oncle Jacob et perçut le rire polisson de l'oncle Ed. Elle se détendit légèrement. Le violoneux se remit à jouer. C'était une polka assez lente pour que des gens âgés ou ivres puissent la danser.

« Je cherche cet homme », dit Juliet en sortant la page de photos.

Elle la passa au patron qui l'examina, les sourcils froncés.

«Vous êtes de la police ? » demanda-t-il.

Juliet rit. « Non, je suis sa femme.

— C'est encore pire. »

Juliet essaya de reprendre le papier, mais le bistrotier gardait ses doigts dessus. La femme au torchon tendit la main. Docile, son compagnon lui céda la page et entreprit de ranger les verres.

«Vous cherchez cet homme ? » fit la femme en tapotant la photo de George de son ongle écarlate ébréché.

Juliet opina. Après l'avoir regardée de la tête aux pieds, la patronne parut satisfaite de son examen. Elle tapa sur le comptoir pour demander le silence et, tenant la photo au-dessus de sa tête, la montra aux clients.

« L'un de vous connaît-il cet homme ? George Molnár. Sa femme le cherche. »

On entendit des murmures dans un mélange d'anglais, de hongrois et de yiddish ainsi que quelques rires.

« Qui vous a envoyée ici ? cria un consommateur d'un certain âge vêtu d'un tee-shirt blanc et de sandales qui révélaient des orteils maigres et velus.

— Tibor. Tibor Jankay.

— Tibor ? *Oh mein Gott !* Quand vous le verrez, dites-lui qu'il doit toujours vingt dollars à Edgar.

— Bien sûr, répondit Juliet, à condition que vous me disiez si vous avez vu George Molnár.

— Méfiez-vous de lui, chuchota la patronne. Il ne sait rien. Il veut simplement attirer l'attention d'une femme. La sienne ne lui parle plus depuis des années.

— Vous êtes de quel pays ? demanda un autre client, plus jeune que les autres, et assez beau en dépit de sa mâchoire empâtée.

— D'Angleterre.

— Vous avez fait un si long voyage pour retrouver ce George ? J'espère qu'il en vaut la peine. » L'homme lui fit un clin d'œil.

« Ma femme ne viendrait même pas me chercher à Beverly Hills, commenta le premier interlocuteur. Même si j'étais victime d'une attaque doublée d'un accès de folie.

— Moi, je connais un George Molnár. »

Juliet se tourna vers un homme rondouillet au visage luisant de sueur, assis devant un échiquier. Il se passa la langue sur sa bouche charnue.

« Il avait un magasin d'optique. Gorgeous George's Glasses, ou un nom comme ça. »

Juliet s'approcha de lui. « Oui, oui, c'est bien ça. »

Affublé de toutes petites lunettes, son informateur avait des yeux bleus en bouton de bottines et un triple menton. Juliet eut l'impression qu'il se composait entièrement de cercles. De son doigt boudiné, il remonta ses lunettes sur son nez.

« Il avait une jolie femme, poursuivit-il. Une ambitieuse à la langue acérée. Je l'ai rencontrée deux ou trois fois. Ce n'était pas vous.

— Non, ce n'était pas moi, confirma Juliet. Êtes-vous sûr qu'il s'agit de ce George-ci ? »

Elle ôta la page de journal des mains de la patronne et la soumit au joueur d'échecs. Celui-ci acquiesça de la tête.

« C'est bien lui. Un type sympa. Il était doué pour les cartes. Trop doué même. Si vous ne faisiez pas attention, il vous prenait jusqu'à votre chemise.

Ce détail confirma à Juliet qu'il s'agissait bien de son mari. Les jambes molles, elle dut s'adosser contre le mur. Le joueur d'échecs la regarda et ramassa distraitement un pion pour se gratter l'oreille.

« Je me souviens de sa femme, dit-il. Elle s'appelait Valerie ou Veronica.

— Vera ? interrogea doucement Juliet.

— Oui, c'est ça, dit l'homme en tapant sur la table avec le pion. Vera. »

Juliet n'essaya même pas de dormir. Elle avait besoin de réfléchir. La pâle nuit urbaine se fondit dans une aube incertaine, un soleil terne monta furtivement au-dessus des bâtiments. Depuis leur voyage en car, Juliet n'avait pas vu de véritable obscurité. À Los Angeles, le jour faisait place à une nuit diluée par les drugstores ouverts jusqu'aux petites heures du matin, les réverbères et la lueur acide des immeubles de bureaux.

Elle avait la nostalgie des ténèbres de Fipenny Hollow – Max assurait qu'on en avait besoin pour se purifier l'âme. Au crépuscule, il leur servait un verre, soupirant d'aise à l'approche de la nuit. Cet amour d'un homme pour l'obscurité lui avait paru bizarre jusqu'au moment où elle dut affronter cette ville implacablement illuminée. Toute cette clarté l'empêchait de penser.

Le soleil de Tibor lui sembla soudain trop éclatant. Pas étonnant que ses paysages de Venice fussent tous dans des tons rouges ou jaune vif. Les bruns, les gris et le doux vert de la mousse n'y avaient pas place. Cet endroit-ci était coloré, mais il manquait de texture.

À leur réveil, les enfants constatèrent que le lit de Juliet était vide et la porte secrète du toit entrebâillée. Leonard se précipita dehors, s'attendant presque à y voir son père en train de boire du café à côté de sa mère, de la même façon qu'il tirait brusquement la porte du placard, sous l'escalier, chez eux, pour y débusquer un cambrioleur. Sa mère, cependant, était seule. Assise sur le muret, elle allumait une cigarette au mégot d'une autre. Elle envoya Frieda dire à Tibor qu'elle était malade et ne pouvait pas venir poser pour lui. Se perchant lui aussi sur le rebord du toit, Leonard resta avec elle. Il aurait voulu lui demander ce qui s'était passé, mais le silence inhabituel de Juliet le rendait nerveux. Il avait la même sensation bizarre dans le ventre qu'à l'école, avant une épreuve d'orthographe. Assise, immobile, Juliet regardait fixement la mer sans sembler la voir.

Sous les yeux de leur mère, Frieda mastiqua du chewing-gum au petit déjeuner et Leonard dévora le chocolat qui restait dans le frigidaire sans que Juliet ne réagisse, même lorsque son fils déclara : « J'espère que ça ne va pas me donner mal au ventre ou déranger mes *kishkies*. » Vers quinze heures, les enfants commencèrent à s'inquiéter. Frieda se demanda si parmi les numéros de téléphone que lui avait fournis sa grand-mère, il y en avait un à appeler dans le cas d'une crise de folie. Toutefois, à seize heures trente, Juliet émergea de sa léthargie. Elle leur ordonna de prendre une douche et d'être prêts à sortir en moins d'une heure. Soulagée par le retour de sa mère à la réalité, Frieda allait protester lorsqu'elle remarqua que Juliet était blanche de colère. Pas le genre de colère qu'elle piquait quand Leonard oubliait un livre de bibliothèque sous la pluie ou quand elle, Frieda, lui « empruntait » sa coûteuse poudre de riz et en répandait la moitié sur le tapis de la chambre. C'était une colère silencieuse, adulte. Lorsque Leonard voulut lui prendre la main, l'adolescente s'abstint de le rabrouer, même si elle considérait qu'elle n'était plus une gosse et que les doigts de son frère collaient.

Ils montèrent dans la Plymouth sans qu'aucun des enfants n'osât demander où ils allaient. Après avoir roulé un certain temps dans des rues bordées de maisons basses pareilles à un jeu de lego, Juliet se gara et resta assise un moment à tripoter le bracelet de sa montre. Leonard donna un coup de coude à sa sœur et désigna le magasin sur le trottoir d'en face : Gorgeous George's Glasses.

« Allons-y », dit Juliet avec un regain d'énergie.

Évitant la porte d'entrée de la boutique, elle emmena les enfants dans une ruelle, à l'arrière du bâtiment, où se trouvait une deuxième porte. Les lumières étaient allumées et, par la fenêtre ouverte, s'échappaient une odeur de poulet grillé ainsi que la voix excitée d'un commentateur de base-ball. Juliet sonna. On entendit des pas traînants à l'intérieur et la radio se tut. Vera ouvrit.

« Bonjour, Mrs Molnár, dit Juliet. Où est George ? »

Vera tenait une cigarette d'une main, un verre de vin dans l'autre. Elle n'eut pas l'air surprise. Ses sourcils peints restèrent parfaitement arqués, mais les doigts qui serraient la cigarette tremblèrent et de la cendre tomba sur ses pieds nus.

« Vous feriez mieux d'entrer. »

Frieda et Leonard suivirent leur mère dans une petite cuisine en désordre où les surfaces étaient jonchées de livres de recettes, de planches à découper, de bols remplis de coquillages colorés et de pommes luisantes. Un tas de linge gris encombrait le comptoir, des chaussettes séchaient sur un paquet de farine azyme.

« Jerry ! » appela Vera.

Des chaussures de tennis couinèrent sur le lino et le garçon roux les rejoignit dans la cuisine. À la vue des Montague, sa bouche s'arrondit. Il jeta un coup d'œil à sa mère qui, avec un sourire serein, fouilla dans son porte-monnaie sans pour autant lâcher son verre ou sa cigarette.

« Jerry, nous avons des invités. Fais un saut à l'épicerie et achète des glaces. Comme le poulet risque de ne pas suffire, prends aussi une pizza. » Elle tendit à son fils un billet roulé. « Et emmène les gosses. »

Bien que vexée par le mot « gosses », Frieda sortit avec les garçons. Ils marchèrent en silence pendant quelques minutes. Tous sentaient que quelque chose d'important se passait dans la maison, mais aucun d'eux ne savait comment en parler.

« Tu as réussi à faire voler tes avions en papier ? finit par demander Jerry.

— Oui, grâce à ta technique », répondit Leonard, s'animant.

Jerry s'esclaffa. « Vous voulez voir un truc vraiment cool ? » dit-il après une pause.

Leonard et Frieda acquiescèrent avec enthousiasme. Jerry les entraîna dans une petite rue transversale. Dix minutes plus tard, ils aperçurent une enseigne lumineuse rouge. « The Studio Drive-Thru Movie Theatre ». Jerry s'arrêta, les mains dans les poches.

« Nous n'avons pas d'argent, avoua Frieda.

— Ni de voiture », ajouta Leonard.

Jerry sourit. « On n'en a pas besoin. Nous n'entrerons pas dans ce ciné-parc. »

Les maisons faisaient place à une rangée de magasins aux façades décrépites – une pizzeria, un drugstore, un salon de manucure et un parking. Jerry marcha jusqu'au bout de celui-ci et, après avoir regardé par-dessus son épaule, grimpa sur un talus. De son bras vigoureux, il hissa les autres à ses côtés. L'endroit était ceint par une haute clôture, mais avec une grande assurance, le garçon fit tomber l'une des planches d'un coup de pied et se faufila par l'ouverture. Frieda et Leonard le suivirent. Jerry s'adossa contre la palissade et poussa un soupir de satisfaction.

«Visez-moi ça», dit-il avec le geste d'un prince montrant son royaume.

Le soleil couchant teintait les nuages d'un rouge aussi vif que le radiateur électrique de Mrs Greene. Cette incandescence se répandait sur les voitures garées les unes derrière les autres, se réfléchissait dans une centaine de pare-brise. Tout devant se dressait un énorme écran de cinéma. Jerry le regarda une seconde, puis renifla avec dédain.

« J'ai déjà vu ce film la semaine dernière. Pas mal, mais un peu ennuyeux, même si la fille enlève son chemisier à la fin. »

Il s'allongea sur un carré d'herbe, les autres s'affalèrent à côté de lui.

« Je peux regarder n'importe quel film à l'œil, dit le rouquin. J'ai vu *West Side Story, Les Canons de Navarone* et tous les films avec John Wayne. »

Leonard approuva d'un signe de tête, mais Frieda fronça le nez.

« À quoi bon regarder *West Side Story* sans la musique ? » railla-t-elle.

Jerry lui adressa un sourire d'un blanc éblouissant. « J'ai une radio portable. C'est mon père qui me l'a donnée. Je me mets sur la fréquence du cinéma, je m'assieds ici, je regarde mon film, j'écoute la musique et ça me coûte *bupkis.* »

Leonard écarquilla les yeux, impressionné par l'habileté avec laquelle Jerry se servait de sa radio portable, mais il ne pouvait s'empêcher d'être jaloux. Il aurait bien aimé avoir un père qui lui offre ce genre d'appareil.

D'un grand geste, Vera balaya le linge éparpillé sur la table et commença à mettre le couvert. Juliet compta cinq assiettes.

« Quand est-ce que George rentrera ? » demanda-t-elle.

Vera ferma le tiroir à argenterie.

« Je n'en sais fichtre rien.

— Arrêtez vos stupides mensonges. Où est George Montague ? »

Vera se laissa tomber sur une chaise. On n'entendait que le tic-tac de la pendule et le bouillonnement de la soupe sur la cuisinière. La femme vida son verre et prit une inspiration. « Je ne connais aucun George Montague. George Molnár, lui, est parti, dit-elle avec un accent renforcé par la tension nerveuse. Il a disparu il y a trois ans. »

Juliet ferma les yeux. Pareille à de l'humidité, une terrible lassitude envahit son âme. Dire qu'elle avait fait ce long voyage pour découvrir que son mari avait de nouveau décampé !

« Savez-vous où il est allé ?

— Il s'est volatilisé du jour au lendemain. Il a pris de l'argent. Une assez grosse somme. Plus une photo de Jerry et le portrait d'une petite fille. »

Juliet sentit son cœur battre plus vite.

« Un portrait ?

— Oui. Nous l'avions accroché dans le séjour. L'enfant avait des yeux foncés, des cheveux bruns et une expression espiègle qui me faisait penser qu'on l'envoyait souvent au lit sans dîner. George ne m'a jamais dit qui était le modèle et je ne le lui ai jamais demandé. J'avais toutefois ma petite idée là-dessus. J'aimais ce tableau, oui, je l'aimais beaucoup.

— Moi aussi, dit Juliet. George me l'a volé quand il nous a abandonnés. »

Vera étendit les jambes. « Est-ce que cette toile avait de la valeur ?

— Une assez grande valeur.

— C'est pour ça qu'il l'a emportée, alors. Mais, pendant qu'il vivait avec nous, il ne l'a pas vendue, ce qui est bizarre. Les objets de prix ne duraient guère avec lui.

— C'est bien vrai », confirma Juliet. Sans doute devait-elle révéler à Vera la triste vérité. « Lorsque George est venu en

Californie et vous a épousée, il était toujours marié avec moi, vous savez. »

Elle scruta le visage de l'autre femme pour voir l'effet que ses paroles avaient sur elle, mais Vera lui rendit un regard impassible.

« Il n'a jamais divorcé d'avec moi, Vera, articula lentement Juliet, se demandant si l'autre avait compris. Nous sommes toutes les deux mariées à George. »

Vera l'examina pendant une minute, puis elle eut un sourire presque amical. « Oui, nous sommes toutes les deux mariées à George, mais voilà : je suis sa *première* femme, et non la seconde. »

Malgré la vapeur et la graisse de poulet qui embuaient les vitres, Juliet frissonna.

Vera agita sa cigarette. « Je parle d'un point de vue purement pratique. J'ai épousé György Molnár le 1er août 1937 à la synagogue de la rue Rumbach, à Budapest. J'étais déjà enceinte de six mois de notre fille Ana. Tamas est né l'année suivante. Tamas avait les mêmes yeux bleus que Leonard, mais il n'avait pas besoin de lunettes. »

Juliet cligna des paupières et ravala la boule qu'elle avait dans la gorge. En pensée, elle entendait son père déclarer que les lunettes étaient une bénédiction, un talisman protecteur.

« Pendant un moment, nous avons été assez heureux, George et moi. Nous n'arrêtions pas de nous disputer, mais les bébés nous occupaient beaucoup. Nous étions aussi heureux que la plupart des gens, je suppose.

— Et Jerry ?

— C'est le benjamin. Il ne se souvient pas de la Hongrie, Dieu merci. En 1943, ils ont emmené George avec d'autres hommes. J'ai pensé qu'il était mort. Les enfants et moi sommes restés dans le ghetto. Nous nous sommes débrouillés quelque temps, puis ça a été la fin. »

Juliet examinait Vera à la manière d'un peintre, essayant de déchiffrer son visage. Des rides autour des yeux, des dents parfaitement blanches. Trop blanches. Elle comprit que c'était un dentier.

Remarquant son regard, Vera appuya sa langue contre ses dents et souleva la prothèse inférieure, révélant des gencives irritées, aussi roses qu'un ver de terre.

« On crevait de faim dans le ghetto, reprit-elle. Je suis tombée malade et un beau matin, en sortant du lit, j'ai craché mes dents l'une après l'autre, comme des pépins d'orange. »

Sans son appareil, Vera paraissait très vieille. Dès qu'elle le remit, elle reprit son apparence habituelle. Calme, soigneusement maquillée.

« Que sont devenus Tamas et Ana ? demanda Juliet.

— Emportés par le typhus. Cela valait peut-être mieux ainsi. Ils sont morts dans les bras de leur mère, entourés d'amour. Ce qui a suivi était bien pire. »

Ces enfants inconnus étaient le frère et la sœur de ses propres enfants, pensa Juliet. George était parti, mais ceux qui restaient étaient liés entre eux comme une chaîne de poupées en papier.

« Je suis navrée », dit Juliet. Elle réprima ses larmes, sentant qu'elles ne feraient qu'irriter Vera.

« Je vous ai raconté tout ça parce que vous me l'avez demandé », déclara Vera d'une voix égale. Elle tira goulûment sur sa cigarette. « J'ai Jerry. Une jolie maison, assez à manger. De bons amis. Je suis toujours étonnée quand les autres femmes se plaignent de leurs maris. Le mode de vie américain a ses avantages.

— George vous a retrouvée, donc ?

— Oui. Je le croyais mort, mais voilà qu'il réapparaît un jour, en 1952. Il vivait en Angleterre quand il a entendu dire que nous étions en Californie. Il est venu nous rejoindre.

— J'ai toujours pensé qu'il avait disparu à cause d'une dette de jeu. En fait, il nous a quittés pour vous.

— Oui », dit Vera.

Elle ne cherchait pas à s'excuser. Sans doute considérait-elle que ce n'était pas sa faute si George avait abandonné son autre famille, se dit Juliet. Il avait préféré Jerry à Leonard et à Frieda.

« C'était bête d'avoir cru qu'il nous avait quittés pour des questions d'argent. Il est parti à cause de vous.

— Non, pas à cause de moi. À cause des petits. Il voulait Ana et Tamas, mais il n'y avait plus que Jerry et moi. »

Dans le silence qui suivit, Juliet essaya de s'imaginer en train d'expliquer la situation à ses parents. Cela la fit rire. Elle leur dirait que George n'était pas dans le magasin d'optique de Culver City et leur demanderait d'arrêter les recherches. Comment pouvait-elle leur raconter la vérité ? *George m'a quittée pour retrouver sa première femme aux États-Unis. Elle n'était pas morte. George et moi n'avons jamais été réellement mariés. Mes enfants sont des bâtards. Des mamzerim.* Juliet soupira. Elle n'avait plus envie de rire. Elle n'était pas une *aguna*, une épouse enchaînée ou la veuve d'un homme vivant. Elle était quelque chose de bien pire : une bigame et une femme adultère.

Leonard et Frieda revinrent vers la maison sans se presser. Jerry, qui portait la boîte de pizza, distribua des parts. Au bout de la rue, les trois jeunes s'arrêtèrent comme par un accord tacite et s'assirent au bord du trottoir.

« Pourquoi êtes-vous ici ? » demanda Jerry, abordant enfin le sujet.

À la surprise de Leonard, ce fut Frieda qui répondit.

« Nous sommes venus chercher notre père. Maman croit que nous ne le savons pas. Vous voulez savoir ce que je pense, moi ? »

Jerry fit oui de la tête.

« Je crois que maman soupçonne ta maman de lui avoir volé son mari ou d'avoir une liaison avec lui, débita Frieda avec une grande assurance.

— Mon père a disparu, lui aussi, dit Jerry en distribuant les dernières parts de pizza.

— Mais la radio, alors ? s'étonna Leonard.

— Il me l'a donnée avant son départ. Je suppose qu'il l'aurait emportée. Elle coûtait vraiment très cher, mais comme je l'avais prise pour aller au cinéma, il a été marron. Je ne sais pas s'il me manque ou si je le hais. »

Les mots sortaient tout seuls de sa bouche, révélant des sentiments que, jusque-là, il ignorait avoir. Pour lui épargner l'humiliation de leur compassion, Leonard et Frieda restèrent silencieux.

Les trois jeunes mangèrent leur pizza, côte à côte dans le crépuscule. Leonard examina Jerry. Il ressemblait beaucoup à la photo de George Montague sur la page de journal. Quelque chose que Frieda avait dit le fit pouffer de rire et Leonard éprouva une sensation familière, profondément enfouie en lui. Il se rappela le rire et les yeux sombres d'un homme. Et il eut l'étrange impression que Jerry était son frère. Assis dans l'obscurité, ils regardaient des lumières pâles s'allumer les unes après les autres. Toutefois, seul Leonard avait l'intuition que c'était la même personne dont tous trois déploraient l'absence. Il aurait voulu confier cette idée à Jerry, mais ne savait comment l'exprimer. Puis ses compagnons commencèrent à se disputer au sujet de la question de savoir quel était le meilleur cavalier : Gary Cooper ou John Wayne. Il finit donc sa pizza et s'essuya les doigts sur son pantalon sans rien dire.

Tibor termina le portrait de Juliet le jour où les Montague devaient reprendre le car pour New York. Le peintre leur proposa une petite fête d'adieu ainsi que le dévoilement officiel du tableau sur la plage. Juliet et les enfants se mirent sur leur trente et un en l'honneur du portrait. Même Frieda commença à fredonner en revêtant sa robe préférée imprimée de pois qui mettait son bronzage en valeur. Ils longèrent la plage dans la lumière de l'après-midi, observant les pélicans qui pêchaient du poisson avec leurs énormes becs préhistoriques. La Californie était un lieu de vacances magique. Leonard avait du mal à imaginer que Venice existait à la même latitude que Mulberry Avenue, à Chislehurst. Il n'avait jamais passé un si bel été – un épisode plein de mystères, d'aventures, de glaces et, cerise sur le gâteau, il était sûr d'avoir grandi de presque deux centimètres.

Frieda était contente, elle aussi, même si elle ne rapportait pas avec elle l'histoire d'une jolie idylle estivale. Par ailleurs, elle pouvait toujours en inventer une. Aucune de ses camarades de classe ne s'en rendrait compte. Elle en mettrait les détails au point pendant leur voyage de retour.

À leur approche, Tibor agita la main. Il portait un costume de lin crème et serrait un sac plein de victuailles. Un morceau de tissu couvrait la toile sur le chevalet.

« Tenez, buvez un coup, dit-il en tendant un verre de jus d'orange aux enfants. Après l'avoir corsé avec quelque chose, il en offrit un autre à Juliet.

« Un petit cocktail, dit-il quand elle leva un sourcil. À l'amitié et au soleil », ajouta-t-il en trinquant avec elle.

Leonard réprima un rire. Selon sa grand-mère, trinquer était vulgaire.

Tibor se tourna vers lui. « Tu as du talent, mon garçon. Pour toi, peindre ne sera peut-être qu'un passe-temps à moins que cela ne devienne une occupation sérieuse. À toi de le découvrir. Je t'ai apporté un modeste cadeau. » De son sac, il sortit un assortiment de crayons neufs et un bloc de dessins au papier épais.

« Merci, dit l'enfant en prenant respectueusement les présents dans ses mains.

— Comme c'est gentil à vous, Tibor ! » Juliet sourit. « Et maintenant, pouvons-nous voir mon portrait ? »

Ils s'assemblèrent autour du chevalet tandis que Tibor, avec la prestesse d'un magicien, découvrait le tableau. Une femme nue, aux seins aussi ronds que des petits pains aux cerises et aux cheveux ondulant derrière elle, flottait dans le ciel, au-dessus de la plage de Venice. Le ciel était d'un bleu estival, une mer verte moutonnait en bas. Cette créature aérienne fermait les yeux, sans doute pour se protéger du soleil, mais Juliet voyait qu'elle était heureuse. Le portrait exsudait la joie. Sur un point, pourtant, Juliet était déçue.

« Qu'en pensez-vous ? demanda Tibor, sollicitant pour une fois une opinion.

— Cette femme, c'est moi ?

— Évidemment.

— Excusez-moi, mais elle ressemble à toutes les autres que vous avez peintes. Elle a le même sourire, les mêmes cheveux volant au vent, le même menton en forme de cœur.

— Non, toutes ces autres femmes vous ressemblent, à vous. Je vous ai peinte depuis des années, avant même de vous rencontrer sur la plage. »

Juliet scruta son visage. L'artiste souleva son chapeau. Elle n'aurait su dire s'il plaisantait ou non. Mais cela importait-il ?

« J'adore ce tableau, déclara-t-elle, se rendant compte sur le moment que c'était vrai. J'ai hâte de l'exposer à Londres. Me permettez-vous de vendre vos œuvres dans ma galerie ?

— Je ne vends jamais.

— Mais vous me vendez celle-ci ?

— Non. Je vous répète que je ne vends aucun de mes tableaux. Je les aime tous. Comment pourrais-je m'en séparer ? » Il désigna le portrait sur le chevalet.

Pour Juliet, ce refus gâchait son après-midi. Elle avait supposé qu'elle emporterait le tableau. Fronçant les sourcils, elle essaya de se rappeler s'ils avaient parlé de cette condition et dut conclure qu'il n'en avait jamais été question.

« À présent, il est temps d'attaquer le gâteau », dit Tibor.

À vingt heures, Juliet ramena les enfants à l'appartement. Elle devait terminer leurs bagages, puis revenir sur la promenade pour boire un dernier verre avec Tibor avant l'arrivée du taxi. À part le ressac, la plage était calme. Le rugissement de la mer couvrait les bruits de la circulation et de la ville. Juliet scruta le crépuscule – le peintre n'était pas là. Le cocktail lui était monté à la tête et le son des vagues tournoyait dans ses oreilles. Le tableau était posé sur le chevalet. Dans la lumière du soir, ses couleurs viraient au gris et à l'argent.

Les lèvres de Juliet s'entrouvrirent en un demi-sourire. George avait volé son portrait et un morceau d'elle s'était perdu. *Pas question que je laisse une autre partie de moi ici. Je ne permettrai pas qu'un autre homme garde un petit bout de ma personne.* Elle regarda de nouveau autour d'elle – toujours pas de Tibor. Elle essaya de se persuader que c'était ce que le peintre prévoyait, qu'il avait disparu pour lui faciliter la tâche. Elle s'empara de la toile et se mit à courir. Ses chaussures de tennis claquaient sur l'asphalte.

Lorsqu'elle posa le paquet rectangulaire enveloppé d'une serviette de bain sur le porte-bagages du car, les enfants ne pipèrent mot. Ils avaient toutefois l'air content. Ils parurent encore plus satisfaits quand, au lieu de l'accrocher dans sa chambre, Juliet exposa son portrait en haut de l'escalier, bravant les soupirs et les claquements de langue de Mrs Greene.

Juliet se dit que Tibor n'avait pas dû aller à la police. Cette affaire constituait sans doute son histoire préférée. Elle l'imaginait lors d'un dîner ou d'un schnaps apéritif racontant aux autres invités qu'il n'avait jamais vendu une toile, mais admettant d'un air ravi qu'un jour une femme lui en avait volé une.

Ce larcin ne fut pas le seul de la soirée. Lorsque Juliet sortit la page du *Jewish Forward* de sa poche, elle s'aperçut que la photo de George avait été soigneusement découpée, laissant un trou carré à la place du visage. Ainsi son mari s'était même envolé de cette galerie ! Elle soupçonna Leonard d'être l'auteur de ce méfait, mais d'une certaine façon, il était plus facile de ne pas poser de questions.

Leonard garda la photo entre les pages de son nouveau bloc à dessins. Les premières semaines, il ne la regardait que pour y chercher une ressemblance avec lui-même. Puis lors d'une journée pluvieuse d'octobre, un mois environ après leur retour des États-Unis, il sortit ses crayons, s'assit sur son lit et commença à dessiner son père. Bien que jugeant son premier essai assez réussi, il décida d'en tenter un autre. Il ajouta au portrait une touche de Jerry, affubla George de ses propres lunettes. Examinant son croquis, il renifla avec dédain. Ce n'était pas du tout ça ! Il tourna la page de son bloc, prit son crayon et recommença.

ARTICLE 31 DU CATALOGUE
« Femme lézardant au soleil », Tom Hopkins, photographie
d'une peinture murale à Ashcombe House, 1964.

I L ÉTAIT PRESQUE dix-huit heures trente. Juliet était en
retard. Elle savait que trois rues plus loin, sa mère se tracas-
sait au sujet de son poulet rôti. Tous les vendredis, ils étaient
en retard pour le dîner, et tous les vendredis Juliet promettait
à Mrs Greene que la prochaine fois ils seraient ponctuels, évitant au poulet d'être trop cuit. Avant le week-end, il y avait
toujours tellement de travail à terminer à la galerie. Il aurait
été plus facile de se dispenser du rituel du dîner de *shabbes*
et de rester en ville jusqu'à vingt ou vingt et une heures.
Elle avait dit à Charlie qu'elle partait tôt le vendredi pour
apaiser sa mère, mais en fait elle appréciait le rythme de ces
soirées. Même si elle avait été extrêmement occupée toute
la semaine, paniquée par la préparation d'une exposition
ou frustrée parce qu'un rival lui avait volé un de ses artistes
nouvellement découvert, elle était sûre que, le soir venu, elle
s'assoirait à la table cirée de ses parents, devant les sets que
l'oncle Ed avait rapportés des Canaries en 1955. Frieda et
Leonard se faisaient tirer l'oreille pour la forme, mais Juliet
comprenait qu'elle devait rester ferme pour qu'ils puissent
kvetch en toute tranquillité, consciente que le poulet du vendredi soir était un événement immuable. On pouvait même

tirer un certain plaisir de son côté routinier, aussi rassurant qu'une berceuse.

Debout en manteau près de la porte, Frieda attendait que sa mère descende l'escalier. Bien que ce fût une chaude journée de juin, elle portait d'épais collants en laine. Sa robe confectionnée en un tissu raide, d'un brun terne, lui arrivait bien au-dessous du genou. Juliet avait renoncé à laisser ses rouges à lèvres Chanel dans la salle de bains, vu que Frieda n'y touchait jamais. Le changement avait été graduel. Juliet se rappelait mal à quel moment elle l'avait remarqué, mais peu de temps après leur retour des États-Unis, sa fille avait commencé à refuser d'aller à la galerie avec elle et Leonard le samedi, préférant se rendre à la *schul* avec son grand-père. Elle ne s'en était pas inquiétée, du moins au début. Beaucoup d'adolescents se tournaient vers Dieu pendant un an ou deux. Alors que les jupes de Juliet devenaient plus courtes, les fêtes auxquelles elle assistait plus tumultueuses et les cocktails plus corsés, Frieda proclamait qu'elle désapprouvait les jambes nues, les femmes qui buvaient du champagne ou mangeaient des schnitzels frits dans du beurre. Donc sa mère. Ce fut du moins la conclusion à laquelle parvint Juliet. Elle s'abstint toutefois de commentaire, considérant cette attitude comme une simple pose que Frieda abandonnerait en grandissant. Elle la soupçonnait d'avoir embrassé la foi rien que pour l'ennuyer – plus Juliet s'éloignait de la religion, refusant même de jeûner à Yom Kippur, plus Frieda multipliait ses visites à la synagogue en brique de Cedar Avenue. La chambre de l'adolescente était néanmoins divisée en deux : de sombres textes religieux et des livres édifiants remplissaient sa bibliothèque, mais son bureau restait encombré de 45 et de 33-tours. Les Kinks côtoyaient *La Cuisine casher* et « Can't Buy Me Love » était posé sur un *Guide de la morale juive à l'intention des jeunes filles*. Aussi longtemps que Frieda continuait à dépenser son argent de poche pour des concerts des Shadows et remontait subrepticement sa jupe au bout de la rue, Juliet pouvait dormir tranquille.

Le téléphone sonna dans l'entrée. Persuadée que c'était sa mère, Juliet n'alla pas répondre. Elle n'avait pas voulu de téléphone chez elle, mais quand la galerie s'était mise à prospérer et que des clients ou des artistes désiraient lui parler le soir ou le week-end, elle avait été obligée de le faire installer. Frieda finit par décrocher. Comprenant que l'appel était pour sa mère, son visage s'allongea.

« Je suis sortie, articula Juliet d'une manière inaudible, pensant à la colère de Mrs Greene et au poulet sur le point d'être carbonisé.

— Oui, elle est là, dit Frieda. C'est de la part de qui ? »

Juliet secoua la tête et soupira.

« Un Mr Gold pour toi », dit Frieda.

Fronçant les sourcils, Juliet prit le combiné. « Je regrette, mister Gold, mais cela m'est impossible. Cessez de m'appeler, je vous prie. Sans vouloir vous offenser, je pense que vous ne recherchez pas une œuvre d'art, mais du papier peint. »

On entendit un petit rire à l'autre bout du fil. Puis une voix qui avait le doux accent du nord demanda : « Vous pourriez au moins venir voir la maison ? Le week-end prochain, ça vous irait ? Vous avez des gosses, n'est-ce pas ?

— Oui.

— Emmenez-les. Je donne une petite fête. Il se pourrait même qu'un de mes gars y assiste.

— C'est très aimable à vous, mister Gold, mais je dois vraiment m'en aller. »

Juliet raccrocha. Elle se mit à appeler Leonard, mais Frieda la regardait d'un air bizarre.

« C'était qui, ça ?

— Un vieux camarade de classe de Charlie. Il a réussi dans la vie et s'est acheté une sorte de manoir. Il veut que je lui procure des tableaux. »

Frieda parut perplexe. « Et alors ? N'est-ce pas ton métier ?

— J'ai l'impression d'entendre Charlie ! Je trouve des œuvres qui correspondent à la personnalité du client, vois-tu. On doit aimer une peinture, et non l'accrocher au mur parce qu'on pense qu'elle est dans le vent. Mr Gold n'est jamais venu à la galerie. Il ne sait pas ce qu'il aime. Il croit simplement que c'est chic d'acheter des toiles à la Wednesday's. »

Juliet remarqua une caisse posée près de la porte d'entrée. Elle se pencha pour l'ouvrir.

« N'y touche pas ! s'écria Frieda.

— Que veux-tu dire ? »

Frieda s'adossa contre la porte, plongea les mains dans ses poches et regarda sa mère dans les yeux.

« Ce sont des assiettes.

— Des assiettes ? Pour quoi faire ?

— J'ai dit au rabbin Plotkin que tu ne respectais pas les règles de la cacherout. Alors Mrs Plotkin m'a envoyé de la vaisselle propre. Je ne veux plus manger *treif*. »

Juliet eut un mouvement de recul. Elle s'était habituée aux murmures désapprobateurs des voisins – ils constituaient une sorte de bruit de fond, comme celui de la circulation, qu'on pouvait apprendre à ne plus entendre –, mais le mépris de Frieda était différent. Juliet n'avait jamais été un cordon-bleu, mais la famille mangeait toujours ensemble, même si ce n'étaient que des saucisses de Francfort de conserve et du vieux pain grillé. Partager un repas les rapprochait. Or, maintenant, Frieda voulait faire cuisine à part. Regardant sa fille, Juliet sentit un gouffre s'ouvrir entre elles. Elle aurait voulu l'éloigner de tous ces gens bien-pensants de Chislehurst, l'emmener à Londres, mais elle se rendait compte avec inquiétude que, si elle déménageait, Frieda refuserait de la suivre.

Juliet s'arrêta de boutonner son manteau. Elle venait de voir une occasion d'arracher sa fille à sa ferveur religieuse.

« Mr Gold a des chances de t'intéresser. C'est le manager de ce groupe pop, The Rigbys. »

Frieda éclata de rire. « Allan Gold veut que tu lui trouves des tableaux et tu refuses ? Même s'il t'avait demandé d'astiquer ses parquets, tu aurais dû dire oui.

— Tu voudrais le rencontrer ? Il nous a invités pour le week-end. »

L'adolescente changea brusquement d'attitude. Cette fille raide et moralisatrice fondit comme du chocolat au soleil. Les yeux brillants, elle attrapa sa mère par le bras.

« Il faut absolument que nous y allions. Rappelle-le tout de suite pour lui dire que nous acceptons. Ils seront là, les Rigby ? Parce que je vais épouser Matt Rigby. Ou Ringo Starr. »

Elle resserra son étreinte et Juliet se rendit compte que cela faisait très longtemps que sa fille ne l'avait pas touchée. Elle s'abstint de riposter qu'elle croyait que Frieda avait l'intention d'épouser un rabbin plutôt que Ringo.

« Il faudrait que nous nous y rendions en voiture le vendredi soir. Tu ne pourrais pas aller à la *schul* avec ton grand-père. »

Frieda hésita un moment. « S'il te plaît, maman ! S'il te plaît ! Il faut que je rencontre les Rigby. »

Pour la première fois depuis des années, elle regarda sa mère avec une sorte de respect.

« Bon, d'accord, j'appellerai Mr Gold demain matin », promit Juliet. Elle était prête à accepter cette invitation ne fût-ce que pour rappeler à Frieda que l'art et la musique étaient plus tentants que Dieu.

Sylvia et Charlie avaient été invités aussi. Ils arrivèrent tous ensemble, entassés dans la vieille Land Rover de Sylvia. À leur grande contrariété, Frieda et Leonard partageaient un siège. Ils se déversèrent sur l'allée de graviers, frottèrent leurs jambes ankylosées et avalèrent des gorgées de soleil. Comme d'habitude, la tenue de Sylvia était parfaite pour la circonstance. Elle portait une jupe et un chemisier en lin crème et cachait ses cernes dus à une nuit tardive derrière des lunettes de soleil. Leonard et Frieda s'attardèrent près de la voiture. Le garçon serrait un sac contenant ses devoirs de classe. Pour une fois, sa sœur avait les jambes nues, ayant décidé de se passer de ses collants de laine habituels. Elle ne cessait de tripoter sa jupe comme si elle voulait la remonter au-dessus du genou. Juliet la regarda, se demandant si cette visite était une bonne idée.

Elle regrettait l'absence de Max. Malgré l'attrait de l'invitation de Mr Gold, il n'avait pas quitté son refuge de Fipenny Hollow depuis son malheureux voyage à New York. À son retour des États-Unis, elle s'était promis de ne pas le revoir, du moins en tant qu'amant. Cependant, lorsqu'elle s'était rendue au cottage pour l'informer de sa décision, elle s'était retrouvée dans son lit. Au matin, examinant ses sentiments avec honnêteté, elle avait conclu que n'étant pas, en général, quelqu'un de faible, elle devait encore être amoureuse de lui. Au cours des années précédentes, elle avait fini par accepter cette situation et considérer que, en fait, les lacunes de Max en tant que partenaire l'arrangeaient. La plupart du temps, elle appréciait qu'ils fussent indépendants et put ainsi mener sa vie londonienne comme elle l'entendait. Elle en savourait d'autant plus les week-ends qu'elle passait avec lui, dans le Dorset. Ce jour-là, pourtant, elle ressentit une certaine tristesse, souhaitant pour une fois aimer un homme plus facile, un homme pour lequel un week-end dans un manoir de campagne aurait été un plaisir plutôt qu'une punition.

La maison était nichée dans le creux d'une chaîne de collines peu élevées, à la limite de Cranborne Chase. Allan Gold l'avait achetée en février et l'allée fourmillait de maçons, de plombiers et d'électriciens qui s'efforçaient de l'amener au vingtième siècle. Tout d'abord, Juliet jugea cela regrettable. Un joli manoir de style dix-huitième siècle anglais se cachait derrière l'échafaudage et les bâches bleues, mais comme les soins que subit une belle femme d'un certain âge que son mari ne laisse pas vieillir en paix, des menuisiers avaient changé ses fenêtres, des couvreurs avaient remplacé ses ardoises cassées et réparé ses cheminées effondrées, bref, l'avaient retapée pour lui redonner une partie de son charme d'autrefois. Ces travaux avaient besoin de temps pour s'adoucir. À présent, la peinture était trop éclatante, le vernis un peu orange et les ardoises, dénuées de lichen, d'un noir trop luisant. Pour ravaler la façade, on avait coupé la glycine du devant, exposant tous les trous et fissures de la pierre au féroce soleil de juin. Une profusion de roses jaunes, rouges et blanches s'épanouissaient sur des buissons entremêlés, d'autres grimpaient aux arbres, de sorte que les frênes et les ormes semblaient fleurir en différentes couleurs. Une demi-douzaine de transats étaient installés sur la pelouse non tondue qui commençait à monter en graine, les herbes plumeuses ondulant au vent. Une jeune femme somnolait dans l'un d'eux. Elle suçait son pouce et sa jupe remontée révélait une culotte rose. Une carafe d'une boisson qui ne devait pas être de la limonade était posée sur une table basse, près d'elle.

Juliet se tourna vers Charlie. « J'espère que tu as apporté tes couleurs.

— Non, ce week-end, j'ai l'intention de m'amuser.

— J'ai pris les miennes, dit Leonard, mais Juliet ne l'entendit pas : elle venait d'apercevoir un homme grand et mince qui se hâtait vers eux.

— Voici mon vieux copain Allan, dit Charlie. Allan, je te présente Juliet.

— Je suis ravi que vous ayez décidé de venir », dit Allan. Il embrassa Juliet et serra la main de Charlie. « Et vous avez amené vos gosses. Super. » Il se tourna vers Frieda. « Dans un moment, nous ferons le tour de la maison et je te montrerai la première guitare de Matt Rigby. »

Frieda rougit de plaisir.

« Je suis vraiment content que Charlie ait réussi à vous convaincre, continua Allan en souriant à Juliet.

— Oui, mais je n'ai pas encore accepté le job.

— Vous y viendrez, assura Allan. Personne ne peut résister à mon charme. »

Juliet éclata de rire. Pourquoi Charlie lui avait-il précisé qu'Allan était homosexuel, se demanda-t-elle, sans penser à lui dire qu'il était juif?

Leur hôte était l'exemple même d'un homme soigné de sa personne. Il portait un costume immaculé d'une coupe parfaite et des chaussures impeccablement cirées. Ses cheveux ondulés étaient coiffés en arrière, son nœud de cravate tout à fait symétrique. Les bardanes qui s'accrochaient au pantalon de Juliet et à ceux des autres invités semblaient ne pas oser le toucher. Une bande de lapins sautilla à travers la pelouse. Allan fronça les sourcils.

« Je ne me suis pas encore occupé du jardin, dit-il, désignant d'un geste vague les buissons emmêlés et les plates-bandes envahies de lierre. Je dois embaucher un jardinier. Je voudrais reconstruire l'orangerie et cultiver des orangers. Peut-être aussi des ananas. Et j'aimerais avoir quelques paons. Sais-tu où je peux m'en procurer, Charlie? »

Son ami haussa les épaules.

« À votre place, je m'en passerais, dit Sylvia. Les paons sont très bruyants. Ils poussent des cris horribles.

— Quel dommage! soupira Allan. Et que pensez-vous des poules ornementales? »

Il sauta en arrière pour éviter deux ouvriers ployés sous le poids de plusieurs grosses planches qu'il observa avec beaucoup d'attention. Juliet se dit que malgré son charme un peu folâtre, il avait l'œil à tout. Il se retourna avec un grand sourire vers ses invités.

« Vous devez avoir chaud après ce long trajet en voiture. Venez, je vais vous trouver quelque chose à boire », dit-il, les faisant entrer dans la maison.

Juliet remarqua qu'une petite *mezuzah* était clouée à côté du magnifique portail gothique. Après avoir embrassé ses doigts, Allan la frôla au passage. « Quand je pense qu'il y a un an, je vivais encore chez mes parents! » marmonna-t-il comme pour lui-même.

La maison empestait l'humidité. Dans le hall, la moitié des énormes lattes du plancher avaient été soulevées telle une étrange forêt intérieure. On avait arraché presque tout le papier peint, n'en laissant que quelques fragments moisis. Le plafond était maculé de suie. Cependant, le soleil qui filtrait par les grandes fenêtres emplissait la pièce de clarté. Juliet soupira d'aise – malgré sa détérioration, le hall jouissait de parfaites proportions classiques, d'un équilibre idéal entre espace et lumière.

« Je vais peindre tout ça en blanc, dit Allan.

— Pas si vous voulez y mettre des tableaux. L'éclat des murs affecterait les couleurs de la toile. Il vous faudrait un vert très doux ou un ocre orangé.

— D'accord. C'est vous le chef. »

Consciente d'être manipulée, Juliet leva un sourcil, mais elle constata que cela ne la dérangeait pas trop.

« Une fois le hall peint de la bonne couleur, qu'est-ce que vous y accrocheriez, ici, au-dessus de la cheminée ? » demanda Allan.

Juliet réfléchit un moment. « Nous sommes dans une maison, et non pas dans un musée. Il vous faut un tableau que vos invités remarquent en entrant, mais qui ne soit pas assez spectaculaire pour les empêcher de voir l'élégance de la pièce. Ce sera une toile dont vous ne vous lasserez pas – et non une de ces œuvres qui vous font sourire une seule fois à une exposition. Une œuvre que vous serez heureux de regarder quand vous descendez en robe de chambre le dimanche matin pour manger votre œuf à la coque.

— J'adore les œufs à la coque », plaisanta le mécène.

Juliet se tut un instant et pencha la tête d'un côté, puis de l'autre.

« Pas de Warhol ni l'une des scènes de piscine de Jim Brownwick », déclara-t-elle.

Elle se déplaça, considéra l'espace sous un autre angle.

« Je pense qu'une peinture murale ferait l'affaire. Un tableau exécuté directement sur le plâtre, qui deviendrait partie intégrante de la maison et vous survivrait telle une fresque romaine. Un symbole des fêtes passées.

— Quelle merveilleuse idée ! s'écria Allan.

— J'aime beaucoup Max Langford… commença Juliet.

— Tu es bien la seule ! l'interrompit Charlie.

— Mais il est trop campagnard, trop bizarre pour cet endroit, poursuivit Juliet sans lui prêter attention et en regardant Allan. Il vous faut quelque chose d'élégant, de romantique. Tom Hopkins, à mon avis.

— Fantastique ! Vous lui en parlerez ?

— Bon, d'accord. » Se rendant compte qu'elle finirait par trouver des tableaux pour le reste de la maison, Juliet soupira. Lorsqu'elle voyait un beau mur, elle ne pouvait s'empêcher d'imaginer la toile qu'on devrait y accrocher. Et puis quelques-uns de ses artistes nouveaux venus à la galerie avaient bien besoin d'une rentrée d'argent.

« Demandez à Tom Hopkins de venir ce week-end, dit Allan avec enthousiasme. Appelez-le tout de suite. »

Juliet rit. « Il n'y a pas le feu !

— Pourquoi attendre ? s'écria le maître des lieux. J'ai l'intention de lui passer commande, alors pourquoi perdre une minute ? »

Le regardant, Juliet comprit que derrière son sourire et ses yeux bleus se trouvait un homme qui jouissait de son nouveau pouvoir.

« Je vous en prie, ajouta-t-il avec plus de douceur. J'aimerais que vous soyez présente lors de sa visite ici. Discutez avec lui du sujet de sa fresque. S'il s'agissait de musique, je saurais quoi lui dire, mais je n'y connais pas grand-chose en peinture.

— C'est entendu, répondit Juliet qui savait à quel moment il fallait céder. Où est votre téléphone ? »

Les autres l'attendirent dans le hall, écoutant le cliquetis et le tintement rythmiques de l'échafaudage que les ouvriers étaient en train de démonter. Juliet revint quelques minutes plus tard.

« Vous avez de la chance. Tom Hopkins a l'intention de rendre visite à Max et le manoir se trouve sur son chemin. Il demande cent livres. Je lui ai dit que cela ne devrait pas poser de problème. »

Le visage d'Allan s'épanouit. « Parfait, parfait, dit-il. Peut-être pourrons-nous le convaincre de passer la nuit ici. »

Habituée aux grandes maisons de campagne, Sylvia se glissa dehors pour dormir au soleil. Fâché que Juliet ne l'eût pas proposé pour peindre la fresque, Charlie se retira à la cuisine pour y dénicher une bouteille de vin. Seule la famille Montague alla donc visiter le reste du manoir avec Allan. Alors que leur hôte expliquait son projet architectural à Juliet, Frieda passait d'une pièce à l'autre dans une sorte de transe, s'attendant à voir un Rigby, un Shadow ou un Kink apparaître sur chaque seuil. Les bottes boueuses dans le vestiaire (« L'une d'elles peut avoir touché le pied de Matt Rigby ! ») l'excitèrent autant que les photos représentant Allan en compagnie des célèbres musiciens.

« Tout semble un peu à l'abandon maintenant, dit Allan, mais dans six mois cet endroit aura de nouveau belle allure. Il fallait que je commence par l'extérieur. Que je répare le toit et les planchers. Des trucs ennuyeux, quoi. À présent, j'aborde enfin la partie amusante de cette restauration. »

Dépourvus de l'ameublement traditionnel, la plupart des salons étaient bourrés de gros coussins, de couvertures, parfois même d'un matelas pneumatique. Cependant, chacune de ces pièces était pourvue d'un trolley chargé de boissons. Le fait que sa maison ne fût pas encore remise en état et presque vide ne semblait pas empêcher Allan d'y donner des fêtes. Dans une jolie salle de séjour emplie de lumière, ils tombèrent sur un tas de tissus imprimés jetés par terre, mais en y regardant de plus près, Juliet s'aperçut qu'il s'agissait d'un garçon et d'une fille endormis dans les bras l'un de l'autre. Allan n'eut même pas l'air de les remarquer. Juliet lança un coup d'œil à ses enfants, se demandant si elle aurait dû les amener ici. Ce n'était pas le genre de manoir où on prenait le thé et où on jouait au croquet sur la pelouse.

« Allez donc faire un tour dehors, leur suggéra-t-elle.

— Ou choisissez une chambre pour y dormir, dit Allan. Ce n'est pas la place qui manque. Installez-vous dans n'importe laquelle qui soit inoccupée. » Il fit un geste en direction du premier étage. Les enfants disparurent sans que Juliet pût élever des objections. Elle les entendit monter bruyamment l'escalier.

« J'espère qu'ils ne vont pas tomber sur des invités… » Elle chercha le mot adéquat. « … en pleine action. »

Perplexe, Allan fronça les sourcils. « Ça m'étonnerait. Les gens viennent ici pour se détendre.

— Ah bon, fit Juliet, guère rassurée.

— D'autres invités viendront plus tard. Nous aurons une petite pendaison de crémaillère. »

Juliet se sentit prise d'une légère appréhension. Devait-elle fourrer Frieda et Leonard dans la voiture et exiger de Sylvia qu'elle les conduisît à la gare la plus proche ?

« Mes gars ne devraient pas tarder à arriver, dit Allan avec une pointe de fierté. Ils adorent les fêtes. »

Juliet soupira. Ils étaient bel et bien coincés. Ayant promis à Frieda qu'elle rencontrerait les Rigby, elle ne pouvait pas l'emmener brusquement avant que ceux-ci apparaissent.

Elle suivit Allan dans une vaste cuisine moderne, la seule pièce du manoir à être terminée. Il y avait là un grand fourneau, un superbe frigidaire et une longue table flanquée d'une douzaine de chaises. Les portes vitrées ouvertes sur le jardin laissaient entrer le gazouillis des chardonnerets et le jacassement des étourneaux. Au-dessus du comptoir immaculé pendait une étagère remplie d'une variété de boîtes à épice. Une odeur suave de pâte qui lève remplissait la pièce. Près du fourneau, toutes sortes pâtisseries refroidissaient sur des grilles : *rugelach*, biscuits aux graines de pavot, pains d'épice et strudels miniatures à la croûte bien dorée. Un gâteau au chocolat recouvert d'un glaçage à la mélasse trônait sur la table à côté de madeleines et de brownies décorés de

Smarties. Allan souleva un torchon posé sur une bassine, regarda au dessous et renifla le contenu d'un air satisfait.

« De la brioche, annonça-t-il.

— C'est vous qui avez confectionné tout ça ? » demanda Juliet en désignant cette corne d'abondance. La cuisine paraissait mieux approvisionnée que la plupart des vitrines de pâtisseries.

« Bien sûr, répondit Allan. Mon père est boulanger. J'étais censé le seconder dans l'affaire familiale. Je l'ai fait pendant deux ans. Les plus longues de ma vie », ajouta-t-il d'un air sombre en s'asseyant à la table.

Il glissa une tasse de café et une assiette de biscuits vers Juliet.

« Eh bien, vous êtes doué, dit celle-ci en grignotant un *hamentashen*. Je suis très mauvaise cuisinière. Les recettes de famille s'arrêtent avec moi. J'ai beaucoup déçu ma mère sur ce plan. » Elle avait pris un ton léger, mais, à la fin, sa voix hésita. « Moi aussi j'étais censée travailler dans l'entreprise de mon père.

— Pour y échapper, je me suis enfui à Londres où j'ai essayé de devenir acteur.

— Vous aviez du talent ?

— Non, j'étais nul, avoua Allan. Et je me suis fait arrêter pour avoir importuné des hommes à la sortie d'une pissotière. »

Surprise par le ton dégagé avec lequel il lui confiait cette humiliation, Juliet le regarda fixement. Son étonnement amusa son hôte. Puis il soupira.

« Ce n'était pas drôle à l'époque. À ma libération, je me suis réfugié au magasin et, en guise de pénitence, j'ai confectionné des petits pains au lait pendant toute une année. »

Juliet rit. « Je crois que ma mère me pardonnerait tous mes péchés si j'arrivais à produire d'aussi bons *hamentashen* ne serait-ce qu'une fois ! »

Charlie s'était glissé dans la cuisine sans se faire remarquer. Debout près de la porte, il écouta les autres s'épancher librement. Il avait parfois l'impression que cela se passait toujours ainsi : il présentait des gens à Juliet et celle-ci se mettait à plaisanter et à rire avec eux comme elle ne l'avait jamais fait avec lui. D'abord il s'était dit que c'était parce qu'elle était amoureuse de lui – on n'est jamais à l'aise avec l'objet de son désir, n'importe quel collégien sait cela. Il s'était attendu à ce qu'elle quitte Max après avoir pris conscience qu'il était un homme amoindri, traumatisé par la guerre, et qu'elle se tourne vers lui. Cela ne s'était pas produit – pas même lorsque Max l'avait laissé tomber à New York. À mesure que les années passaient avec la régularité d'une horloge, il s'était rendu compte qu'il avait pris ses désirs pour des réalités. Il l'observait, espérait, et c'était tout. Elle mettait de côté les bénéfices de la galerie. Au lieu de s'acheter une maison plus grande ou des articles de luxe, elle avait choisi de rembourser tous les ans les investisseurs, rachetant leurs parts l'une après l'autre. Seul Charlie avait résisté. Comparée à celle de Juliet, sa participation financière était modeste, mais il s'y accrochait obstinément, souhaitant rester son partenaire, du moins en affaires.

L'ayant repéré, Allan l'appela.

« Ah ! te voilà ! Viens t'asseoir avec nous. Nous étions en train de comparer les façons dont nous avions déçu nos familles. Un petit jeu très amusant. »

Jetant un coup d'œil à Juliet, Charlie constata qu'elle était triste, plus triste qu'il ne l'avait jamais vue. Soudain, il comprit : Allan et elle étaient différents de lui – c'était peut-être pour cela qu'il ne lui avait pas dit que son ami était juif. Ne voulant pas qu'elle sache qu'ils avaient un point commun, il avait souligné son homosexualité – particularité qui, malgré sa bonne volonté, mettait Juliet mal à l'aise. Finalement, cela n'avait pas d'importance. Tous deux étaient là, assis à la table, à comploter comme de vieilles commères. Charlie repensa à Allan, tel qu'il était à l'école : le garçon juif malingre, souffreteux, autre. La tapette et le youpin. Voyant qu'il était drôle et un peu rebelle, Charlie s'était lié d'amitié avec lui et lui avait permis de frôler la bonne société. Maintenant, le cercle magique appartenait en fait à ces deux-là, et il en était exclu. *Tu ne veux pas de moi*, pensa-t-il, les yeux fixés sur la jeune femme. *Tu n'as jamais voulu de moi.*

Juliet capta son regard et sourit. Elle poussa l'assiette de biscuits dans sa direction.

« Goûte un peu ces *hamentashen*. Enfant, je les adorais. Et ceux d'Allan sont aussi délicieux que ceux de ma grand-mère. »

Charlie en prit un et mordit dedans. Une saveur d'été – de l'abricot sucré – fondit sur sa langue. Il déglutit, avalant péniblement chagrin et douceur.

L'après-midi, tout le monde partit se reposer avant la fête. Le jardin transpirait au soleil, les fleurs se voûtaient tels des vieillards. Les invités cherchèrent des coins à l'ombre ou se réfugièrent dans la maison. Celle-ci comportait cinquante chambres dont la plupart n'étaient pas meublées. Frieda et Leonard en avaient choisi une chacun, mais ni l'une ni l'autre ne contenait de lit. Leonard disposait d'un matelas recouvert d'un drap propre, et encore avait-il de la chance. Inspectant la chambre de Frieda, plus grande que la sienne et pourvue d'une baie vitrée, il constata que celle-ci était vide, à part une pile de serviettes de bain posée sur le plancher.

Leonard s'approcha de la fenêtre et contempla le paysage, le parc qui ondulait sous un ciel sans nuages, les talus constellés de boutons-d'or et de pâquerettes. Leonard aurait voulu le peindre. Ce besoin qui avait grandi en lui était aussi familier qu'une pression derrière les yeux. Depuis son voyage aux États-Unis, il n'avait cessé de dessiner. Il avait rempli plusieurs blocs à dessins de divers portraits de son père – c'était devenu une habitude –, mais il avait également tenté de capter d'autres sujets. À ses yeux, le versant de la colline ressemblait à un gros taureau endormi sur son flanc, le bois incurvé lui fournissant deux redoutables cornes. Ses mains, enfoncées dans ses poches, lui démangeaient d'impatience. Comment rendrait-il ce bleu ? Se rappelant l'épreuve de latin du lundi, pour laquelle il était censé bûcher, il soupira. À la grande joie de ses grands-parents, il avait réussi l'examen d'entrée au prestigieux lycée situé au bout de la rue et, depuis son acceptation, à onze ans, la famille passait les soirées du vendredi à discuter de l'université qu'il fréquenterait. Bien entendu, le choix se réduisait en réalité à Cambridge ou à Oxford. Il serait le premier membre de la famille à faire des études supérieures et, le jour où débuteraient les cours, la fierté des Greene/Montague serait rétablie. Pour une fois, sa mère et ses grands-parents étaient d'accord sur ce point.

« Tu crois qu'on va nous servir un thé ? »

Leonard était incapable de travailler l'estomac vide. Frieda haussa les épaules. La ponctualité des repas lui importait moins qu'à son frère.

« Je te parie que Matt Rigby dort dans cette chambre », dit-elle.

Leonard en doutait. Même les vedettes pop devaient préférer dormir dans un lit plutôt que sur un tas de serviettes. Il continua à regarder par la fenêtre, mais la perspective de l'épreuve de latin le taraudait. « Je ferais bien de réviser un peu », dit-il.

Frieda secoua la tête d'un air dégoûté. « Quand je pense que tu es sur le point de rencontrer le musicien le plus génial du monde et que tu te préoccupes de tes devoirs ! C'est vraiment bizarre. »

Leonard ne répondit pas. « Bizarre » était l'un des mots préférés de sa sœur. Elle l'employait pour décrire toute chose ou toute personne qu'elle désapprouvait – depuis les cours de géographie de Mrs Kempton (« Tellement bizarres ! ») jusqu'au choix des pantalons de Leonard (« Drôlement bizarre ! ») et presque tout ce qui concernait sa mère (« C'est plus que bizarre ! »). Dans le cas présent, toutefois, elle avait tort : Leonard n'avait aucune envie de penser à ses devoirs. L'idée même d'avoir à réviser son latin le gênait comme un caillou dans sa chaussure. Il n'avait qu'une envie : peindre.

À six heures, quelqu'un sonna à la porte. Cela surprit tout le monde, surtout Allan qui ne s'était pas rendu compte qu'il avait une sonnette, et encore moins une sonnette en état de marche. D'habitude, ses invités entraient simplement dans la maison sans se donner la peine d'accomplir ce geste de politesse. Aussi personne n'alla ouvrir. Leonard céda le premier à l'insistance du timbre. Il avait erré d'une chambre à l'autre, cherchant par devoir, mais sans conviction, un endroit pour étudier. Voyant qu'aucun des adultes ne bougeait, il ouvrit la porte, s'attendant à se trouver nez à nez avec un des musiciens ébouriffés du disque de Frieda.

« Salut ! dit Tom Hopkins. Ta mère m'a convoqué ici. »

Le garçon eut un sourire malicieux. « Je la reconnais bien là. »

Il s'effaça pour laisser entrer Tom. Ce dernier avança avec précaution parmi les lattes soulevées, posa sa petite sacoche en cuir et regarda autour de lui d'un air dégoûté.

« J'ai l'impression que le propriétaire a davantage besoin d'un menuisier que d'un fresquiste. »

Leonard haussa les épaules.

« Bon, dit Tom, je suppose que je devrais trouver ta mère pour qu'elle me donne des instructions. Sais-tu où elle est ? »

Leonard s'approcha de la fenêtre qui ouvrait sur la pelouse et aperçut une demi-douzaine de transats rayés. L'après-midi cédait la place au soir. La douce lumière rosissait les silhouettes étendues sur les chaises longues. Pieds nus, Juliet se prélassait dans la première, ses cheveux retenus par un foulard rouge dont les bouts pendillaient telles les tresses rousses d'une lady Godiva. Charlie dormait dans une autre avec une expression de mécontentement. Assis bien droit dans une troisième chaise, celle-là rayée de bleu, Allan lisait *The Times*. Les plis de son pantalon restaient impeccables, la cendre de son cigarillo tombait de façon régulière, formant une petite pyramide sur le sol.

« Voulez-vous que j'aille la réveiller ? demanda Leonard.

— Non. » Tom eut un petit rire. « Je crois que nous avons trouvé notre sujet.

— Est-ce que je peux peindre avec vous ?

— Es-tu doué ?

— Oui », affirma le garçon.

Son assurance juvénile fit sourire Tom. « Eh bien, nous allons voir ça », dit-il en lui tendant un pinceau.

Leonard le prit et chassa les verbes latins de son esprit.

Pinceau en l'air, Tom hésitait. « Peut-être devrions-nous demander à ta mère son approbation ? »

L'enfant secoua la tête. « Je ne suis arrivé que cet après-midi. Personne n'y prêtera attention. C'est le chaos ici. Je propose qu'on s'y mette.

— Bon, je suppose que si Mr Gold n'aime pas le résultat, il pourra toujours passer une couche de peinture dessus. »

Tom et Leonard travaillèrent vite. Ils badigeonnèrent les murs d'une couleur chaude, puis, une fois qu'ils furent secs, ils en choisirent un chacun et se mirent à peindre. Tom commença avec la silhouette de Juliet, son foulard rouge pareil à une flamme dans la lumière du couchant. Sur la paroi opposée, Leonard esquissa la colline. Ses épaules se détendirent comme s'il trempait dans un bain très chaud. Telle une ombre verte, l'herbe apparut peu à peu sur la crête, puis le bois sombre et la fente du chemin crayeux, rappelant un os, qui le traversait. Des oiseaux aux yeux jaunes tournoyaient dans le ciel.

« C'est pas mal », dit la voix de Charlie derrière lui.

Leonard grogna un remerciement, mais ne se retourna pas.

« Qu'est-ce que tu attends ? dit Tom. Prends un pinceau. »

Charlie fronça les sourcils. « Impossible. C'est à toi que Juliet a passé commande.

— Bonté divine, arrête de geindre ! s'écria Tom. Occupe-toi du mur derrière la cheminée. »

Charlie obéit.

Les autres invités arrivèrent par petits groupes. Ils franchissaient la porte d'entrée – ouverte à cause des émanations de peinture – et la plupart ne s'aventurait pas plus loin que le hall. Finalement, quelqu'un jugea qu'il serait utile de remettre les dernières lattes en place et la maison s'emplit un moment de coups de marteau. Ensuite, on étala des coussins et des couvertures sur le sol et l'escalier. Tous s'assirent, regardèrent, fumèrent. À la nuit tombée, on alluma des bougies. Les peintres continuèrent à peindre, leurs pinceaux jetant des ombres géantes sur les parois.

Juliet et Frieda étaient assises ensemble sur les marches. La maison se remplissait de la fumée des cigarettes, des joints et des chandelles, de sorte que les artistes semblaient travailler dans un brouillard. Juliet regardait les tableaux grandir sur les murs, les trois fresques s'étendre l'une vers l'autre. Leur jonction créerait tout un monde.

Frieda surveillait la porte, attendant l'arrivée des Rigby. Toutes les cinq minutes, son cœur s'affolait – chaque nouveau venu qui émergeait de l'obscurité pouvait être Matt Rigby – et se calmait l'instant d'après. Elle serait sûrement déçue. Les musiciens ne viendraient pas. Elle s'était coupée en se rasant les jambes avec le fichu rasoir de Leonard. Tout ça pour rien. Elle aurait mieux fait de porter ses épais collants marron et sa vieille robe trop longue, ne fût-ce que pour ennuyer sa mère. D'un geste de colère, elle essuya son rouge à lèvres rose.

Des joints circulaient entre les fêtards. Juliet et Frieda se contentaient de les faire passer, ne se risquant jamais à en tirer une bouffée. Juliet ressentait une vague inquiétude – cette maison n'était pas faite pour des enfants – mais elle ne pouvait s'arracher à la contemplation des tableaux qui sortaient des murs. D'ailleurs, se dit-elle, les invités qui arrivaient maintenant n'avaient pas l'air plus âgés que Frieda. Elle réprima la voix intérieure qui s'interrogeait sur le sens des responsabilités des parents de ces gosses.

Tom, Charlie et Leonard travaillaient vite à présent. Chacun bougeait à sa façon tels trois chefs d'orchestre dirigeant un concerto de Mozart : même partition, mais sons différents. En chemise et cravate, Tom demeurait calme, méthodique. Son pinceau glissait sur le mur à grands traits assurés. Il peignait le visage de Juliet et, à l'amusement de celle-ci, lui donnait une allure de jeune garçon – un Orlando perdu dans la forêt d'Arden, somnolant, un lys à la main. En contraste avec la précision tranquille de Tom, Charlie s'était dénudé jusqu'à la taille. Il transpirait à grosses gouttes, de la sueur dégoulinait le long de son dos. Sur le mur au-dessus de la cheminée, il avait représenté Ashcombe House, ses sept cheminées fumantes, son allée fourmillant d'ouvriers, des maçons se balançant sur l'échafaudage, toutes les fenêtres illuminées, mais vides.

Le pinceau dans une main, une bière dans l'autre, il se tourna vers les autres. « Alors, qui sera le premier à se peindre à l'une de ces fenêtres ? »

Allan bondit sur ses pieds, les yeux brillants. « Il faut que ce soit moi. Après tout, je suis l'amphitryon. »

Il s'empara d'un des pinceaux de Charlie et se mit à dessiner un homme à crinière noire debout à la porte. Le personnage se penchait en avant, un plateau chargé de gâteaux flottant au-dessus d'une de ses mains tandis que, de l'autre, il invitait le spectateur à entrer.

Charlie rit. « Ce n'est pas trop mal. À qui le tour ? »

Pendant que les invités s'avançaient, saisissaient un pinceau et barbouillaient des images grossières d'eux-mêmes sur le mur, Leonard esquissa un minuscule visage à l'une des lucarnes. Personne ne se rendit compte qu'au lieu d'un autoportrait il avait peint le visage de George Montague. Lorsqu'il eut terminé, il retourna à sa propre fresque, au bout du hall. La foule se pressait autour de Charlie, hurlant de joie.

Au bout d'un moment, Juliet s'éloigna de ce tohu-bohu et alla regarder l'œuvre de Leonard. Son fils avait retroussé ses manches, de la peinture maculait sa peau blanche. Sur le mur, un cerf se dressait au sommet de la colline, des oiseaux et du feuillage posés sur ses énormes ramures. Encore orange, mais déjà touché par le crépuscule, un gros soleil planait au-dessus de la crête. Le tableau était moins bien fini que ceux des artistes adultes et, ici et là, présentait des erreurs de perspective, mais il débordait d'énergie. *Oh ! je ne m'étais pas aperçue que tu avais fait de tels progrès !* se dit Juliet. Cependant, l'inquiétude gâtait sa fierté. Leonard était doué, certes, mais cela le rendrait-il heureux ? Elle pensa aux artistes qu'elle exposait à la Wednesday's – leur succès dépendait autant de la chance que de leur talent. Et à Max qui se cachait du monde dans sa forêt. Elle ferma les yeux. « Je Vous en prie, faites que Leonard aille à l'université, murmura-t-elle. Faites-lui choisir une carrière de médecin ou d'avocat. » *Oh mon Dieu !* se dit-elle avec un sourire triste, *je suis devenue une vraie mère juive malgré moi.* Elle regarda de nouveau la silhouette mince de Leonard – je souhaite à mon fils une vie ordinaire, de l'embonpoint, des enfants et des joies simples.

La nuit était tombée, la lune se levait au-dessus de la colline, illuminant les sentiers crayeux qui serpentaient sur son versant et projetant une étrange lumière neigeuse sur le jardin. Dans un coin de la pièce, des gens commencèrent à danser sur une musique inaudible. Puis des plateaux chargés de pâtisseries commencèrent à circuler parmi les invités. Se rendant compte qu'elles avaient faim, Juliet et Frieda se servirent de *rugelach* aux graines de pavot. Un groupe de filles allongées sur des coussins près de la porte se mit à chanter des mélodies au rythme syncopé. Juliet et Frieda se surprirent à se balancer en mesure. En riant, Juliet s'empara de la main de sa fille qui, à sa grande joie, ne la retira pas, mais tira sur son bras pour la faire se lever et commença à danser. Mère et fille se trémoussèrent sur les marches, ne cessant de se heurter. Quelqu'un sortit une guitare de nulle part et se mit à jouer. La musique se déployait, s'entrelaçait avec le son d'un autre instrument – peut-être une cithare ou une harpe, se dit Juliet. Cithare, quel mot bizarre ! Cithare. Cithare. Juliet le répéta et se mit à pouffer. Le mot s'accrocha à sa langue, elle essaya d'expliquer à

Frieda pourquoi elle riait, mais elle avait l'impression d'avoir la bouche enflée, ce qui rendait la chose encore plus drôle. Frieda avait les joues roses, elle était très jolie et Juliet aurait voulu le lui dire, mais ses lèvres continuaient à lui refuser tout service et cela l'attrista profondément. La musique devint plus bruyante, les vitres cliquetèrent, à moins que ce ne fussent ses dents, et Frieda lâcha sa main. Le visage non plus rose mais verdâtre, sa fille gravissait l'escalier en vitesse, vomissant dans sa paume, ses longs cheveux pendouillant en mèches humides. Juliet voulait courir après elle, mais elle avait les jambes en coton. Quand elle se leva pour suivre Frieda, elle retomba lourdement assise sur la marche. Elle se demanda trop tard ce qu'on avait mis dans les *rugelach* à part les graines de pavot.

« Du hachisch, dit Allan. Juste quelques pincées. »

Juliet le regarda, surprise. Elle ne s'était pas rendu compte qu'elle avait parlé à haute voix ni que son hôte se trouvait près d'elle.

« Oh, mon Dieu ! » s'exclama-t-elle. Elle essaya de dire à Allan qu'elle détestait les drogues, qu'il aurait dû la prévenir, qu'elle aimerait retrouver Frieda et la ramener à la maison, qu'elle était vraiment furieuse, mais tout ce qu'elle parvint à articuler fut : « Flûte ! » Regardant au bas de l'escalier, elle vit que Leonard avait une conversation sérieuse avec un grand échalas aux cheveux ébouriffés qui lui rappelait un des gars qui figuraient sur la couverture d'un des disques de Frieda.

« Oui, c'est bien Matt Rigby », confirma son hôte.

Juliet fronça les sourcils. Projetait-elle directement ses pensées dans le cerveau d'Allan ? Ce hachisch devait être très fort.

Leonard, Charlie et le célèbre Matt Rigby préparaient un feu dans la cheminée. Ils y jetaient les lattes les plus vermoulues qu'ils arrosaient d'alcool. Les flammes montèrent dans l'âtre avec un bref rugissement, pareil à un cri sorti de la réserve naturelle du Serengeti.

Allan se fit une place sur la marche à côté de Juliet et lui passa le bras autour des épaules.

«Vous voyez, votre présence était nécessaire, dit-il. Sans vous, ce *happening* n'aurait pas eu lieu. Regardez-nous. Vous et moi. Une paire de youpins. Pourtant, ils veulent tous être ici. Ils veulent tous participer.» Il rit, mais son visage exprimait la tristesse. « Un pédé et une divorcée au milieu de tout ça. »

Juliet transpirait. Elle sentit la sueur couler entre ses omoplates, mouiller ses paupières. Elle entendit battre un tambour, puis se rendit vaguement compte qu'il s'agissait de son cœur. Elle se pencha en avant, soudain submergée du besoin de dire la vérité à son compagnon.

« Je ne suis pas divorcée. Mon mari n'a jamais divorcé d'avec moi. Pas plus qu'il n'a divorcé d'avec sa première femme, ce qui fait qu'en réalité je n'ai jamais été mariée. Je suis une femme adultère. Enfin… je ne sais pas vraiment ce que je suis. »

Allan approcha d'elle son visage aux pupilles dilatées. «Vous êtes Juliet Montague et vous êtes merveilleuse. »

Juliet s'entendit pouffer sans savoir pourquoi elle riait. Le son était sorti d'elle automatiquement.

« Juliet Montague, dit-elle lentement comme si elle savourait les syllabes de ce nom. Suis-je elle ? Je n'ai jamais été mariée à George Montague – tout ça, c'était un mensonge. Suis-je Juliet Montague, après tout ? »

Allan se leva d'un bond et vacilla sur la marche. Sa cravate pendait de travers et ses cheveux, échappant à la brillantine, retombaient en mèches désordonnées. Une tache rouge maculait sa chemise.

« Il faut recommencer à zéro. Brûlez l'ancienne Juliet. Jetez-la au feu ! »

À travers le brouillard qui remplissait son esprit, Juliet ressentit un moment d'angoisse. Physiquement, l'ancienne Juliet ressemblait assez à la nouvelle, et s'immoler ne lui disait rien non plus.

« Mais ça doit faire mal, objecta-t-elle.

— Brûlez un objet symbolique.

— Ah bon. »

Juliet regarda le hall, en bas, où des flammes vacillaient dans la cheminée. Des fêtards dansaient devant, filles et garçons dénudés jusqu'à la taille. Le feu donnait à leur peau une chaude teinte orange. Leonard se trouvait parmi eux. Il dansait les yeux mi-clos. Charlie trempa son pinceau dans la cendre et se mit à peindre sur le dos du garçon, apposant d'un grand geste sa signature sur son épaule. À son tour, Leonard enduisit son pinceau de suie et dessina à Charlie une énorme moustache à croc. Se tordant de rire, une des filles lui fit signe. Obligeant, il l'affubla elle aussi d'une bacchante. Soudain, tous les invités se mirent à se peinturlurer mutuellement. Prenant à pleines poignées la cendre vomie par l'âtre, ils s'en barbouillaient les bras, les joues et le front.

« Allez, venez, dit Allan, en forçant Juliet à se lever et l'entraînant dans la foule. Brûlez le passé ! »

Sans lui lâcher la main, il la tira vers la cheminée. Il vida ses poches et en jeta le contenu dans le feu. Une liasse de billets de dix livres rougeoya avant de se réduire en cendres.

« Oh, mon Dieu ! Qu'est-ce que vous faites ! » s'écria Juliet.

Allan se contenta de rire. « À votre tour. »

Juliet fouilla dans sa poche, en retira un élastique qui servait à ramasser ses cheveux et son porte-monnaie. Allan avait raison : elle devait détruire tous ses liens avec George. Se libérer. Dans son porte-monnaie, elle chercha un objet à son nom. Ses doigts touchèrent sa carte de bibliothèque. Elle la sortit et la jeta dans les flammes. Elle regarda le bout de carton s'embraser, les caractères noirs disant MRS JULIET MONTAGUE MEMBRE ADULTE se tordre et disparaître. Avec un pincement au cœur, elle se rappela que la semaine suivante elle devait rendre trois livres et aurait besoin de demander un autre ticket.

Leonard lui prit la main. Il avait les doigts moites et le dessin sur son dos était à moitié effacé. Juliet remarqua qu'il tenait un cahier. L'instant d'après, il l'expédiait dans le feu.

« C'était quoi, ça, chéri ? s'informa-t-elle.

— Mon devoir de latin, répondit son fils. Et je t'avertis que je raterai sans doute l'épreuve de lundi, ainsi que la suivante, d'ailleurs. Le latin, vois-tu, n'a aucune importance. Seule la peinture en a. »

Juliet soupira et serra sa main. « Nous n'aurions pas dû manger ces biscuits. Les *rugelach* peuvent être dangereux. »

Leonard sourit. Il ne dit pas à Juliet qu'il n'y avait pas touché, qu'il avait les idées parfaitement claires. Sans doute sa mère ne se souviendrait-elle pas de ses paroles, mais au moins il l'aurait prévenue.

Sur le chemin du retour, ils roulèrent en silence. Personne n'avait envie de parler. À leur soulagement, Charlie alluma la radio et tous regardèrent défiler l'après-midi ensoleillé, les haies mêlées de primevères sauvages et d'églantines. Les Rigby passèrent sur les ondes.

« Éteins ! ordonna Frieda.

— Pourquoi ? demanda Charlie, mais il obéit.

— Tout ce binz et les mecs ne sont même pas venus. »

Leonard se tourna avec difficulté sur son siège et regarda sa sœur. « Mais bien sûr que si ! Ils sont tous venus. »

Frieda en resta bouche bée. « Tu mens !

— Je te jure que non. J'ai parlé à Matt. Il est sympa. Nous avons discuté d'art et de musique et il a dessiné un pingouin sur mon cou. Regarde. »

Il descendit son col pour montrer une tache de suie qui pouvait avoir ressemblé à un pingouin quelques heures plus tôt. Frieda l'examina, ferma les yeux et retomba dans son mutisme. Oui, c'était bien ça. Un signe évident. Matt Rigby était venu à la fête et elle l'avait raté parce qu'ayant mangé accidentellement du hachisch, elle avait passé une partie de la soirée à vomir dans les toilettes. Au souvenir de la nuit précédente, elle commença à avoir la migraine. Elle était restée couchée sur le lino déchiré, la tête près de la cuvette des W-C, se rafraîchissant le front contre la porcelaine. De la musique était montée à travers le plancher et elle avait cru la voir – les notes étaient des vagues de bleu et de vert mouchetées d'or et de rouge. Elles s'étaient accrochées au plafonnier, puis avaient tapé contre la fenêtre avant de s'écouler par des fissures de la vitre. Étendue par terre pendant des heures, elle avait tour à tour vomi et regardé la musique glisser entre ses doigts. Une étrange tache au plafond, sans doute du moisi, lui avait rappelé ce dessin représentant Moïse dans le livre d'histoires que lui lisait son grand-père quand elle était enfant. Moïse avait ouvert la bouche et avalé les notes qui avaient nagé vers le haut de la pièce tels des poissons tropicaux bariolés. Peu importait que les Rigby ne soient pas venus, pensa-t-elle à ce moment-là. Regarder Moïse dévorer des poissons était beaucoup plus intéressant. Il avait ouvert la bouche plus grand que le monde et, entre ses dents, elle avait vu évoluer une galaxie de poissons.

Alors que les chemins cédaient la place aux routes, à la circulation et à la brume grise de la ville, Frieda se rendit compte qu'elle avait reçu un signe. Elle n'était pas destinée à rencontrer le groupe et à épouser Matt Rigby. Ces derniers temps, elle avait fait semblant de pratiquer la religion pour ennuyer sa mère, mais maintenant, pour la première fois, elle sentait la foi frémir en elle. Elle ne savait comment, mais sa comédie était devenue réalité. En rentrant à la maison, elle remettrait ses épais collants et, le vendredi, elle irait à la *schul* avec son grand-père.

À leur retour, Juliet prit une longue douche. Lorsqu'elle descendit en robe de chambre, elle vit à sa surprise que Frieda déballait la vaisselle casher du rabbin Plotkin. Debout sur le seuil de la cuisine, elle regarda sa fille ranger les assiettes dans le placard. Elle attendit en silence, le cœur serré.

« Je t'interdis d'y toucher », dit Frieda sans se retourner.

ARTICLE 42 DU CATALOGUE
« La dernière fois que je l'ai vue », Max Langford, huile sur
bois, 50 cm x 90 cm, 1968.

C E MARIAGE TRANSPORTAIT Mrs Greene. Dans des moments
de déprime, Juliet se disait que sa mère était plus excitée
que la future mariée. Les courtes fiançailles avaient au moins
eu pour avantage de l'empêcher d'acheter davantage de chapeaux en prévision de l'événement – la chambre d'amis s'était
transformée en magasin de modiste plein de coiffures dans les
tons pastel. Frieda manifestait seulement un bonheur tranquille.
Elle devenait toute rose quand on la taquinait sur la belle mine
de son fiancé. Juliet ne le trouvait pas beau du tout. Pour elle,
la plus grande qualité de Dov, c'était son côté effacé. Il était
aussi discret qu'une lampe de bureau ou un tissu de rideau
passe-partout. Il clignait beaucoup des paupières et déglutissait
comme s'il voulait avaler sa pomme d'Adam. Juliet ne se doutait pas qu'elle était la cause de son anxiété. Malgré le passage
du temps, la honte attachée à son statut l'avait suivie comme
une ombre. Frieda n'avait jamais confié à sa mère que la famille
conservatrice de Dov avait eu avec les rabbins de longues dis-
cussions à son sujet. Les Cohen aimaient beaucoup Frieda et
comprenaient l'amour (en fait, il s'agissait presque de passion,
sentiment à peine respectable) que leur fils éprouvait pour cette
jeune fille, mais depuis l'arrivée en Grande-Bretagne du premier

rabbin Cohen, cinquante ans plus tôt, ils jouissaient d'une respectabilité sans faille et ne voulaient pas que les Montague entachent cette réputation d'un beige immaculé. Tous aimaient Mrs Greene et considéraient son mari comme quelqu'un de solide, un vrai *mensch*. Qu'en était-il de George Montague ? Ils s'en souvenaient à peine, mais prétendaient le contraire et faisaient de son faible pour le jeu un vice invétéré. Ce qu'on pouvait dire de mieux sur lui, c'était qu'en choisissant de disparaître, il avait débarrassé le plancher et cessé de déranger les gens convenables de Chislehurst. Juliet Montague, en revanche, demeurait un problème. D'abord, il y avait sa galerie et les peintures indécentes qu'elle montrait – Mrs Cohen s'était aventurée en ville juste pour voir de quoi il retournait et avait découvert que l'endroit était plein de nus, des filles, et même des garçons aux attributs exposés telles des saucisses de Francfort dans un étal de hot-dogs. Venait ensuite le problème de son petit ami. Le bruit courait que, pendant plusieurs années, Juliet avait eu un amant, un homme d'un certain âge, un peintre lascif (« Ne le sont-ils pas tous ? » demanda Mrs Cohen aux braves dames de son comité de femmes) qui n'était même pas juif. Mais le dernier obstacle à la bienséance était la personne de Juliet. Cela dépassait son activité (la vente de tableaux obscènes) ou le fait qu'elle eût un amant (*goy*). Cela concernait sa *nature*. Elle était toujours polie et confectionnait parfois des strudels pour les fêtes estivales de sa mère. Tout le monde s'accordait néanmoins à dire qu'on ne pouvait lui faire confiance. Certes, elle confectionnait des strudels, mais Mr Harris avait eu mal à l'estomac après en avoir mangé et on soupçonnait la pâtissière d'avoir utilisé du lard au lieu de margarine. Certes, elle était toujours polie, mais elle avait un regard effronté.

Juliet s'efforçait de ne pas prêter attention à ces ragots. Elle savait qu'ils perturbaient ses parents, ce qu'elle regrettait, mais elle se refusait à croire qu'ils nuisaient à Frieda ou que sa personne provoquait les déglutitions, pareilles à celles d'une grenouille, de Dov ou la sueur sur son front. Elle ne parvenait pas à imaginer comment ce jeune homme moite, qui semblait se flétrir telle une tulipe assoiffée en sa présence, pouvait être attirant quand elle n'était pas là. Elle avait interrogé Leonard à son sujet. Bien que son fils ne fût pas un fan de Dov, il avait répondu évasivement par loyauté envers sa sœur. Dov, avait-il déclaré, pouvait être « assez amusant de temps à autre ». Cependant, il ne put donner qu'un seul exemple de cette qualité : un soir, avant le dîner, oubliant qu'il avait posé son chapeau sur la chaise, Dov s'était assis dessus et l'avait aplati comme une omelette. Oui, admit Juliet, c'était drôle, mais il s'agissait d'un accident. Rien de ce que pouvait faire ce pauvre Dov ne lui attirait la sympathie de sa future belle-mère. Juliet estimait simplement qu'à dix-neuf ans, Frieda était trop jeune pour se marier.

« Tu l'épouses pour me punir ? » demanda-t-elle plus d'une fois à sa fille.

Frieda arrangea les plis de sa longue jupe et regarda Juliet avec ce regard désapprobateur qu'elle ne supportait pas.

« Maman, je sais que tu as du mal à le comprendre, mais mon mariage avec Dov n'a vraiment rien à voir avec toi. »

À la recherche des mots adéquats, Juliet se passa la langue sur les lèvres. Elle n'avait jamais été aussi à l'aise avec Frieda qu'avec Leonard. Non pas qu'elle lui préférât son fils, mais au moins elle savait toujours quoi lui dire. Elle respira à fond.

« Écoute, ma chérie, si c'est pour le sexe, à quoi bon te marier ? Les temps ont changé. Tu peux demander la pilule à ton médecin et coucher avec Dov, si c'est ça que tu veux. Peut-être même avec d'autres hommes.

— Je ne veux pas coucher avec d'autres hommes. Seulement avec Dov. »

Deux taches rouges apparurent sur les joues de Frieda, mais, pour une fois, Juliet ignora ce signe d'avertissement et insista.

« Bon, eh bien, prends la pilule et ne couche qu'avec Dov. Mais va à l'université. Obtiens un diplôme. Si tu continues à tenir à lui, épouse-le après avoir passé tes examens. »

Frieda plissa les yeux. « Je ne veux pas aller à l'université. Je veux être une épouse et une mère. Pour moi, c'est la chose la plus importante au monde. »

Cette critique implicite frappa Juliet de plein fouet et lui resta dans la gorge telle une arête. Elle détourna la tête pour cacher à sa fille les larmes qui lui montaient aux yeux. Elle avait beau essayer, elle ne trouvait pas le courage d'organiser les noces. Tous ces bigots avec leur bonheur agressif, si contents de ce mariage, si contents d'avoir sauvé une autre âme ! Elle cligna des paupières et sourit. Tout ce qu'elle pouvait espérer, c'était que Frieda eût assez de temps pour changer d'avis.

« Quand pensais-tu te marier ? En janvier ? J'aime les mariages d'hiver. Tout ce rouge.

— En juin, répondit Frieda, mettant sa mère au défi de la contredire.

— Mais ma chérie, cela me laisse trop peu de temps pour tout préparer. J'ai déjà mon exposition d'été à la galerie. »

Frieda soupira et prit un air boudeur comme si sa mère l'avait blessée. « Ça ne fait rien. Grand-mère s'en occupera. »

Juliet déglutit. Elle se rendait compte que c'était exactement ce que Frieda voulait. On ne pouvait lui faire confiance, à elle. On devait la tenir à l'écart de tous les rapports sociaux délicats et les célébrations juives. Elle n'avait plus qu'à se retirer.

La grand-mère et la petite-fille étaient ravies de collaborer. Un mariage en juin ! Les fleurs seraient merveilleuses et ils auraient des fraises anglaises pour dessert. Mrs Greene était bien décidée à tout organiser de manière parfaite, comme si les ennuis conjugaux de Juliet avaient découlé d'un mariage médiocre avec arrangements floraux bas de gamme. Si chaque détail de celui de Frieda était correct, tout le reste suivrait comme il fallait, tel un arbuste planté dans de la bonne terre.

Juliet essaya de s'intéresser aux préparatifs. Elle étudia la liste des invités et les plans de table, mais voyant que Mrs Greene et Frieda n'avaient admis qu'un nombre restreint de ses amis, elle n'en fut que plus déprimée. Elle insista pour qu'on convie aussi les garçons de la galerie – bien qu'ils eussent cessé depuis longtemps d'être des garçons pour devenir des pères de famille trentenaires.

« C'est gentil d'avoir invité Philip, ma chérie, dit-elle, mais il faut qu'il vienne avec sa femme. Et qu'en est-il de Charlie et de Marjorie ? Et Jim ? Il serait très vexé si tu ne l'invitais pas. »

Frieda se renfrogna et se mordit la lèvre. Son béguin pour Philip n'avait pas diminué même quand les cheveux du peintre avaient commencé à se clairsemer, et elle ne lui avait jamais tout à fait pardonné d'avoir épousé l'éclatante Caroline cinq ans plus tôt.

« Caroline ne viendra pas. Nous ne sommes pas assez chics pour elle.

— Bien sûr qu'elle viendra. Philip t'aime beaucoup. »

À contrecœur, Frieda ajouta Caroline à sa liste.

« Dois-je vraiment inviter Charlie ? C'est l'ami de Leonard, pas le mien.

— Oui, et Marjorie aussi.

— Je n'aime pas cette femme », déclara Frieda.

Julia soupira. Peu de gens aimaient Marjorie. Charlie avait étonné tout le monde en épousant son modèle. Extrêmement jolie autrefois, elle n'avait pas tardé à se faner. La beauté de sa jeunesse n'avait pas tenu sa promesse et, au lieu de se transformer en une femme attrayante, Marjorie était devenue une personne quelconque, malheureuse par-dessus le marché. Chaque fois que Juliet voyait Charlie regarder sa femme, elle lui trouvait une expression de surprise et de désappointement. Elle plaignait Marjorie. La famille de Charlie la traitait sans égards – la fille d'un peintre décorateur n'appartenait pas à leur monde. On n'appréciait guère les plaisanteries que le père de Marjorie faisait au sujet de la similarité de sa profession et de celle de son gendre. (« En fin de compte, la peinture n'est que de la peinture, quelle que soit la façon dont vous la flanquez sur un support ! ») Le mariage avait été un désastre, se rappela Juliet. Valerie s'était enivrée avant la cérémonie et Juliet avait dû l'emmener se coucher pendant les discours. En chemin, Valerie lui avait saisi le bras et confié dans un murmure empestant le gin : « J'aurais préféré qu'il vous épouse, vous. Même une divorcée *juive* aurait mieux valu que cette fille. » Malheureusement, il s'avéra qu'elle avait eu raison — une fois que Charlie n'eut plus envie de peindre Marjorie, ils n'eurent plus rien à se dire. Marjorie aimait figurer dans des tableaux et non pas en parler. Ils n'avaient pas eu d'enfants. Frustré, Charlie reporta son affection sur Leonard. Marjorie essaya elle aussi de se faire un ami du garçon. Au soulagement de Juliet, son fils lui montrait de la gentillesse.

« Marjorie viendra, décida Juliet. Et Jim aussi.

— Mais suppose que Jim… » dit Frieda avec humeur. Elle se tortilla. « Suppose qu'il vienne avec quelqu'un. »

Juliet rit. « Penses-tu ! Il n'emmènera pas un petit ami à ton mariage. Et je suis sûre qu'il ne flirtera pas avec le rabbin. Il n'aime pas les barbus. »

Détestant être taquinée, Frieda fit la grimace. « Je ne crois pas que la famille de Dov approuverait sa présence. Ce qu'il fait est contraire à la Loi. »

Juliet leva brusquement la tête. « Alors je te conseille de ne pas leur raconter des choses qui ne les regardent pas. Ne prends pas les mauvaises habitudes des Cohen, Frieda. »

Sa fille ne dit rien. Elle ajouta le nom de Jim en tout petits caractères comme si, le jour venu, cela rendrait le peintre invisible.

« Et tu as oublié Max, dit Juliet. Pas la peine de lui envoyer une invitation par la poste. Je lui en remettrai une quand je le verrai ce week-end. »

Frieda fixa un moment sa mère de ses yeux verts, puis elle déclara doucement : « Je ne veux pas de cet homme à mon mariage. »

L'antipathie éprouvée pour Max dans son enfance avait fini par durcir comme du vernis jusqu'à se transformer en haine. Au fil des ans, Juliet s'était efforcée de ne pas s'en apercevoir, mais à présent elle sursauta, frappée par le dégoût qu'elle percevait dans la voix de sa fille.

« Ce n'est pas mon ami, reprit Frieda. Je ne le veux pas ici. Je ne veux pas que Dov et sa famille vous regardent tous les deux et se mettent à faire des commentaires. Il n'est pas question qu'il vienne. »

Là-dessus, elle tapa son pied nu sur le tapis. Juliet la regarda, bouche bée, se demandant si elle devait rire ou secouer sa fille comme un prunier.

Plus tard, dans la semaine, les *garçons* ne lui témoignèrent que peu de sympathie. À son arrivée à la galerie, Juliet trouva un Charlie de fort mauvaise humeur. Il avait passé tout un mois à peiner sur un triptyque abstrait très loin de son style habituel et, voyant Juliet hausser les épaules avec indifférence, avait conclu que son tableau ne « marchait » pas, qu'il ne « marcherait » jamais. À coups de pinceau furieux, il se mit à recouvrir la toile d'une épaisse couche de peinture blanche, prenant un plaisir masochiste à effacer des semaines de travail dans cette tempête de neige.

« Ça t'étonne ? Elle n'a jamais aimé Max.

— Sa réaction est tout à fait freudienne, ajouta obligeamment Jim. Les filles détestent toujours le mec qui couche avec leur mère. À moins qu'il ne s'agisse de leur père, évidemment.

— Je savais qu'elle l'évitait, dit Juliet, mais là elle semble vraiment le haïr.

— Pourquoi cela te perturbe-t-il à ce point ? demanda Charlie. Comme si Max allait venir à ce mariage ! Tu le vois à Chislehurst, dans ta maison, mettant un habit pendant que tu lui attaches ses boutons de manchette en nacre et lui appliques de l'eau de Cologne derrière les oreilles ? »

Juliet ne répondit pas. Elle se tourna pour passer en revue une série de tableaux que Jim avait apportés. Même si l'atelier faisait toujours partie de la galerie, Charlie était le seul à s'en servir de façon régulière. Pendant les premières années de son mariage, il avait peint chez lui, dans le Dorset, mais peu à peu il s'était mis à revenir à Londres pour une nuit, puis pour toute une semaine. Juliet le soupçonnait de dormir parfois à la galerie. Jim et Philip avaient abandonné l'atelier depuis longtemps. Juliet encourageait ses nouveaux poulains à utiliser cet espace, mais, d'habitude, Charlie les faisait fuir au bout d'un mois ou deux, les accusant d'employer ses pinceaux, de ne pas fermer les portes à clé ou de trop parler.

La première œuvre de Jim, une sérigraphie, représentait une piscine ensoleillée dans le Devonshire où les ondes sur l'eau ressemblaient à des écailles. Elle l'examina avec plaisir et sourit. Sans se presser, elle étala les suivantes, les accrochant déjà en imagination. En plus d'organiser les expositions, elle vendait les toiles de Charlie, de Jim et d'une douzaine d'autres peintres dans le monde entier. Elle ne vendait pas celles de Philip, n'ayant jamais apprécié ses portraits de chevaux de course. Or ceux-ci s'étaient révélés trop lucratifs pour que Philip consacre du temps à d'autres sujets (racée comme un pur-sang, Caroline devait coûter cher à entretenir, se dit Juliet). Philip demeurait son ami, mais avait peu besoin de ses services.

L'exposition d'été, quand elle montrait des artistes établis comme Jim à côté de nouveaux venus, représentait la partie préférée de son travail.

« Qui as-tu découvert cette année ? » demanda Jim, passant en revue les toiles empilées contre les murs de l'atelier.

Elle soupira. « Pour le moment, personne. Mais je vais emmener Leonard aux expositions des Beaux-Arts et prospecterai des talents là-bas.

— Leonard lui-même devient très bon, assura Charlie. As-tu vu son dernier collage ? »

Toujours sous le charme des ondes bleues dans la piscine de Jim, Juliet n'écoutait qu'à moitié. Elle secoua la tête.

« Tu devrais peut-être inclure une de ses toiles, suggéra Charlie. Cela lui donnerait confiance en lui, à ce gosse.

— On verra, dit Juliet. Oh, j'adore celle-là ! »

Elle désigna une grande sérigraphie de Jim représentant un adolescent au nez en trompette endormi à côté de l'eau verte d'une piscine en plein air.

« Nous l'exposerons ici, mais je vais en demander un maximum. Je pense que nous devrions l'envoyer à New York pour voir ce qu'ils peuvent en faire là-bas. »

Son enthousiasme fit sourire Jim. Il haussa les épaules. Charlie accéléra son blanchiment, irrité par le peu d'intérêt que Juliet avait manifesté pour ses dernières œuvres, et encore plus irrité par le fait qu'il ne les aimait pas, lui non plus.

« Tom Hopkins m'a apporté quelques très beaux nouveaux tableaux, dit Juliet. J'en exposerai au moins trois. J'aimerais les présenter tous, mais je manque de place. »

Elle fouilla dans un tas de toiles non encadrées posées contre le mur et en sortit le tableau d'un garçon nu se baignant à côté du bief d'un moulin, le corps ombré par la lumière bleue du soir, sous un ciel pourpre constellé d'étoiles pareilles à des aigrettes de pissenlit. Un mélange d'idylle pastorale anglaise et de jeu de couleurs à la Picasso. Jim et Charlie s'approchèrent. Charlie se mit à rire.

« J'aime ton baigneur, Jim, mais ce vieux Hopkins t'a devancé.

— La jeunesse n'a pas l'exclusivité de l'innovation, déclara Juliet. D'ailleurs vous n'êtes plus si jeunes, vous deux. Dans un an ou deux, on vous considérera comme faisant partie de l'establishment. Il vous faudra commencer à fumer le cigare et à jouer au bridge.

— Montre-moi ses autres tableaux, » dit Jim.

Juliet fureta dans le tas de toiles, en sortit quelques œuvres de Tom dont la plupart représentaient des jeunes hommes en train de dormir, de manger, de rêvasser ou de nager. Jamais ils ne souriaient, jamais ils ne regardaient le spectateur. Ils attendaient toujours d'être regardés.

« J'aime bien ce qu'il fait, murmura Jim, presque pour lui-même. Parfois je pense que lui et moi sommes les deux fichus peintres figuratifs qui restent en Angleterre.

— À part Max », dit Juliet.

Jim et Charlie ne répondirent pas.

Juliet passa le reste de l'après-midi à disposer des toiles tout autour de la galerie, essayant divers accrochages, puis les rejetant avec une moue. Elle remarqua à peine le changement de lumière et la pluie qui se mit à tambouriner sur le toit plat.

« Sors les tableaux que tu as sélectionnés pour l'exposition, dit Charlie. Mets-les par terre, contre les murs, partout.

— Je me débrouille très bien comme ça », dit Juliet.

Charlie secoua la tête. « Fais-le. Je voudrais te montrer quelque chose. »

Juliet ne bougea pas.

« Je t'en prie. »

Juliet soupira. Avec l'aide de Charlie, elle disposa les toiles restantes tout autour de la galerie. En l'espace d'une heure, les tableaux exhibés recouvrirent entièrement le sol. On aurait dit un immense patchwork bariolé.

« Bon, fit Charlie, tu vois ce que je veux dire maintenant ? »

Juliet fronça les sourcils, secoua la tête.

« Eh bien, grimpe sur cette chaise et regarde. »

En équilibre sur un vieux siège, Juliet baissa les yeux vers la houle de tableaux. Certains étaient abstraits – des lignes grises perçant des surfaces bleues, des slogans publicitaires d'un jaune pisseux dégoulinants de peinture. Il y avait là des gouaches, des collages, des aquarelles et des reliefs. Comme d'habitude, Juliet se surprit à chercher les toiles de Max. C'étaient des œuvres assez anciennes. Étant donné qu'elles ne s'étaient pas vendues la première année, Juliet les avaient exposées de nouveau plusieurs étés de suite. Elle dirigeait la galerie, après tout. À présent, elle les considérait comme des talismans, convaincue que, même si elles n'avaient aucun succès commercial, elles portaient chance aux autres.

« Tu vois le problème alors, dit Charlie d'une voix soulagée en suivant son regard. J'étais sûr que tu t'en apercevrais.

— Je ne sais absolument pas de quoi tu parles », répondit Juliet toujours perchée sur sa chaise et se sentant ridicule.

Charlie inspira à fond.

« Les tableaux de Max ne s'intègrent pas, dit-il lentement. Tous les autres sont modernes. Il y a des peintres qui se tournent vers l'avenir et essaient de l'imaginer en crayon, fusain, huile et verre. Max, lui, a abandonné. Ses tableaux ne sont même pas récents. Ou, s'ils le sont, ils ressemblent à tous ceux qu'il a peints ces vingt dernières années et je ne suis pas fichu de faire la différence. »

Juliet descendit de son perchoir. Elle fixa Charlie, puis Jim qui s'était réfugié dans un coin et évitait son regard.

« Moi, j'aime la peinture de Max. Il a une voix différente. C'est justement ce qui me plaît.

— Non, tu aimes Max, point, à la ligne. Son œuvre se réduit à des images nostalgiques, chargées de fioritures, de l'Angleterre d'autrefois. Elle ressemble à un catalogue d'avant-guerre de Liberty. »

La voix de Charlie tremblait. D'émotion ou de nervosité ? Juliet n'aurait su le dire. Une colère noire pesait sur son estomac comme des boulettes de farine azyme mal digérées.

« C'est un grand peintre, affirma-t-elle.

— Il en avait le potentiel, mais toi, tu ne vois que ce qu'il aurait pu être et non pas ce qu'il est. Max Langford nous a déçus. Il est parti peindre des scènes de guerre et en est revenu infirme. À présent, il travaille avec une main attachée dans le dos. Il a sombré dans la merde néoromantique et je refuse… » Charlie s'interrompit et jeta un coup d'œil à Jim. « … *nous* refusons d'exposer avec lui dorénavant. »

Consciente que ses mains tremblaient, Juliet scruta leurs visages. « Vous êtes aussi cruels que Frieda, vous deux », dit-elle.

Refusant de relever cette accusation, Charlie se contenta de hausser les épaules. « Tu as le choix entre exposer notre travail ou celui de Max », dit-il.

Juliet se tourna vers Jim. « Tu es d'accord avec Charlie ?

— Oui, répondit Jim, les yeux fixés sur les taches de peinture par terre. Le problème, ma chérie, c'est que tu ne vois plus les tableaux de Max, du moins pas vraiment.

— Et si je choisissais d'exposer Max ? »

Charlie cligna des paupières et se tut. Sur le toit, la pluie se lança dans un galop. Les deux peintres savaient qu'elle n'avait pas vendu une seule toile de Max en plus d'un an. Elle avait la bouche sèche, sa langue collait à son palais comme du velcro. Même après toutes ces années d'amitié et de collaboration, Charlie avait le chic de la faire se sentir pareille à une petite provinciale du *shtetl*. Elle n'avait jamais vraiment réussi à oublier la modestie de ses origines.

« Parles-en à Max le plus tôt possible », dit Charlie.

Avant de parler à Max, elle demanda conseil à Tom. Tous deux se rendaient dans le Dorset pour le voir pendant le week-end et se donnèrent rendez-vous dans le train. Tom tint à passer la durée du voyage dans le restaurant de première classe. Dès qu'ils furent assis, il commanda du champagne.

« Mais non, je vous en prie ! » protesta Juliet.

Tom croisa ses longues jambes. « Il paraît que c'est la coutume, en première classe. Je croyais que toutes les dames aimaient le champagne. »

Juliet sourit. « En fait, je préférerais de beaucoup une tasse de thé. »

Tom éclata d'un rire sonore. « C'est pour cela que nous nous entendons si bien, vous et moi ! »

Tom écouta Juliet, la tête penchée de côté tel un merle attendant qu'on lui jette des miettes. Elle remarqua qu'il avait l'air fatigué. Sa tignasse noire d'autrefois était parsemée de fils blancs, sa peau aussi jaune et translucide qu'un vieux tableau qui commence à se craqueler. Elle s'interrompit au beau milieu d'une phrase pour demander : « Vous allez bien, Tom ? Je vous trouve un peu maigre. »

Le vieux peintre sourit. « Je travaille trop et ne mange pas assez, chose qui peut s'arranger facilement avec un peu de gin et quelques bons repas. »

Incrédule, Juliet bougea sur son siège, mais jugea impoli d'insister. Tom se frotta les yeux et poussa un soupir de lassitude.

« Je ne sais que vous dire au sujet de cette affaire, déclara-t-il. J'ai toujours cru que Charlie l'aimait bien, notre Max.

— C'était vrai dans le passé.

— L'étonnant, c'est qu'ils ne me fichent pas dehors, moi aussi. Je ne peins que des mythes et des paysages. Depuis trente ans. Le monde évolue de plus en plus vite, mais mes tableaux et moi, nous restons les mêmes. »

Juliet s'empara de sa main. « Rassurez-vous, Tom. Tous les gars de la galerie aiment votre travail. Aucun d'eux ne voudrait vous voir partir. C'est après Max qu'ils en ont. »

Le train traversa la banlieue avec de nombreux arrêts. Le lugubre paysage urbain fit place à des pâturages et à des haies fleuries. Tassé sur un coin de sa chaise, Tom se montrait si silencieux que Juliet se demanda s'il s'était endormi. D'habitude, cette partie du trajet la détendait – à mesure que le train l'éloignait de la ville, son estomac se dénouait, mais aujourd'hui le nœud refusait de disparaître. Si elle excluait ses tableaux de l'exposition, Max s'en apercevrait-il ? Au cours des dix années de leur relation, il n'était jamais venu à une seule d'entre elles. Non, elle ne pouvait faire ça, cela puait la couardise. Elle pourrait peut-être organiser une exposition solo de ses œuvres l'année prochaine ? S'agitant sur son siège inconfortable, elle se rendit compte avec inquiétude qu'elle n'avait pas vu de nouvelles toiles de Max depuis des mois – elle n'en aurait jamais assez pour remplir sa galerie. Le train entra en gare de Salisbury et Tom interrompit ses pensées. Il se leva brusquement, renversa son thé sans s'excuser, et fouilla dans le porte-bagages. Il en descendit un tableau enveloppé de papier kraft qu'il fourra dans les bras de Juliet.

« Prenez ça et donnez-le à Max. Je ne peux pas venir ce week-end. »

Il se tourna, se hâta vers la portière, descendit sur le quai. Juliet laissa tomber le paquet sur sa chaise et s'élança à sa poursuite.

« Tom ! Que faites-vous ? cria-t-elle depuis la portière. Revenez. Donnez-le-lui vous-même. »

Mince silhouette voûtée, le vieux peintre était déjà assez loin. Il se retourna. « Désolé ! Cela m'est impossible. Donnez-le-lui. » Il s'interrompit, déglutit. « C'est mon meilleur tableau. »

Le chef de train claqua la portière, le train s'ébranla. Juliet se pencha à la fenêtre. « Tom ! Tom ! »

Son ami agita la main et disparut dans la foule des voyageurs.

Max ne remarqua pas l'absence de Tom. À son arrivée, il était en train de préparer le dîner et Juliet se dit qu'il devait avoir oublié que Tom était censé venir avec elle. Elle avait eu l'intention de lui remettre le paquet tout de suite, mais pour une raison quelconque, elle l'appuya contre la rampe de l'entrée et ne s'en souvint qu'à la réception de la lettre, quelques jours plus tard. C'était le premier soir vraiment printanier. Ils emportèrent leur assiette dehors, s'assirent sur l'escalier et regardèrent des abeilles ivres de sommeil sortir des arbres. Les feuilles n'étant pas encore assez grandes pour ombrager, la lumière de la fin d'après-midi qui filtrait à travers les branches dessinait des mosaïques jaunes et vertes sur leurs visages. Max était de bonne humeur, loquace même, et juste au moment où Juliet se demandait quelle en était la raison, elle remarqua les taches de peinture sur ses doigts. Se penchant pour l'embrasser, elle inhala des effluves d'huile de lin, odeur qu'elle n'avait pas sentie depuis des mois. Elle faisait partie de lui autrefois et, lorsqu'elle disparut, Juliet mit un mois ou deux à comprendre ce qui avait changé. C'était comme mordre dans votre gâteau préféré et vous rendre compte qu'on avait oublié d'y inclure un ingrédient essentiel. Elle respira à fond et sourit. Max avait recommencé à peindre. Alors qu'ils mangeaient leur ragoût de lapin arrosé de vin de prunes mal fermenté, Juliet n'eut pas le cœur de gâcher cette soirée parfaite. Elle décida d'attendre le lendemain matin pour parler à Max de la galerie et du mariage.

À son réveil, Max, déjà debout, travaillait dans l'appentis attenant à la cuisine. Elle se prépara du café et fit le tour de la maison, savourant la quiétude de la forêt. Un soleil jaune et chaud entrait à flots par la fenêtre, jetant une lumière couleur beurre sur les peintures. Sous cet éclairage, Juliet remarqua pour la première fois que certains des ornements paraissaient usés. Le dragon ocre de la cheminée avait perdu son lustre, ses écailles s'étaient ébréchées comme des dents, ses flammes cramoisies avaient pâli. Les chameaux dorés qui cheminaient autour de la corniche du plafond s'étaient fondus dans le désert situé au-delà, de sorte qu'on ne voyait plus que les perles noires de leurs yeux briller contre le sable. Ici et là, Max avait essayé de retaper son décor – il avait reverni les ailes des papillons collés sur la vitre, mais soit par un effet de son imagination soit par celui de la lumière, leur motif semblait devenu plus grossier. Elle soupira. Comme elle-même, les habitants de cette maison commençaient tout simplement à vieillir.

Max rentra en fredonnant au milieu de l'après-midi, le pantalon taché de peinture. Il tint absolument à aller pique-niquer – l'heure tardive ne le gênait pas – et il emmena Juliet à travers bois jusqu'aux abords du manoir.

« Nous venons rarement par ici, fit remarquer Juliet.

— En effet, acquiesça Max en mâchant un morceau de pomme, mais j'avais envie de revoir cet endroit. Un brusque accès de nostalgie. D'habitude, j'ai plutôt tendance à l'éviter. C'est assez bizarre de regarder des étrangers, guide à la main, parcourir la roseraie de ma mère à la recherche d'une cafétéria.

— J'aurais aimé la connaître, ta mère. »

Max rit. « Je suis très content que tu ne l'aies jamais rencontrée. Tu lui aurais déplu – une Juive avec un mari disparu et, pire encore, de l'*ambition*. Pas du tout son genre. »

Juliet se rembrunit. Elle se demanda si elle devait se sentir offensée jusqu'au moment où Max l'entoura de ses bras, l'attira vers lui et l'embrassa.

« Mais, pour moi, c'est le contraire. Tu me plais beaucoup. Tu es tout à fait mon genre. »

Juliet sourit. Venant de Max, ces paroles équivalaient à une déclaration d'amour shakespearienne. Un faucon crécerelle tournoyait dans le ciel, son cri résonnait dans l'air tiède de cette fin d'après-midi. Juliet ferma les yeux et écouta. Leur conversation au sujet de la galerie et du mariage pouvait attendre un jour de plus.

La lettre arriva le lendemain matin, pendant que Juliet dormait encore. Lorsqu'elle descendit, Max, assis à la table, la tenait à la main. Il la lui tendit.

« Lis-la, dit-il. Elle est de Tom. »

Le ton particulier de sa voix l'incita à obéir. Elle s'assit et commença à lire.

Cher Max…

« À haute voix. »

Elle recommença. « *Cher Max, je suis un anachronisme comme cette monstrueuse maison dans laquelle tu as grandi. Tous ces peintres, les grands, comme Warhol, les petits comme Charlie Fussel et les intermédiaires comme Jim Brownwick sont à la recherche de quelque chose de moderne, de nouveau. J'avoue que leur travail ne me parle pas. Pourtant je me mets sur mon trente et un, je vais à leurs foutus vernissages, je sirote leur vin blanc tiède, je regarde leurs tableaux, gravures et reliefs et j'essaie de voir ce qu'ils voient. En vain. Alors je les regarde eux, leurs vies plus heureuses que la mienne, et je comprends que mon œuvre et moi n'avons pas de place en ce monde. Personne ne s'y intéresse. Ils pensent que je n'ai rien à dire. Peut-être ont-ils raison. Je n'ai jamais eu qu'une seule inspiration – le corps humain dans un paysage. Elle m'a suffi pour toute ma vie. Mais c'est fini, je n'en peux plus. J'en ai marre de ne compter pour rien. Je me sens de nouveau très mal et, cette fois, je suis incapable de faire face. J'ai avalé les pilules et je n'ai plus qu'à attendre.* »

Juliet poussa un cri. « Est-ce possible ? Il faut faire quelque chose ! »

Max secoua la tête. « Que veux-tu faire ? Regarde la date. Il a écrit cette lettre il y a deux jours. Finis de la lire. S'il te plaît.

— Je ne peux pas. Je ne veux pas. Lis-la, toi. »

Juliet poussa la feuille vers lui, mais Max la replaça doucement dans sa main à elle.

« Je t'en prie. Je suis incapable d'affronter ça tout seul. »

Max prit Juliet sur ses genoux et entoura sa taille de ses bras. Juliet respira à fond.

« *Je ne sens rien encore. Mourir ressemble beaucoup à vivre.* »

Elle s'interrompit. Max lui fit signe de poursuivre.

« Il n'y a rien d'autre. »

Elle lui montra le papier. Penchés tels des arbres qu'on coupe, les derniers mots tremblaient, ils finissaient par se réduire à un gribouillis, puis à un blanc. Il n'y avait ni formule d'adieu ni signature – rien. Juliet imagina la dernière matinée de Tom. Elle le vit sortir du lit, se raser, mettre un de ses costumes vieillots, mais impeccables – il avait toujours l'air de sortir de chez un tailleur d'il y avait vingt ans. Il se préparait une tasse de thé Fortnum, sortait son stylo et son papier à lettres filigrané, regardait par la fenêtre le printemps déferler sur Primrose Hill, puis avalait ses pilules et écrivait sa lettre en attendant la mort. Sa note resterait à jamais au temps présent, le moment précédant sa fin suspendu tel un coup sur le point d'atterrir. Se tournant vers Max, Juliet vit qu'il pleurait aussi. De grosses larmes rondes roulaient sur ses joues. Elle voulut les essuyer, mais Max arrêta sa main, embrassa ses doigts.

« Non, laisse. Tom n'a que nous deux pour le pleurer. »

La gouvernante de Tom avait trouvé son corps, la lettre posée à côté de lui, l'enveloppe soigneusement adressée et timbrée. Connaissant bien son employeur, elle avait passé outre la procédure en vigueur et avait posté la lettre avant de téléphoner à la police. Il n'y aurait pas de funérailles. Tom n'avait pas de famille. Max savait qu'il avait eu un amant quelques années plus tôt, mais il ne se souvenait plus du nom de cet homme, et encore moins de son adresse. Le lendemain après-midi, ils emmenèrent le paquet dans le bois et le défirent. Max était à peu près ivre. Il n'avait pas mangé depuis le matin et vidé petit à petit une bouteille poussiéreuse d'alcool dénichée au fond de la remise. Il sortit un couteau de sa poche et coupa la ficelle. Avec des gestes presque tendres, il retira le papier kraft, déballant le tableau tel un bébé enveloppé dans un drap de bain.

La toile représentait un beau jeune homme blond étendu sur une pelouse rayée. À l'arrière-plan, on voyait un manoir en grès assez laid, adouci par la tache de couleur que formait un groupe de rosiers. Le garçon était nu. Chacune de ses mèches était peinte avec amour en or, en roux ou en blond. Le duvet d'un de ses bras accrochait la lumière. Il tournait les genoux en dehors, son pénis lové contre sa jambe. À la différence des autres tableaux de Tom, le modèle de celui-ci regardait directement le spectateur de ses yeux bleus, un sourire malicieux aux lèvres.

« Oh ! s'exclama Juliet. C'est toi ! »

Elle se rappela que Tom lui avait confié un jour que, dans sa jeunesse, Max attirait aussi bien les garçons que les filles. Et même à présent, elle ressentit, comme une adolescente, une sensation bizarre dans le ventre. On aurait dit le portrait d'un Dorian Gray préservé des outrages du temps, la peau dorée par le soleil.

Incapable de parler, Max déglutit péniblement. « Oui, c'est bien moi, finit-il par dire. À dix-huit ans. Aux Beaux-Arts. Avant la guerre. »

Il fourra le tableau dans les mains de Juliet et repartit vers la maison. Elle entendit claquer la porte. Après avoir ramassé le papier, elle suivit son ami, la toile coincée sous le bras. Max l'attendait dans la cuisine. Il la regarda par-dessus un mug contenant un liquide noir et malodorant.

« Je m'en vais », grogna-t-il.

Juliet eut l'impression qu'un grand silence descendait sur le monde, le chant des oiseaux s'interrompit, le craquement des arbres cessa. Prise de vertige, elle s'adossa contre le buffet et parvint à placer le tableau sur la table sans le laisser tomber. Elle sentit plutôt qu'elle n'entendit Max discourir et mit une minute à comprendre qu'il parlait de quitter la galerie et non de la quitter, elle. Elle éprouva un bref instant de soulagement, puis une profonde tristesse lui noua la gorge.

« C'est de leur faute, disait Max. Ce sont Charlie Fussel et ses comparses qui ont poussé Tom au suicide. »

Serrant le bois du buffet, Juliet le regarda tourner autour de la table, étonnamment éloquent malgré sa colère attisée par l'alcool.

« Ce ne sont pas des peintres, mais des miroirs obtus qui reflètent aussi mal que du foutu papier aluminium. Un artiste doit penser, sentir, réagir. Ces gars croient à tort peindre les temps présents, mais ils ne produisent qu'une œuvre superficielle. Parfois leur travail pourrait faire une jolie affiche, parfois il est volontairement laid. Ils confondent monstruosité et profondeur. Un peintre qui ne réfléchit pas n'est qu'un fabricant de babioles. C'est tout ce qu'ils sont, eux. Une bande de *babioleurs.* »

Max s'interrompit, s'appuya sur le dossier d'une chaise et vida son mug.

« Par ailleurs, tu as un artiste comme Tom, reprit-il. Un homme tranquille, sérieux, mélancolique, aux principes élevés. Ils l'ont tué et je ne veux plus rien avoir à faire avec eux. Je ne veux plus exposer avec eux. Je suis désolé de te faire de la peine, mais je ne peux pas m'asseoir simplement sur mes principes. Je ne le peux pas et je ne le veux pas. »

Rendue muette par cette explosion de rage, Juliet se contenta de hocher la tête.

« J'ai parlé à une marchande de tableaux de Blandford, dit Max. Kitty West. J'aime que ce soit une femme qui m'expose. Passe-lui mes invendus. »

Juliet pensa à tous ses tableaux cachés dans sa galerie. Aussi familiers que son propre reflet, c'étaient ses amis, ses talismans. Parfois, après une longue journée, elle ouvrait le placard juste pour jeter un coup d'œil à cette fenêtre ouverte sur le ciel – pendant qu'elle la regardait, elle n'était plus à Londres, mais dans le Dorset, et contemplait un vol d'oies sauvages par les yeux de Max.

« Non, répondit-elle d'une voix ferme. Elle peut prendre tout ton nouveau travail, mais ces toiles-là m'appartiennent.

— Elles ne t'appartiennent pas. Je te les ai confiées pour que tu les vendes.

— J'y tiens trop pour y renoncer.

— Est-ce pour cela que tu ne les as pas vendues ? Parce que tu voulais les garder pour toi ? »

Juliet fixa cet étranger furieux, aux yeux assombris par la boisson. Ébranlée, elle déglutit. Le sang battait dans ses tempes.

« Tu sais très bien que ce n'est pas vrai, riposta-t-elle, mais si tu veux les récupérer, il faudra que tu viennes à Londres les chercher. »

Max scruta son visage, mais elle soutint son regard. Tous deux savaient qu'il ne s'aventurerait jamais en ville et que les tableaux préférés de Juliet ne risquaient rien.

Elle monta dans leur chambre, jeta ses vêtements dans sa valise et reprit le train pour Londres. L'invraisemblable beauté du paysage qu'elle traversait la contraria. Le vert parfait des prairies et la brume bleue qui rampait sous les arbres des bois à jacinthes ne firent que l'irriter. Elle aurait voulu de la bruine, un ciel gris. Serrant son manteau autour d'elle, elle se permit de pleurer. Des larmes barbouillèrent ses joues et tombèrent de son menton jusqu'à ce qu'une vieille dame coiffée d'une sorte de couvre-théière lui offre un mouchoir en papier. Elle se demanda si c'était elle qui avait quitté Max ou si c'était Max qui avait rompu avec elle. Cela n'avait guère d'importance. Il lui faudrait apprendre à se passer de lui. Au moins, elle n'aurait pas à lui dire que Frieda refusait de l'inviter à son mariage. Avec un autre sanglot, elle comprit que Charlie avait sans doute raison : Max s'en serait fichu. Épais comme de la fumée, un sentiment de solitude l'enveloppa. Pour la première fois depuis des années, elle pensa à George.

Mrs Greene céda à sa petite-fille sur la question des arrangements floraux. Frieda voulait louer les services d'un de ces fleuristes de luxe de la rue principale et, persuadée qu'on devait se plier à tous les désirs d'une mariée, sa grand-mère donna son accord. Elle regarda son mari remplir le chèque, non sans regret, sachant qu'il y avait une douzaine de jolis vases en plastique tout neufs dans l'armoire de la synagogue et que son jardin regorgeait de fleurs. Elle se montra toutefois inflexible au sujet des gâteaux. Des pâtisseries achetées étaient totalement inadéquates : elles trahissaient une grave négligence et ni fille ni même petite-fille n'en mangerait à son repas de noces. Disposée à essayer de copier ces vilaines couleurs qu'on voyait dans les vitrines des pâtissiers et que Frieda admirait tant, elle acheta toute une série de colorants alimentaires bleus, verts et jaunes et se lança dans la confection de divers gâteaux de Savoie criards. Las d'avoir à goûter des gâteaux cramoisis collés sur une base chocolatée et recouverts d'un glaçage beurre frais, ainsi que de voir son confortable séjour disparaître sous une avalanche de revues nuptiales d'un blanc nylon, Mr Greene se réfugia chez Juliet. Là, au moins, on ne parlait de mariage qu'à l'heure des repas et la cuisine était dépourvue de bouteilles poisseuses de colorants qui dégoulinaient partout. Il y avait cependant un autre problème. Mr Greene avait échappé à la joie frénétique de sa femme et de sa petite-fille, mais lorsqu'il regardait Juliet par-dessus le bord de son *Daily Mail*, il constatait qu'elle était triste. Son tact paternel l'empêchant d'en demander la cause, il gardait le silence. En revanche, il permettait à sa fille de lui préparer du thé et veillait à laver sa tasse, petit geste destiné à lui manifester sa sympathie.

Une série de Juliet bordait l'escalier intérieur de la petite maison. Charlie Fussel avait commencé cette collection et, à présent, tous les artistes avec lesquels Juliet travaillait semblaient l'avoir peinte à un moment ou à un autre. D'abord, Mr Greene avait trouvé très bizarre, et même proche de la vanité, le penchant de sa fille à se faire portraiturer. Il craignait que cela n'irrite son Dieu sévère et jaloux. Toutefois, constatant au fil des ans que Juliet restait indemne, il décida que cette tendance avait quelque chose de fascinant. La plupart des gens avaient des filles qui ne leur donnaient que des petits-enfants, des *latkes* et des *tsorros*, mais la sienne était différente. Chez elle, pas de *latkes*, ou juste des *latkes* mous et brûlés. En compensation, elle était *intéressante*. Mr Greene avait conscience que la plupart de ses amis étaient un peu ennuyeux. Il les aimait bien et se rendait compte qu'il était lui-même assez terne, préférant ses aises et la tranquillité à l'aventure, mais il admirait le cran de sa fille. Chacun des portraits captait un morceau d'elle. Aucun d'eux ne représentait toute sa personne, mais en montant ou en descendant rapidement l'escalier, on traversait une foule de Juliet. Mr Greene en aimait certaines, était indifférent à d'autres et en détestait deux ou trois. Cela lui faisait un drôle d'effet d'avoir soudain autant de filles – c'était épuisant. Alors qu'il regardait à la dérobée sa Juliet en chair et en os *potchki* dans la cuisine, il éprouva un besoin presque irrésistible de lui dire qu'il la préférait entre toutes. Et que, quelle que fût la cause de la tristesse qui l'obligeait à frotter ses paupières gonflées, celle-ci passerait. Oui, tout finirait par s'arranger. Se sentant observée, Juliet se retourna.

« Veux-tu que je nous prépare du thé, papa ?

— Oui. Merci. Ensuite, je laverai les tasses. »

Afin d'échapper à l'euphorie de sa mère et de sa fille en pleins préparatifs de mariage, Juliet emmena Leonard voir l'exposition de fin d'année au Royal College. Tous les jours, des artistes téléphonaient à la Wednesday's dans l'espoir que Juliet accepterait de les représenter, ou bien ils débarquaient à la galerie sans rendez-vous, un carton à dessins sous le bras. Elle accordait la même attention aux œuvres des jeunes peintres qu'à celles d'artistes établis. Ce qu'elle aimait par-dessus tout, c'était découvrir de nouveaux talents parmi les étudiants des Beaux-Arts. Elle les suivait pendant un an ou deux pour s'assurer de leur ténacité, puis elle exposait quelques-uns de leurs tableaux. En revanche, elle rejetait aussitôt, bien que poliment, ceux qu'elle avait surnommés les « tapoteurs ». Il s'agissait d'habitude de gars d'un certain âge et privilégiés qui, surpris de trouver une femme à la tête de la galerie, ne pouvaient s'empêcher de lui donner une tape bienveillante sur le derrière.

Après un bref intermède printanier, il s'était remis à bruiner. Le ciel était d'un gris délavé. Toute la ville puait l'humidité telles des chaussettes impossibles à sécher. Pendant le trajet en train, Leonard se montra très silencieux. Juliet s'abstint de commentaire, espérant que sa morosité ne correspondait pas à une brusque manifestation d'irritabilité adolescente. D'habitude, Leonard était d'une humeur étonnamment égale. Juliet se dit que ce changement était sans doute imputable au mauvais temps.

L'exposition avait ouvert la veille, mais Juliet préférait toujours venir le lendemain du vernissage. Elle aimait jeter un coup d'œil aux tableaux pendant que les préposés au nettoyage balayaient les cacahuètes tombées à terre, les serviettes en papier et autres ordures. Elle restait un moment immobile dans la salle à écouter le frottement des balais laveurs, puis elle faisait le tour de la pièce pour choisir les toiles qui lui plaisaient. Elle se demandait lesquels de ces artistes réussiraient, lesquels, vingt ans plus tard, grignoteraient des vol-au-vent à des cocktails et diraient : « J'ai fait les Beaux-Arts, vous savez. » Ensuite, pensant à Tom et à sa lettre, elle se força à contempler un médiocre paysage pour chasser de son esprit le souvenir de cette tragédie.

« Viens me dire ce que tu penses de celui-ci, Leonard », dit-elle, arrêtée devant l'autoportrait d'une jeune femme sortant de la douche dont le visage se reflétait, maigre et pâle, dans le miroir embué de la salle de bains.

Son fils se tenait dans un coin, les épaules voûtées, les mains dans les poches. C'est à peine s'il regardait les tableaux. Il s'approcha en traînant les pieds et se planta docilement devant la toile.

« Ce tableau te dit-il quelque chose ou rien du tout ? demanda Juliet. Il faut que tu le sentes dans tes *kishkies*. »

Leonard soupira. Pourquoi sa mère employait-elle les quelques mots de yiddish qu'elle connaissait uniquement lorsqu'elle parlait d'art ? La toile qu'il avait sous les yeux ne l'intéressait pas, les autres non plus. Charlie lui avait assuré que sa mère comprendrait, ou du moins l'écouterait avec bienveillance. Leonard en doutait. Les mots jaillirent cependant de sa bouche avant même qu'il ne s'en rendît compte.

« Je quitte le lycée. Je ne me présenterai pas au bac. Je veux faire les Beaux-Arts. »

Oubliant l'exposition, Juliet se tourna vers lui.

« Impossible. »

Leonard fronça les sourcils. La colère fit monter deux taches rouges à ses joues. « Que veux-tu dire ? »

Juliet déglutit, se força à sourire. « Je veux dire que tu devrais attendre. Tu as tout le temps d'aller aux Beaux-Arts. Tu as besoin de ton bac. Dans la vie, les choses ne se passent pas toujours comme on l'espère. »

Leonard, froissé, s'éloigna d'elle en secouant la tête.

« Tu ne crois pas en moi, dit-il. Tu ne crois pas que j'aie du talent. Tu me *schlep* ici et regardes ces croûtes pendant des heures… Eh bien, je déteste ce stupide portrait. Les couleurs sont trop bleues, la facture est négligée et cette fille maigre n'a rien dans le crâne. C'est prétentieux et merdique. Mais toi, tu me demandes de l'étudier alors que tu ne daignes même pas jeter un coup d'œil à mon travail. »

À sa grande contrariété, il s'aperçut qu'il pleurait. Juliet s'avança, prête à le réconforter, mais il la repoussa.

« Non, laisse-moi tranquille. Je veux peindre. Tu comprends ce besoin chez les autres, mais pas chez moi. »

De sa manche, il essuya ses larmes, mais constata, humilié, qu'elles continuaient à couler. Cela attisa sa colère.

Juliet regarda fixement ce jeune homme furieux, son fils, et comprit qu'il était perdu. Elle avait toujours espéré qu'il finirait par désirer une autre carrière. En vain. Elle aurait voulu lui dire que pour chaque Hockney, Warhol ou Jim Brownwick, il y avait un Max Langford ou un Tom Hopkins. Que tout était une question de chance plutôt que de talent. Le talent n'avait pas aidé Max. Ni Tom. Elle aurait voulu expliquer à Leonard que l'indifférence et l'échec peuvent pousser un homme à écrire une lettre à son plus vieil ami tandis qu'assis au soleil il avale des comprimés et attend la mort.

« Tu n'as vraiment rien à me dire ? » demanda Leonard, les yeux agrandis par la déception.

Il haussa les épaules, enfonça les mains dans ses poches et se dirigea vers la porte. Juliet courut derrière lui, se rendant soudain compte qu'elle n'avait pas exprimé ses pensées à haute voix.

« Attends ! cria-t-elle. Attends. »

Leonard lui fit face. « Qu'y a-t-il, maman ? »

Juliet déglutit. Et resta muette. Leonard soupira, se tourna et sortit dans la rue. Elle le regarda s'éloigner, mince silhouette courbée sous la pluie, et disparaître dans la masse colorée des parapluies. Revenant dans la salle, elle promena son regard autour de l'exposition. Leonard avait raison – tous ces tableaux étaient médiocres. La fille dans la douche, terne et bleue.

Répugnant à rentrer chez elle, elle se surprit à se diriger vers la Wednesday's. En deux minutes, elle fut trempée, ses chaussures en cuir couinaient sur le trottoir. *Je n'ai plus personne,* se dit-elle. Même si elle ne vivait pas normalement avec Max, elle accumulait pendant leur séparation des anecdotes à lui raconter. Le week-end, elle pouvait analyser avec lui une dispute avec Leonard, résoudre ses problèmes. Les mains croisées sous le menton, il l'écoutait en silence, ne lui offrant conseil ou consolation que lorsqu'elle avait terminé. La seule perspective de pouvoir lui parler l'avait empêchée de se sentir seule. *J'étais capable de supporter mes difficultés avec Leonard quand j'avais Max,* se dit-elle.

Elle se rendit compte qu'il avait cessé de pleuvoir et que son visage était mouillé de larmes. Alors qu'elle atteignait Bayswater Road, le soleil apparut de derrière les nuages. Elle longea la grille luisante. Un merle se baignait dans une flaque et, pendant un brusque moment de soleil, un préposé aux chaises optimiste disposa des transats, chassant de la main des gouttes de pluie accrochées au tissu rayé. Se rappelant le portrait que Tom avait fait d'elle endormie dans une chaise longue, Juliet sentit son cœur se serrer. À la fin de ce week-end, elle avait laissé un petit morceau d'elle-même somnolant dans le hall d'Ashcombe House. L'année précédente, Tom lui avait offert une photo encadrée du tableau pour son anniversaire. Le vent se leva, remplit les sièges de toile, les gonfla telles des voiles. Elle pensa à Tom. *Dire que vous étiez si malheureux et que nous n'en savions rien !*

Elle quitta la Bayswater Road, prit des petites rues jusqu'à la Wednesday's, entra dans la galerie. Pendant qu'elle préparait l'exposition d'été, celle-ci était fermée au public. Une douzaine de toiles de Tom étaient rangées contre le mur. Elle ne parvenait pas à décider si elle devait les inclure dans l'exposition ou organiser une rétrospective l'année suivante. Elle en retourna une et, à la vue des deux personnages qui se détachaient sur l'embrasement d'un soir d'automne, elle se rendit compte à quel point le style de Tom avait influencé Leonard. Comment avait-elle pu ne pas s'en apercevoir plus tôt ?

« C'est toi, Juliet ? » cria Charlie depuis le studio.

Juliet soupira. Elle aurait préféré être seule.

« Oui, c'est moi, répondit-elle au bout d'un moment.

— Formidable ! J'aimerais que tu viennes voir ce que j'ai fait. »

Juliet enleva son manteau et pénétra dans l'atelier. Charlie était assis devant un chevalet, les pieds entourés de tubes de couleur et de morceaux de tissu effilochés. De toute évidence, il n'était pas rentré chez lui depuis plusieurs jours. Il avait une barbe poivre et sel, des yeux bordés de rouge et injectés de sang. Parmi les débris qui jonchaient le sol, Juliet repéra plusieurs bouteilles de vin vides.

« Oh ! Tu es trempée ! » s'écria Charlie en désignant la traînée humide par terre et les cheveux mouillés de Juliet.

« Que voulais-tu me montrer ? »

Charlie lui indiqua une série de toiles sur lesquelles des morceaux de tissu à fleurs et de papier journal étaient enchâssés dans d'épaisses volutes de peinture. « Qu'en penses-tu ? » demanda-t-il.

Juliet regarda ces collages et ne ressentit qu'une grande lassitude. Elle chercha une formule apaisante, une critique voilée, mais sans méchanceté.

« Je déteste. C'est affreux. »

Tous deux tressaillirent, aussi surpris l'un que l'autre par cette remarque. Quand elle s'entendit, Juliet se rendit compte que c'était vrai.

« C'est de la camelote décorative. Pire encore : c'est laid. D'une laideur parfaitement gratuite. Ça ne parle pas. »

Maintenant qu'elle avait commencé, elle ne pouvait plus s'arrêter.

« Max avait raison, poursuivit-elle. Tu es devenu un fabricant de babioles. Comme tu as perdu toute inspiration depuis des années, tu produis des imitations – parfois d'autres artistes plus doués, parfois du peintre que tu étais autrefois. Mais ces copies sont de plus en plus pâles, c'est tout juste si je parviens encore à les percevoir. Il n'y a plus que… » Elle s'interrompit, chercha un mot, y renonça avec un haussement d'épaules. « Il n'y a plus rien. »

Livide, Charlie la fixa du regard. Mais maintenant Juliet était en colère, sa fatigue remplacée par une fureur agréable, aussi réconfortante qu'un whisky.

« Tu as chassé Max de la galerie. Et pour quoi ? Pour ces horreurs ? » Elle montra le tas de collages. Elle déglutit et, se maîtrisant, dit d'une voix à peine audible : « Je ne veux plus de toi dans la galerie. J'ai assez d'économies pour racheter ta part. »

Sans prononcer un mot, Charlie ramassa son manteau, une bouteille de vin à moitié pleine et prit la porte. Après son départ, Juliet s'assit sur le sol de ciment froid et sanglota. Une fois calmée, elle se regarda dans le miroir et constata qu'elle avait les paupières meurtries.

Le jour du mariage, il fit beau. Il avait plu toute la semaine et Frieda et Mrs Greene étaient restées collées à la radio pour écouter les prévisions météorologiques nationales, locales et marines. Malgré les sombres pronostics, le soleil avait daigné apparaître le dimanche matin. Pareil à un adolescent capricieux qui finit par céder et accepte d'arranger sa tenue, il brillait au-dessus de la banlieue, séchant les flaques et l'herbe mouillée. Feignant de s'en réjouir, Juliet essaya de se persuader que tout s'arrangerait, que Frieda serait peut-être heureuse. La maison était emplie de l'odeur douceâtre des lys, fleurs que Juliet n'avait jamais aimées : elles la faisaient penser à un enterrement plutôt qu'à un mariage, et leur puissant parfum à une grand-tante qui aurait appliqué trop d'eau de toilette derrière ses oreilles. Cependant, l'allégresse de Frieda se répandait d'une pièce à l'autre, faisant sourire jusqu'à sa mère. Elle portait une robe crème ornée de petites roses en nylon cousues autour du haut col victorien et son voile, selon Leonard, était assez solide pour attraper des poissons. Son frère, lui aussi, déménageait après la cérémonie. Charlie lui avait trouvé un logement – geste amical que Juliet ne pouvait lui pardonner. Elle devait cependant admettre que la perspective de devenir indépendant réussissait à Leonard. Ses boutons séchaient, il arborait avec une assurance nouvelle son costume bleu pastel accompagné d'une cravate soyeuse. Lorsqu'elle lui demandait de mettre le couvert ou si les œillets des boutonnières étaient arrivés, il lui répondait de ce ton calme et courtois qu'on réserve d'habitude à des étrangers. Incapable de le supporter plus longtemps, Juliet se retira dans sa chambre.

Elle se brossa les cheveux et passa sa tenue de mariage, un simple ensemble crème gansé de bleu marine que des petits boutons fermaient dans le dos. Dans le magasin, la vendeuse l'avait aidée, mais à présent, seule dans sa chambre avec la robe ouverte, Juliet regretta de ne pas avoir choisi un vêtement destiné aux femmes sans mari ni amant. Elle devrait peut-être se mettre à dessiner des toilettes sans fermeture éclair ni boutons inaccessibles. Elle avait acheté un chapeau qui, elle le savait, n'allait pas avec le reste, une chose affreuse à volants, mais Mrs Greene lui avait rappelé, un jour seulement avant le mariage, que les femmes mariées devaient en porter un à la *schul*. À ce moment-là, il était beaucoup trop tard pour en trouver un autre.

Il était presque onze heures, la voiture nuptiale ne tarderait pas. Juliet aurait bien voulu rassembler en elle un brin d'enthousiasme et ressentir la joie d'une mère-de-la-mariée normale au lieu de cet horrible malaise. Longeant quelques-uns de ses portraits, elle traversa le palier et ouvrit la porte de la chambre de Frieda. Sa fille était assise devant le miroir, les cheveux ramassés en boucles élaborées, tandis que Mrs Greene aboyait des instructions à la coiffeuse. L'air apeuré, celle-ci plongeait nerveusement son fer à friser dans le tas de cheveux qui gonflait sur le crâne de la mariée. Se sentant de trop, Juliet resta sur le seuil. Frieda finit par lever les yeux et lui adressa un sourire empreint d'inquiétude.

« Tu ne trouves pas cette coiffure un peu exagérée ? demanda-t-elle.

— Mais non, ma chérie, elle est merveilleuse », mentit Juliet. Elle se tourna vers sa mère. « Tu pourrais me boutonner ? »

Mrs Greene cessa de harceler la coiffeuse pour s'occuper de Juliet. « Qu'est-ce que c'est que ce tissu ? grommela-t-elle. Il est bien trop mince, voyons ! Tu aurais dû aller chez Minnie, dans la rue principale. Si tu lui avais dit que tu venais de ma part, elle t'aurait donné une bonne jupe bien solide pour le même prix. Et puis, tu as maigri. As-tu mangé le strudel et le schnitzel que j'ai mis dans ton frigo ? »

Mrs Greene termina le boutonnage et sa tirade rata son effet. Juliet l'embrassa.

« Merci, maman. Tu es très élégante. »

La voix de Mr Greene monta l'escalier, les prévenant que la voiture était arrivée. Aux yeux de Mrs Greene, la location d'une Rolls-Royce blanche, alors que son mari avait une Ford Anglia en parfait état de marche, représentait une autre dépense inutile. Elle regarda par la fenêtre et fit une moue en constatant que l'uniforme blanc du chauffeur était sale et que l'homme avait profité du temps d'attente pour fumer une cigarette près des poubelles.

Frieda ne remarqua rien de tout cela. Elle était à la fois Scarlett O'Hara et Elizabeth Taylor. Bientôt elle serait Mrs Dov Cohen et aurait une maison à elle. Son frère et son grand-père l'attendaient au pied de l'escalier. Tout émue de pouvoir enfin jouer ce rôle, elle descendit majestueusement les marches étroites de cette maison de banlieue, prenant soin de ne pas regarder les rangées de Juliet accrochées aux murs. Il devait y en avoir au moins une demi-douzaine rien que dans l'escalier – et seulement un stupide portrait de Frieda peint lorsqu'elle était petite. Elle aurait aimé avoir un portrait d'elle maintenant, dans sa robe de mariée. Voilà qui aurait fait un joli cadeau de la part de sa mère – au lieu de cette collection de cuillères argentées et de ce lugubre tableau représentant la maison dans les bois.

On fit monter Mr Greene et la mariée dans la Rolls. Frieda chuchota, extasiée, à son grand-père que le chauffeur lui avait tenu la portière et soulevé sa casquette. Cependant, contrariée par les taches sur le pare-chocs et la bosselure dans la portière du conducteur, Mrs Greene s'était retirée à la cuisine. C'est alors que se produisit le malentendu. Mrs Greene omit de voir que sa fille n'accompagnait pas Frieda.

Comme personne ne l'avait prévenue qu'elle était censée prendre la voiture nuptiale, Juliet pensait qu'elle se rendrait au mariage avec le taxi qui allait venir chercher Mrs Greene et Leonard. Aussi découvrit-elle, en sortant de la salle de bains à onze heures un quart, que tout le monde était déjà parti. Pendant un merveilleux moment, elle se demanda si elle pouvait rester dans la cuisine silencieuse et tiède, mais évidemment il n'en était pas question : une mère se devait d'être présente aussi bien au moment où ses enfants commettaient une erreur que lorsqu'ils triomphaient. Elle saisit son sac, se précipita dans la rue et réussit, par miracle, à sauter dans le premier bus qui, par un miracle encore plus grand, allait dans la direction de la synagogue. Assise tout au fond, parée de ses plus beaux atours, elle se félicita du peu de retard qu'elle aurait, après tout, au mariage de sa fille. Ce n'est que lorsqu'elle entra en hâte dans la *schul*, dix minutes après l'arrivée de la mariée, qu'elle prit conscience d'avoir laissé son affreux chapeau sur la table de la cuisine. Elle ne pouvait plus rien y faire. Dans la galerie, les femmes se penchèrent les unes vers les autres et murmurèrent : *Juliet Montague a donc pris le bus pour venir au mariage de sa fille, elle est arrivée en retard et, pis que tout, la tête nue. Est-ce pour proclamer que, divorcée ou non, elle ne se conduira plus en femme mariée ?* Elles tenaient là un scandale piquant et bien plus intéressant que la perspective de voir la décoration florale faite par un magasin qui, paraît-il, avait coûté quarante livres à Mr Greene.

Juliet se glissa dans la pièce située à l'arrière de la *schul* pour assister à la parure de la mariée, sachant que Frieda ne croirait jamais que son manque de chapeau était un accident. Mais tandis qu'elle écoutait les Cohen chuchoter avec délice leur réprobation, elle se demanda s'il s'agissait vraiment d'un oubli. Après toutes ces années, c'était ridicule de porter, comme une bonne épouse juive, un chapeau à la *schul*. Mieux valait se montrer impudemment tête nue. Elle espéra que, si Dieu existait, Il apprécierait son honnêteté.

Après la réception, Juliet rentra chez elle à pied. À présent, la maison était vide. Elle n'avait encore jamais vécu seule. Jusqu'à dix-huit ans, elle avait habité avec ses parents le pavillon propret de Victoria Drive et ne l'avait quitté que le jour de son mariage. Elle se rappela son arrivée ici, dans cette maison, par une fin d'après-midi, après leur lune de miel. Elle avait fouillé dans son sac à la recherche de sa clé toute neuve. Avoir ses propres clés lui avait semblé terriblement adulte, et elle s'était à moitié attendue à voir s'ouvrir devant elle une maison de poupée. Mais non, ç'avait bien été une maison de dimension normale et George l'avait portée par-dessus le seuil et presque laissée tomber sur le sol de la cuisine. Ils étaient allés au lit sans intention d'y dormir et n'étaient redescendus en robe de chambre qu'à deux heures du matin pour boire, elle, du chocolat chaud, et lui, un bourbon.

Juliet remonta l'allée, ses chaussures lui mordillant les talons tel un chiot, et espéra que, quel que fût l'avenir, Frieda était heureuse en cet instant. Avec le passage du temps, ses problèmes avec George s'estompaient assez pour que, telle une tapisserie recouverte d'une couche de peinture, ils laissent apparaître de nouveau le motif de roses originel. Lorsqu'elle tourna la clé dans la serrure et entra dans la cuisine, elle frissonna. Tout était resté pareil qu'au moment de son départ. Sur la table, les traces du dernier petit déjeuner pris en famille. Le floc-floc du robinet qu'elle n'avait jamais fait réparer. Les chaussures boueuses de Leonard abandonnées près de la porte. À leur vue, un hoquet de tristesse lui monta dans la gorge. Ses deux enfants étaient partis. Trop tôt. Trop jeunes. Et maintenant, pour la première fois de sa vie, à trente-neuf ans et – elle jeta un coup d'œil au calendrier – huit mois, elle se retrouvait seule.

Le lendemain elle reçut une invitation gravée sur un bristol jaune :

> Exposition d'été de la Hambledon Gallery.
> Elle comprendra des œuvres nouvelles
> du peintre du Dorset, Max Langford.
> Kitty West vous prie de l'honorer
> de votre présence le 31 juillet à 19 h 30.
> Salisbury Street, Blandford Forum. R.S.V.P.

Au bas du carton, on avait ajouté dans une écriture féminine arrondie : « Max et moi espérons de tout cœur que vous viendrez. K.W. »

Juliet jeta aussitôt l'invitation à la poubelle. Une demi-heure plus tard, elle la récupéra avec un morceau d'épluchure de pomme collée à l'enveloppe. Piquée au vif, elle n'avait pas la moindre intention d'aller à cette exposition. C'était hors de question.

L'exposition avait lieu dans un petit bâtiment en brique dans la ville de marché de Blandford. L'air d'été était plus pur dans le Dorset qu'à Londres. Anxieuse, Juliet tirait sur sa jupe, se demandant si sa tenue était trop ou pas assez habillée. On ne savait jamais avec ces événements artistiques à la campagne. Dans la vitrine de la galerie, voûtée dans le style des rois George, étaient exposés des paysages méditerranéens aux couleurs vives qui contrastaient avec la joliesse vieillotte des maisons et des magasins ventrus accrochés au flanc de la colline. Ouvrir une galerie dans ce village était une initiative bizarre, mais n'était-ce pas cela qui attirait Max ? À l'idée de le revoir, Juliet se sentait un peu étourdie comme après avoir bu trop de cet affreux schnaps de prunes chez son père. Elle aurait mieux fait de ne pas venir, maintenant il lui était difficile de se tourner et de repartir. Il n'était même pas encore huit heures, pourtant lorsqu'elle franchit la porte basse du magasin, déclenchant un tintement de clochette, elle se rendit compte qu'elle devait être une retardataire. Pleine de monde, la salle chaulée sentait la sueur filtrée par du bon gros tweed campagnard. Emportée par un grouillement de corps chauds, Juliet fut propulsée en haut de l'escalier où on lui tendit une coupe de champagne – un vin excellent, et non pas cette bibine jaune et acide qu'on servait d'habitude dans cette sorte de réunions. Promenant son regard sur les tableaux autour d'elle, elle s'aperçut qu'elle s'était rendue coupable de préjugés – elle s'était attendue à des aquarelles ennuyeuses bien qu'habiles, à d'aimables scènes rustiques avec, peut-être, une huile maladroite ou un portrait qui n'avait de charme que pour les amis du modèle. Or elle avait sous les yeux des œuvres modernes d'une excellente facture dues à quelques-uns des meilleurs artistes du pays. Alors qu'elle contemplait une gouache représentant Stonehenge dont les blocs de pierre, transformés en rectangles de Mondrian gris et bleus, se détachaient sur l'étendue de Salisbury Plain, elle se dit que ces toiles et leurs prix n'avaient rien de provincial. Aucune des toiles accrochées ne se vendait à moins de cent guinées. Juliet sentit une main sur son épaule.

« Comme je suis contente que vous ayez pu venir ! »

Se retournant, elle se trouva nez à nez avec une femme dans la cinquantaine aux cheveux gris frisés, aux lèvres minces non fardées et aux yeux bleus qui portait une grosse paire de lunettes à monture d'acier autour du cou. Elle examina Juliet un long moment sans sourire. Sous son regard, celle-ci se sentit gigoter comme une élève de sixième qu'une « grande » a surprise avec des chaussettes non réglementaires. L'inconnue finit par incliner légèrement la tête et tendre la main. « Je suis Katherine West. Tout le monde m'appelle Kitty. »

Elle parlait d'une voix distinguée en avalant les syllabes. Juliet se dit aussitôt qu'elle était un modèle de la galeriste. Elle devait savoir quand servir du Pimm's, comment grignoter un sandwich au concombre et si les fourchettes à poisson étaient en vogue. Et elle n'avait certainement pas besoin de consulter le *Debrett's* lorsqu'elle inscrivait les adresses sur les enveloppes de ses invitations.

« Max sera heureux que vous soyez venue. »

Juliet regarda autour d'elle, essayant de repérer son ami dans la foule. Peut-être n'était-il pas là. Comme il n'était jamais venu à Londres, il pouvait fort bien avoir décidé que même Blandford était trop loin pour lui. Kitty continuait à parler et Juliet se rendit compte qu'elle n'en avait pas saisi un mot. Les sourcils froncés, la galeriste répéta ses phrases avec l'air exaspéré de celui qui s'adresse à une personne obtuse ou étrangère.

« Je disais que Max m'a parlé de votre collection de portraits. Je pense que je vous peindrai un jour. Avez-vous beaucoup de portraits exécutés par des femmes ? »

Juliet essaya de prendre un air reconnaissant, même si, en son for intérieur, l'idée d'être peinte par Kitty la terrifiait. Comment pouvait-on s'exposer volontairement à un examen aussi rigoureux et désapprobateur ?

« J'avoue que j'en ai très peu. »

Kitty chaussa ses lunettes et inspecta les angles du visage de Juliet.

« Je crois que je devrais vous peindre. Lors de votre prochaine visite à Max, je passerai vous voir chez lui. »

Juliet vida son verre. Max n'avait-il pas prévenu Kitty qu'ils avaient rompu ? Cette séparation lui permettait au moins d'éviter d'avoir à poser pour la peintre galeriste. Kitty s'éloignant pour saluer d'autres invités, Juliet se permit une autre coupe de champagne. Elle se demanda ce qu'elle craignait le plus : voir Max ou ne pas le voir. Le voir, conclut-elle. Sans aucun doute.

« Bonsoir, toi. »

Elle se tourna vers lui. Un sanglot monta dans sa gorge, elle s'efforça de l'avaler telle une bouchée de pain. Max lui était si familier, pourtant, lorsqu'il lui tendit la main, elle ne put la prendre. Elle ne l'avait pas vu depuis assez longtemps pour remarquer qu'il avait vieilli. À présent ses cheveux étaient plus blancs que blonds et sa minceur avoisinait la maigreur. Il se pencha et effleura son front de ses lèvres. Elle se rendit compte avec un pincement de cœur qu'il ne sentait plus l'huile de lin. Il avait de nouveau cessé de peindre.

« Viens. »

Il la prit par le bras et la guida à travers la foule vers le fond de la galerie. Il faisait chaud, on étouffait, et Juliet sentit un ruisselet de sueur lui chatouiller le dos. Comme Max semblait heurter tout le monde sur son passage, elle n'arrêtait pas de s'excuser.

« Pourquoi diable a-t-elle invité autant de gens ? se plaignit Max sans prendre la peine de baisser la voix.

— Plus il y a de gens, plus tu as de chances de vendre un de tes tableaux. »

Max émit un reniflement dédaigneux. « Cela m'étonnerait. Si toi tu n'y es pas parvenue... »

Surprise par ce changement d'attitude, Juliet se tut. Max soupira. « Oui, je sais. J'ai été odieux. Absolument odieux. »

Répugnant à parler, Juliet déglutit. Elle inhala l'air chaud de la pièce, consciente de tous ces inconnus qui se pressaient contre eux.

« Et je m'en excuse. » Tel un collégien, Max contempla le sol d'un air penaud. « N'empêche que je ne peux pas revenir à la... C'est quoi déjà ? La Tuesday's ? »

Après presque une décennie, il ne connaissait toujours pas le nom de sa galerie. Juliet essaya de ne pas s'en formaliser.

« Il n'y a qu'une seule toile. De toute façon, quand tu l'auras vue, tu ne voudras plus de moi », ajouta Max.

Juliet allait protester lorsque la foule se fendit un moment, lui permettant d'apercevoir le tableau. Elle fut frappée de stupeur. C'était un portrait d'elle. Non pas métamorphosée en oiseau ou en une autre créature, mais en tant qu'elle, Juliet Montague.

Max l'avait peinte au lit, à son réveil. À peine consciente d'être observée, elle le regardait par-dessus les draps en désordre, ses épaules nues criblées de taches de rousseur, ses yeux verts gonflés de sommeil. Et, tandis qu'elle regardait la toile, elle comprit pour la première fois que Max l'aimait.

Il a peint tous les aspects de ma personne. Oui, me voici.

Max ne le lui avait jamais dit et elle ne s'était jamais risquée à le lui demander de crainte de recevoir une réponse désagréable. Parfois elle avait pensé n'être pour lui qu'une sorte d'habitude – une chose qui lui faisait plaisir mais à laquelle il pouvait renoncer si nécessaire. À la vue de son portrait, elle se rendit compte qu'elle s'était trompée. Max avait besoin d'elle. L'affreux mariage, les commères qui murmuraient son nom, ces bien-pensants qui ne voyaient en elle qu'un porte-malheur et un avertissement pour leurs filles – tout cela n'avait pas d'importance. Pour eux, Juliet Montague était invisible. Mais pas pour Max. Elle s'aperçut qu'elle pleurait.

« As-tu remarqué le titre ? » demanda son ami avec douceur.

Juliet s'essuya les yeux du revers de la main et lut : « "La dernière fois que je l'ai vue". »

« Il faut le prendre au pied de la lettre, je crains, reprit Max à voix basse. Je deviens aveugle. Je distingue la forme de ton visage (il tendit la main et suivit les contours de sa joue), mais ton nez et ta bouche ont disparu. Moi, un peintre figuratif, je ne vois plus qu'en abstraction !

— Oh, Max ! Je suis navrée.

— Eh bien, voilà. C'est ce que je craignais. Je ne veux pas de pitié. Surtout pas de la tienne.

— Ce n'est pas de la pitié, mais de l'empathie. Je suis triste pour toi. J'en ai le droit, non ? »

Max se rembrunit. « Ne me regarde pas comme ça.

— Tu ne sais pas comment je te regarde : j'ai un gros trou au milieu du visage, dit Juliet, s'efforçant de garder un ton léger.

— Humpf, fit Max. Allons au pub. J'en ai marre de ce cirque. Beaucoup trop de monde, bon Dieu.

— D'accord », acquiesça Juliet. Elle se laissa guider vers la sortie, mais jetait de temps à autre un regard au portrait par-dessus son épaule. Il l'attirait tel un amant sur un quai de gare. Avec un coup au cœur, elle remarqua qu'une pastille rouge était collée sur le cadre.

Assis dans le jardin du Greyhound, ils écoutèrent le murmure de la Stour qui coulait au-delà des pâturages, en bas.

« Pourquoi ne m'en as-tu pas parlé plus tôt ? demanda Juliet.

— Je ne savais comment t'annoncer la nouvelle, répondit Max en vidant sa première chope avant d'empoigner sa seconde. Tu aimes mes tableaux. Je connais la façon dont tu les regardes quand je te les montre. Avec avidité. Avec un regard laid et très peu féminin. Je ne voulais pas qu'il disparaisse. Je suis un peintre incapable de peindre. J'ai toujours été quelqu'un d'assez inutile, mais à présent… »

Il rit. Juliet tendit le bras pour lui prendre la main, puis arrêta son geste de crainte d'être accusée de commisération. Elle supposa qu'elle pouvait s'enquérir des faits.

« Quand cela a-t-il commencé ?

— Il y a quelques années, j'ai remarqué une faiblesse dans mon œil gauche. Une vue légèrement trouble. Qui empirait lorsque j'avais peint en plein soleil. J'ai attribué ça à un manque de sommeil. À trop d'alcool. Les trucs habituels. Pendant un certain temps, j'ai pensé que le problème avait peut-être été causé par une sale malaria attrapée en Égypte. Puis, l'année der-nière, les symptômes se sont aggravés.

— As-tu consulté un médecin ?

— J'ai fini par en voir un.

— Et alors ? »

Max haussa les épaules. « Il a diagnostiqué une maladie ocu-laire chronique et progressive. Il m'a fait faire un tas d'examens et m'a envoyé chez un spécialiste de Harley Street. Lorsque j'ai insisté pour qu'il me dise la vérité, ce ponte m'a avoué que si je n'étais pas encore aveugle, je ne tarderais pas à l'être. »

Soulagée que Max ne pût distinguer son visage, Juliet retint son souffle pour l'empêcher de se rendre compte qu'elle était au bord des larmes. « Et maintenant ? Qu'est-ce que tu arrives à voir ? »

Max termina son deuxième demi. « Eh bien, ce flou que je ressentais est devenu un trou au centre de ma vue. Peindre est une torture. Je dois regarder *autour* de mon sujet – si j'essaie de le fixer, il disparaît. Je ne te vois que si je ne te regarde pas. Il faut que je t'attrape au bord de mon champ de vision.

— Mais comment as-tu pu peindre mon portrait ? »

Max sourit. « Cela m'a pris des mois. Je n'ai jamais passé autant de temps sur un tableau. Et c'est le dernier que je peindrai jamais. Il fallait donc qu'il te représente. »

Il se tourna et la regarda. Juliet avait du mal à croire qu'il ne la voyait pas. Ses yeux n'étaient ni injectés de sang ni jaunes, mais blancs et clairs. Et inutiles.

Ils passèrent le reste de la soirée dans le jardin du pub parmi les cris des martinets qui piquaient sur la Stour et les soupirs des vaches disséminées dans la prairie. Le soleil orange sombra dans un brasier de nuages, recouvrant deux cygnes de la rivière d'une patine dorée. Juliet les observa en silence, puis elle décrivit à Max le mariage de sa fille. L'incident du chapeau le fit rire si fort qu'il rejeta de la bière par les narines. Elle lui avoua qu'elle craignait d'avoir perdu ses deux enfants – Frieda mènerait désormais une vie terne auprès d'un mari ennuyeux, elle élèverait des enfants et confectionnerait des *challahs* à la chaîne.

« Et Leonard ? demanda Max. En quoi est-il perdu ?

— Il veut peindre.

— Ah. Mais c'est ce qu'il a toujours voulu faire. Tu ne peux rien y changer. C'est une maladie. Comme l'alcoolisme. Ou la beauté. »

Se rendant compte que Max flirtait avec elle, Juliet sourit. Sans doute supposait-il qu'elle retournerait avec lui au cottage dans les bois et que tout serait presque comme avant. Elle ferma les yeux et pensa au portrait.

« Il est à toi, tu sais, dit Max. Le tableau. Dans un accès de dépit, je l'avais confié à Kitty pour qu'elle le vende. Ensuite, j'ai voulu le récupérer, mais elle a refusé de me le rendre. Si je voulais l'avoir, m'a-t-elle dit, il fallait que je l'achète comme tout le monde. Eh bien, c'est ce que j'ai fait. Cinquante foutues guinées, qu'il m'a coûté. Kitty m'a pris l'intégralité de sa commission. »

Juliet se pencha vers lui et l'embrassa. Il sentait l'alcool et la forêt.

« Tes enfants te reviendront, assura Max. C'est une question de temps. Tu n'as qu'à le compter en portraits. Dans un, deux, trois, quatre ou dix Juliet, ils reviendront vers toi. »

ARTICLE 75 DU CATALOGUE
« Femme au bain », Max Langford, argile et treillis métallique, 1982.

« N'EN PARLE PAS à ta grand-mère, s'il te plaît. »
Frieda regarda Juliet d'un air surpris. « C'est tout ce que tu trouves à dire ? J'attendais un "Il faut que tu penses aux enfants" ou "Je n'ai jamais aimé cet homme". »

Juliet versa à sa fille une autre tasse de café, se demandant si elle devait lui offrir une boisson plus forte, mais le seul alcool qu'elle eût à la maison était une vieille bouteille de schnaps gagnée à une loterie. « Tu penses toujours à tes enfants et tu sais déjà que je ne l'aime pas. Il est trop terne pour toi. » Juliet soupira. « J'ai toujours espéré que si tu restais mariée tu te trouverais au moins un amant intéressant. »

Frieda rit. À la trentaine, elle avait découvert qu'avoir une mère excentrique n'était pas aussi désastreux qu'elle l'avait cru dans son adolescence. « Lors de mon voyage à Paris, j'ai couché avec un Français. »

Juliet sourit et prit un autre biscuit au chocolat. « Très bien. Était-il beau ? »

Frieda soupira. « Non, pas vraiment. Il avait un peu de ventre et commençait à se dégarnir, mais il était très gentil. »

Juliet leva les yeux au ciel. « On s'en fiche. Ton mari aussi est gentil. En ce moment, tu as besoin de quelqu'un d'égoïste, de frivole et d'amusant. Tu te souviens des portraits de ces roués de

319

la Régence peints par Gainsborough que je t'emmenais voir à la National Gallery ? Eh bien, il te faut un équivalent moderne de ces gars-là.

— Tu voudrais que je couche avec un homme en pantalon de velours rouge ?

— Si c'est ce qu'il porte ce jour-là, pourquoi pas ? Je voudrais que tu t'amuses. Sors avec un homme agréable à regarder et qui te brisera le cœur. Un petit chagrin d'amour te ferait le plus grand bien.

— Mais je ne dois pas en parler à grand-mère.

— Exactement. »

Pensant à Mrs Greene, les deux femmes se turent. La mère de Juliet s'était mise à décliner tel un robuste pommier qui, soudain, s'évide, se rabougrit et résiste moins bien au vent. Elle continuait à mettre chaque jour son rouge à lèvres corail et à mijoter pendant huit heures son bouillon de poule pour le vendredi, mais après cet exploit, elle passait le reste du week-end à somnoler à côté du radiateur électrique. Juliet lui avait suggéré un jour d'aller se reposer dans sa chambre, sur le nouveau lit qu'elle avait persuadé ses parents d'acheter, mais sa mère l'avait regardée d'un air indigné et répondu que « seuls les bébés, les accouchées et les vieillards dorment dans l'après-midi ». Juliet n'avait pas insisté, heureuse que sa mère eût gardé sa fierté. Leur jeune et nouveau médecin de famille avait établi un diagnostic assez pessimiste et débité les banalités d'usage : « C'est triste, mais votre mère a eu une bonne vie, une vie bien remplie. Pour finir, nous devons tous en passer par là. » Juliet et Mr Greene avaient décidé de ne pas lui en faire part. Ils pensaient qu'elle le savait de toute façon. En fait, elle avait l'air d'aller mieux depuis quelques mois – elle oubliait moins de choses chez l'épicier et elle s'était efforcée de manger davantage tout en bourrant ses petits-enfants de gâteaux et de *latkes*. Et la couleur de ses joues n'était pas seulement due aux fards de chez Woolworth.

Mr Greene se permit d'espérer. Au fil des ans, il avait appris à avoir davantage confiance en son Dieu car, malgré Son caractère susceptible et rancunier, ce Vieux Gredin et lui étaient copains et, franchement, Jehovah lui devait bien une faveur. Tous les jours, Mr Greene priait chez lui. Il feignait de chanter sous la douche alors qu'en réalité il portait sa kippa au lieu d'un bonnet de bain et son tallith en guise de serviette. Dieu ne s'offusquait pas de sa nudité : après tout, il s'agissait de deux vieux entre eux. Mr Greene Le voyait à son image – un peu bedonnant, urinant avec difficulté. Il attribuait l'amélioration de l'état de sa femme aux actes de dévotion qu'il accomplissait dans la salle de bains. Bien entendu, il n'en parlait à personne. Sa fille et sa petite-fille l'auraient regardé avec une indulgence affectueuse comme s'il était un vieil imbécile qu'il ne fallait pas contrarier. De toute façon, peu importait qu'il eût raison ou non, l'essentiel était que sa chère Edie recouvrît la santé.

Juliet et Frieda pensaient que ce changement avait d'autres raisons. Sans s'être concertées, elles étaient sûres que Mrs Greene attendait la bar-mitsva de son arrière-petit-fils. La vieille dame tirait un immense plaisir de la respectabilité de Frieda et de son entrée dans la famille Cohen. Lorsque ses amies s'enquéraient de Juliet avec un de leurs regards bizarres, elle répondait : « Oh, elle se porte comme un charme, ainsi d'ailleurs que ma petite-fille, Frieda Cohen, vous savez », comme si la souillure qui affectait une génération avait été lavée par l'honorabilité de la suivante, sorte de détachant intergénérationnel. La bar-mitsva couronnerait tout cela. Paul Cohen, treize ans, boutonneux et timide au point de se cacher dans sa chambre lors de ses fêtes d'anniversaire, réciterait la Torah devant trois cents personnes, tiendrait un discours d'une drôlerie irrésistible pendant le repas de quatre plats et ferait honneur à deux familles et trois générations de Greene, de Montague et de Cohen. En son for intérieur, Juliet se demandait si son petit-fils serait le prochain membre de la famille à disparaître.

« Et comment Paul et Jenny prennent-ils la nouvelle ? demanda-t-elle.

— Nous ne la leur avons pas encore annoncée. Cela nous semblait injuste. Nous attendrons que la bar-mitsva soit passée. Paul a assez de soucis comme ça et nous ne pouvions pas en parler seulement à Jenny. Comme tu sais, elle est incapable de garder un secret. »

Tout en buvant son thé, Juliet pensa à sa petite-fille âgée de onze ans. Elle était beaucoup trop jeune pour qu'on lui demande de cacher le divorce de ses parents. Mais sans doute était-ce elle, Juliet, qui avait appris à Frieda que les enfants doivent garder des secrets.

Frieda demanda à Juliet de remettre à Max une invitation pour la bar-mitsva. Toutes deux savaient qu'elles ne risquaient rien – Max ne viendrait pas – mais Juliet apprécia le geste. Elle avait voulu emmener Paul se reposer au cottage avant le grand jour. Cette idée eût été inconcevable avant que Frieda ne lui annonce qu'elle quittait Dov. Juliet n'avait même jamais mentionné Max devant les enfants. Étaient-ils au courant ? Sans doute pas. Les petits-enfants soupçonnaient rarement leur grand-mère d'avoir des amants illicites. Frieda, cependant, ne voulait pas laisser partir son fils. Commençant à peine à échapper au joug de la respectabilité, elle ne pouvait pas permettre à sa mère de le prendre avec elle. « Plus tard, peut-être », avait-elle dit. « Après la bar-mitsva ? » avait demandé Juliet. « Oui, après la bar-mitsva », avait répondu Frieda, soulagée. Sans ajouter un mot, Juliet avait pris conscience du tournant que cet événement représentait dans leurs vies.

Que Juliet fût venue sans le garçon ne déçut nullement Max.

« Pourquoi l'aurais-tu emmené ? demanda-t-il. Tu sais bien que je n'aime pas les enfants.

— Tu aimais les miens, fit remarquer Juliet.

— Oui, c'est vrai. Surtout Leonard. Reviens avec lui. J'ai très envie de le revoir.

— Leonard a la trentaine. Si tu veux qu'il te rende visite, tu devras le lui demander personnellement. »

Juliet soupira. On aurait dit que, pour Max, les gens étaient restés à l'âge qu'ils avaient quand il avait perdu la vue. Ainsi Leonard demeurerait-il à jamais un adolescent plein de promesses. Lorsqu'elle lui lisait un article de presse concernant la peinture de son fils, Max paraissait toujours surpris que le garçon ait grandi. Tout le monde et toute chose changeaient, à part Max et la forêt à Fipenny Hollow, qui, elle, ne variait qu'avec les saisons. L'aubépine et le prunellier fleurissaient et se fanaient, arboraient de nouvelles feuilles et les perdaient, laissant pendre des baies rouges ou noires que Max cueillait, fourrait dans des bouteilles malodorantes et noyait dans du gin bon marché. Il suivait un rythme de vie régulier, mesuré par le soleil, la neige et le temps nécessaire pour préparer de l'alcool de prunes ou faire lever de la pâte à pain. Au cours des dernières années, il était devenu complètement aveugle, ne distinguant plus que des ombres dénuées de couleur.

Assise dans la cuisine dont les fenêtres étaient ouvertes sur le bois, Juliet bavardait avec Max qui préparait le repas. Son ami maniait le couteau aussi habilement qu'autrefois. Il ne semblait jamais se couper ou se brûler en allumant le fourneau. Il dépiauta un lapin, lui fendant le ventre, puis lui enleva lentement le pelage qu'il plaça sur la table, tout sanguinolent, sorte de sac de couchage vide. Juliet frissonna et prit de nouveau conscience qu'elle n'était vraiment pas une campagnarde – tout ce qui se tortillait et glissait lui faisait horreur. Pourtant, dès que le ragoût commencerait à mijoter et emplirait la cuisine d'une senteur d'herbes et de vin, elle aurait faim et serait prête à manger.

« Leonard a une nouvelle exposition, annonça-t-elle. C'est dans le nord, mais j'essaierai d'y aller. Comme nous sommes très occupés avec les préparatifs de la bar-mitsva et que ma mère est encore fragile, je risque de ne pas y parvenir. »

Tous deux savaient que c'était un mensonge. Quoi qu'il arrivât, elle y serait. Leonard prenait toujours soin de lui envoyer une invitation. Elle aurait aimé qu'il expose à la Wednesday's, mais elle s'abstenait de le lui demander de crainte d'un refus. Son fils n'avait jamais parlé d'inclure ne fût-ce qu'une esquisse dans son exposition d'été. En fait, il n'avait sollicité son opinion sur aucune de ses productions depuis qu'il avait quitté la maison. Pas plus qu'il ne lui avait demandé son aide. Hésitant à s'immiscer dans ses affaires ou à essuyer une rebuffade, elle n'avait su comment la lui offrir. Non, ce n'était pas tout à fait vrai : quelques années après que Leonard eut quitté le lycée, elle avait écrit à un ami, marchand de tableaux à New York, pour le prier de regarder deux ou trois toiles de son fils. Cet homme avait répondu avec grand enthousiasme et vendait les œuvres de Leonard depuis lors. Pendant ses visites sporadiques à la Grande Pomme, cela lui faisait un drôle d'effet d'apercevoir les tableaux de Leonard sur les vastes murs blancs de la galerie américaine. Un jour, le marchand oublia que Leonard était son fils et Juliet eut droit à son *spiel*. Elle l'écouta poliment décrire ce jeune artiste britannique, son emploi de la couleur et du collage pendant qu'elle examinait les tableaux accrochés, soulagée de voir qu'elle pouvait repérer, même sans étiquettes, ceux de Leonard, comme s'ils étaient de lointains cousins qui continuaient à avoir le nez caractéristique de la famille.

Le lendemain matin, à sa surprise, Max lui demanda de l'accompagner à la remise-atelier. Elle le suivit, s'efforçant de ravaler les vagues de mélancolie qui lui montaient dans la gorge. Fidèle à sa parole, Max n'avait plus peint un seul tableau depuis son portrait. De temps à autre, il découvrait de vieilles toiles au fond d'une armoire ou sous les combles et les lui donnait. À quoi lui auraient servi des tableaux qu'il ne pouvait plus voir ? Délivrée de l'obligation de les vendre, elle les amassait dans sa maison de Chislehurst, les cachant dans le placard de sa chambre. Insatiable, elle ne voulait les partager avec personne.

Max la fit entrer dans l'atelier. Celui-ci sentait toujours l'huile de lin, l'odeur ayant pénétré dans les boiseries, et Juliet éprouva un moment d'intense regret. Le soleil, aussi brillant qu'un jaune d'œuf, inondait la pièce.

« Je ne peins pas, dit Max.

— Oui, je m'en doute. »

Max s'assit devant son établi et Juliet remarqua une forme cachée sous un morceau de drap tel un dessin enfantin d'un fantôme. D'un geste de prestidigitateur, son ami enleva le tissu, révélant la sculpture d'une femme se prélassant dans une baignoire, une de ses jambes gracieuses étendue, l'autre, pliée, émergeant de l'eau. L'examinant avec attention, Juliet se rendit compte qu'elle avait servi de modèle.

« C'est moi, dit-elle.

— Évidemment.

— Mais tu m'as représentée en jeune fille ! s'écria Juliet en riant. Cette baigneuse n'a pas une seule ride. »

Max haussa les épaules. « Mais est-ce qu'elle te plaît ? »

Juliet se pencha vers lui et l'embrassa, inhalant une nouvelle odeur, celle de l'argile, sur sa peau. Sa barbe était parsemée de poils blancs et, au soleil, elle voyait son crâne rose sous ses cheveux. Il lui rendit son baiser avec enthousiasme, puis d'un geste adroit et familier dégrafa son soutien-gorge. Juliet sourit. Par chance, les jeunes n'avaient pas le monopole de l'amour et du sexe, se dit-elle, et avoir un amant aveugle présentait certains avantages.

Observant son neveu assis au premier rang de la *schul* entre son grand-père Cohen et son arrière-grand-père Greene – petit merle noir coincé entre deux mouettes blanches –, Leonard éprouva pour lui un élan de tendresse presque douloureux. Marmonnant sa bénédiction, le père du garçon se tenait à l'avant, l'air aussi effrayé que n'importe quel jeune bar-mitsva.

Leonard renifla avec dédain – même après toutes ces années, il ne parvenait pas à aimer Dov. Le jeune homme aux mains moites qu'avait été le mari de Frieda s'était transformé en un homme mûr au front luisant. Leonard regarda Paul s'agiter sur son siège à l'approche du moment tant redouté. Partageant son anxiété, il soupira. Heureusement qu'il lui avait acheté un beau cadeau pour compenser cette épreuve – un walkman Sony en métal bleu accompagné de plusieurs cassettes (Van Halen, *Thriller* et Tom Petty) que lui avait envoyé son marchand de New York. Avec un peu de chance, cela contrebalancerait la demi-douzaine de presses à pantalons et les sept radios-réveils que le gosse recevrait. Sa bar-mitsva à lui avait suivi de trop près le déshonneur familial pour être célébrée avec éclat. Même Mrs Greene s'était limitée à un déjeuner de bagels pour quarante personnes. Et, bien entendu, aucun père ne s'était tenu à côté de lui pendant qu'il lisait, debout sur la *bimah*. Son grand-père s'était efforcé de le remplacer, mais ce jour-là, le vide laissé par George Montague était abyssal.

Le rabbin s'éclaircit la voix. Les grands-pères tapèrent dans le dos du garçon. Paul se leva. La nervosité lui donnait un vilain teint crayeux et faisait briller son acné. Il se dressa devant l'assemblée, déglutissant avec difficulté. Le silence s'étira tel un élastique. Dans la galerie, les femmes se trémoussèrent sur leurs bancs. Tous attendaient. Paul ferma les yeux, se balança légèrement. Le rabbin le regarda, l'air inquiet. Soudain, le garçon se lança. Au lieu de réciter les mots, il les chanta d'une façon nette et claire de sa nouvelle voix de ténor. Son arrière-grand-mère sortit un mouchoir de sa poche. Soulagée, Juliet marmonna des paroles qui n'avaient rien d'une prière. Frieda se détendit et sourit. Seul Leonard s'attrista encore davantage. Il regarda Paul, si petit à côté de son père, sa kippa en équilibre précaire sur sa tignasse noire. La voix du garçon, douce et musicale, s'enflait dans chaque coin de la synagogue. Il sait tout, se dit Leonard. Les enfants devinent toujours. Il est là qui chante sans vouloir s'arrêter parce qu'il sait qu'un peu plus tard, après le déjeuner et les discours, quand il aura déballé les presses à pantalons, ouvert les enveloppes contenant des chèques et dûment embrassé les tantes, sa mère le prendrait à part pour lui dire qu'elle quittait son mari. Après ça, la vie ne serait plus jamais la même. Et bientôt, un jour, une semaine ou un mois plus tard, Edith, son arrière-grand-mère adorée, s'aliterait de nouveau pour ne plus se relever. Alors, ce serait la fin de son enfance. Leonard pensa au walkman Sony et aux cassettes emballés dans du papier Ferrari qui attendaient dans le coffre de sa voiture, et une tristesse aussi pénible qu'une fièvre envahit sa poitrine.

ARTICLE 101 DU CATALOGUE
« Juliet "Vibrion" Montague, ma mère », Leonard Montague,
huile sur trente-quatre toiles, 3,3 m x 9,75 m, 2006.

MAX MOURUT JUSTE avant Noël. Juliet séjourna chez lui jusqu'à la fin. Durant les quarante années qu'avait duré leur relation, il n'était jamais venu dans sa maison de Chislehurst. Elle finit par trouver les voyages dans le Dorset assez fatigants, le manque de chauffage désagréable et l'obligation, à soixante-quinze ans, de se rendre la nuit dans des toilettes extérieures peu romantique. Max ne remarquait pas l'inconfort de son cottage. Il avait vieilli lentement – seuls ses épais cheveux couleur des blés avaient été remplacés par du duvet de chardon – mais soudain il devint frêle. Il fut question de faire venir une aide à domicile. Et aussi de demander la livraison de plateaux-repas. Après avoir écouté patiemment ses conseils, Max dit à Juliet qu'il allait mourir – cela éviterait un tas d'ennuis. Comme il en parlait d'une façon très terre à terre, elle mit un moment à se rendre compte qu'il ne lui demandait pas de lui apporter du lait ou du tabac lors de sa prochaine visite. « Inutile de venir la semaine prochaine, conclut-il. Je serai mort. Tu perdrais l'argent du voyage. » Elle crut qu'il plaisantait, mais, en effet, une aimable assistante sociale lui téléphona pour lui annoncer qu'à son grand regret, et caetera. D'un geste maladroit, Juliet raccrocha, lui coupant la parole. Même si elle pleura peu, Max lui manqua énormément. Soudain, il n'y avait plus personne pour qui garder des histoires à raconter. Elle avait toujours cru que les femmes âgées qu'elle voyait dans la grand-rue se parlaient à elles-mêmes, mais à présent, elle se demandait si, en fait, elles ne conversaient pas avec leur amant défunt. Leonard se montra très gentil avec elle. Il lui apportait des repas chauds (le chagrin se traitait comme un rhume, paraissait-il) et lui assurait que sa douleur s'atténuerait avec le temps. Juliet espérait que cela ne tarderait pas trop car, après tout, ses jours étaient comptés. Craignant qu'elle ne fît une dépression, Leonard et Frieda décidèrent d'un commun accord de lui rendre visite presque quotidiennement.

Dès son arrivée, Frieda comprit qu'il s'était passé quelque chose. Elle sonna avant d'entrer – Juliet n'aimait pas que sa fille ouvrît simplement la porte et débarquât dans sa cuisine.

« Je pourrais être en train de faire des choses intimes, avait-elle déclaré.

— Dans ta cuisine ? Tu as presque quatre-vingts ans. »

Juliet avait simplement froncé les sourcils, sans répliquer.

Frieda poussa la porte de la cuisine et trouva sa mère assise à la table dans sa veste Jaeger et son écharpe Hermès. Bien qu'il ne fût que neuf heures et demie du matin, elle buvait un verre de xérès. N'ayant jamais vu sa mère s'enivrer, Frieda s'appuya un moment contre le chambranle, se demandant si le deuil pouvait expliquer ce raid dans le placard aux provisions.

« Ça va ?

— Parfaitement bien, merci.

— C'est à cause de Max ?

— Non, à cause d'un autre homme. »

Frieda tira une chaise et s'assit en face de sa mère. Celle-ci devenait-elle gâteuse comme tant de parents de ses amis ? Peut-être ferait-elle bien de téléphoner à Leonard.

« Tu en veux ? demanda Juliet en montrant la bouteille. Ce n'est pas très bon, mais je crois comprendre qu'un petit verre s'impose dans ce genre de circonstances. »

Frieda soupira. Cela faisait à peine cinq minutes qu'elle était là et déjà sa mère l'agaçait. Elle remarqua qu'en dépit de sa désinvolture Juliet avait la main qui tremblait. Elle respira à fond et s'enjoignit d'être patiente.

« Quel genre de circonstances ? » demanda-t-elle, s'attendant à ce que sa mère lui donnât une de ses réponses sibyllines habituelles.

À sa surprise, Juliet n'éluda pas la question. Repoussant sa chaise d'un air las, elle prit un grand tube en carton sur l'égouttoir et le posa sur la table, devant sa fille.

« Ce paquet est arrivé ce matin. C'est de ton père. »

Ce fut au tour de Frieda de s'emparer de la bouteille et de s'en verser une bonne rasade dans une tasse à thé. Elle scruta le visage de sa mère, mais Juliet se taisait. Les mains croisées sur les genoux, elle attendait que Frieda jette un coup d'œil à l'envoi.

« Tu l'as ouvert ?

— Oui. »

Frieda but une gorgée d'alcool et enleva le couvercle du tube. Un rouleau de tissu se trouvait à l'intérieur. Elle le sortit avec précaution, le plaça sur la table et le regarda. Chose curieuse, elle hésitait à le dérouler. Lorsqu'elle finit par s'y décider, elle sentit l'étoffe craquer sous ses doigts. L'objet dégageait une odeur de greniers et de longs voyages.

« Oh, c'est un tableau ! »

Souriant presque, Juliet acquiesça d'un signe de tête. « Tu t'en souviens ? »

Frieda regarda la toile, en lesta un bout avec un pot de confiture, l'autre avec une salière. Reculant d'un pas, elle aperçut le visage d'une fillette aux cheveux châtains et aux yeux verts. Les jambes maladroitement pliées, l'enfant était assise sur ses mains comme pour les immobiliser. Elle regardait le spectateur sans sourire, mais avec beaucoup d'intérêt. Pendant un instant, Frieda crut que c'était elle, puis elle comprit.

« Mais oui, bien sûr. Ce tableau était accroché chez nous, dans le séjour, il me semble. Et un beau jour, à l'époque où papa est parti, il a disparu.

— Ton père me l'a volé, cracha Juliet, encore furieuse après toutes ces années.

— Et maintenant, il te le rend ? »

Juliet tendit le bras et prit la main de Frieda.

« Il est mort, ma chérie. C'est son avocat qui nous l'envoie. »

À sa grande surprise, Frieda se mit à pleurer. Des sanglots envahirent sa poitrine telle une marée de printemps. Alors qu'elle montait et descendait sur ces vagues d'un chagrin inattendu, Juliet s'approcha d'elle et l'entoura de ses bras.

Depuis des années, les deux femmes n'avaient presque pas de contact physique, à part un frôlement de doigts quand elles se passaient le plat de pommes de terre ou un léger baiser pour dire bonjour et au revoir, mais à présent Juliet serrait sa fille contre elle, mouillée par ses larmes, son chemisier taché de morve. Elle lui caressa le dos, lui frotta la tête, remarquant les cheveux gris que Frieda avait maintenant au bas de la nuque. Elle n'essaya pas de l'arrêter. Sa fille avait raison de pleurer. Elle-même en avait fait autant pendant une demi-heure avant d'essuyer ses larmes et de fouiller dans le placard à la recherche du xérès. George avait disparu depuis plus de cinquante ans et elle était résignée depuis longtemps à ne plus le revoir. Pourtant sa mort la secouait. À présent, aux yeux de la société, elle cessait d'être une *aguna* ou la veuve d'un homme vivant pour devenir une veuve tout court. Une quelconque vieille dame grisonnante qui avait perdu son mari. Cela n'intéressait plus personne de savoir comment elle l'avait perdu ou de l'accuser de négligence. Seules des jeunes femmes au rouge à lèvres écarlate égaraient leur conjoint. Des vieilles dames comme elle les cédaient simplement à la mort vêtus de leur chemise de nuit. Toutefois, quelque part, sa mère devait se réjouir de la fin de son déshonneur.

Frieda se sécha les yeux et sourit.

« Désolée. Je ne sais pas pourquoi j'en fais toute une histoire.

— Ne dis pas de bêtises. C'était ton père, après tout.

— Oui, mais je ne l'ai jamais connu.

— Et tu ne le connaîtras jamais. À présent, cette possibilité, aussi improbable fût-elle, est exclue.

— Oh, tais-toi ou je vais me remettre à pleurer. »

Juliet haussa les épaules. Frieda tira un paquet de mouchoirs en papier de son sac et se tamponna les yeux, puis elle sortit un peigne et fit des grimaces devant le miroir de son poudrier. Juliet soupira. Au lieu de s'inquiéter de son aspect, sa fille ne pouvait-elle rester triste un peu plus longtemps ? Après son divorce d'avec Dov, Frieda était censée s'être libérée des convenances, mais elle continuait à se préoccuper beaucoup trop de l'opinion des autres. Juliet se dit qu'elle-même devrait s'en préoccuper un peu plus et sa fille un peu moins.

« Pardon, maman ? »

Juliet leva la tête. Elle ne s'était pas rendu compte qu'elle avait parlé à haute voix.

« Rien, ma chérie. Je n'ai rien dit.

— Je suppose que papa était un bon à rien et que je devrais me réjouir de l'avoir à peine connu.

— Pas du tout. Il était charmant et pouvait être terriblement drôle. Il vous adorait, Leonard et toi. Mais il est parti, et cet abandon efface tous les bons moments que nous avons passés ensemble. »

Frieda rit. « Tu es censée en dire pis que pendre, voyons ! Que c'était un voleur, un ivrogne, un joueur et un menteur. »

Juliet se rembrunit. « Oui, c'était la réputation qu'on lui faisait, mais elle n'est pas entièrement juste. Certes, c'était un joueur et il a volé mon portrait, mais il ne buvait pas. »

Pour ce qui était de son habitude de mentir, elle s'abstint de commentaire.

Frieda regarda sa mère et se souvint des photos dissimulées dans le placard de la chambre sur lesquelles on avait découpé l'image de son père.

« C'était tout ce qu'il y avait dans le paquet ? demanda-t-elle.

— Oui », répondit Juliet.

Bien entendu, elle aurait dû se sentir coupable de cacher à sa fille l'existence de la lettre, mais celle-ci lui était adressée personnellement et, même à soixante-dix-sept ans, on avait besoin de garder certaines choses secrètes.

Le retour du portrait provoqua un changement chez Juliet. Leonard fut le premier à le remarquer. Juste avant Noël, sa mère attrapa une grippe qui dégénéra en pneumonie, puis se prolongea par une mélancolie pareille à une pluie interminable. Frieda l'attribua à l'âge, mais Leonard savait qu'il y avait une autre cause. Elle semblait ne pas avoir envie de guérir et, même si elle n'avait pas commencé à perdre la mémoire, elle préférait oublier certaines choses. Elle laissa passer son soixante-dix-huitième anniversaire sans en souffler mot, alors que, d'habitude, elle insistait pour le célébrer, indifférente aux inconvénients que cela pouvait présenter pour le reste de la famille. Lorsque Leonard ou Frieda lui demandaient s'ils pouvaient reporter la fête au week-end, elle se mettait à bouder. « Il m'est aussi impossible de changer la date de mon anniversaire que celle de ma mort », déclarait-elle. Ses enfants soupiraient, tombaient d'accord pour dire que leur mère devenait de plus en plus difficile et achetaient (Leonard) ou confectionnaient (Frieda) le gâteau de circonstance. Mais cette année-là, le 8 avril fut un jour comme un autre et ce n'est que le 9 que Leonard se rendit compte que l'anniversaire de sa mère avait été oublié.

« Je ne l'ai pas oublié, affirma Juliet. Je n'ai pas voulu en tenir compte, voilà tout. Je suis trop vieille pour fêter mes anniversaires. »

Leonard aurait pu accepter ce genre de logique de n'importe quelle autre personne, mais pas de sa mère. Pourquoi, alors que pour le soixante-dix-septième, il avait fallu pique-niquer à Hyde Park, longer la Bayswater Road et regarder toutes ces croûtes accrochées à la grille, devait-on soudain passer le soixante-dix-huitième sous silence ? Sûr que quelque chose clochait, il se demanda quoi faire. Après mûre réflexion, il sourit. Il avait trouvé la solution.

Ce soir-là, chargé d'un gâteau d'anniversaire, il se présenta à l'improviste à la maison de Mulberry Avenue. Il avait une clé comme sa sœur, mais à la différence de celle-ci il ne lui serait jamais venu à l'esprit de ne pas sonner. Il attendit que Juliet lui ouvrît, notant qu'à sa vue le visage de sa mère s'éclaira et ressembla à celui qu'elle avait autrefois.

« Ah, c'est toi !

— Oui. Je t'ai apporté un gâteau d'anniversaire de chez le traiteur. Nous pourrions peut-être en manger un morceau ensemble. »

Leonard suivit sa mère dans la cuisine trop propre. On n'avait pas dû y préparer de repas depuis une semaine et, malgré le faible éclairage, Juliet lui parut trop maigre.

« C'est celui avec les graines de pavot ? demanda-t-elle.

— Oui.

— Tu as apporté de la crème aigre ?

— Oui.

— Je veux dire celle du traiteur juif, pas celle du super-marché.

— Bien sûr. »

Juliet poussa un soupir de contentement. Les dernières années, elle s'était mise à avoir envie des mets juifs de son enfance – les escalopes de poulet panées, les fricassées de poisson, les *rugelach* à la cannelle. Elle regrettait presque de ne pas avoir prêté plus d'attention quand sa mère faisait de la pâtisserie. Leonard sortit des assiettes du placard, servit à Juliet une part de gâteau qu'il surmonta d'une grosse cuillerée de crème.

« Bon anniversaire, maman », dit-il en l'embrassant doucement sur la joue.

Derrière elle, il remarqua un tas de lettres non ouvertes, posées sur le buffet.

« Tu devrais tout de même regarder ton courrier », dit-il en évitant d'avoir l'air de la réprimander.

Un morceau de gâteau au bout de sa fourchette, Juliet haussa les épaules. « Ce ne sont que des cartes de vœux. Je paie mes factures, tu sais. Je ne suis pas encore gaga. »

Leonard prit les enveloppes, les plaça sur la table. « Si on les ouvrait ? »

Il attendit un moment, mais comme Juliet ne bougeait pas, il commença à les ouvrir lui-même.

« Tiens, voilà une carte de Charlie. Un dessin de lui, je suppose. »

Juliet y jeta un coup d'œil. « Oui, c'est un autoportrait. Il m'en envoie un chaque année depuis qu'on se connaît. Sauf l'année où nous étions fâchés. J'étais si contente d'en recevoir un pour l'anniversaire suivant ! » Elle fronça les sourcils. « Il s'est représenté en homme mince. En fait, il a beaucoup grossi. Pas étonnant : sa deuxième femme est un cordon-bleu.

— Et en voici une de Philip. Elle est postée de Santa Barbara.

— Oui, il y passe une grande partie de l'année. Sa femme et lui ne cessent de m'inviter.

— Pourquoi n'y vas-tu pas ? Le soleil te ferait du bien. »

Évitant le regard de Leonard, Juliet repoussa son assiette. « J'ai déjà été en Californie. Je ne peux pas y retourner. »

Leonard chipota son gâteau. Maintenant qu'il était assis en face de sa mère, il ne savait trop quoi lui dire. Juliet lui faisait toujours cet effet. Un peu plus tôt, il avait été persuadé que cette visite s'imposait, mais, pendant son trajet en voiture, toute son assurance s'était évaporée comme une flaque au soleil. Il se leva et, sous prétexte d'aller aux toilettes, se réfugia un moment à l'étage. L'escalier était encombré de portraits de Juliet – il devait y en avoir une bonne cinquantaine, tous soigneusement alignés comme des enfants dans la photo de classe annuelle. Sa mère le regardait du haut du mur, tantôt en souriant, tantôt l'air grave. Une autre vingtaine de Juliet accrochées cadre contre cadre le scrutèrent sur le palier. Un kaléidoscope de femmes. Il n'y avait aucune photo de famille, de celles où l'on voit des petits-enfants barbouillés de glace au chocolat ou de ces instantanés en noir et blanc de bébés endormis dans leur berceau. Les seules photos exposées étaient des portraits de Juliet, l'une prise par Cecil Beaton, l'autre par David Bailey. Leonard ne les avait jamais aimées. Dans celle de Beaton, sa mère était invraisemblablement belle, dans celle de Bailey, elle ressemblait à toutes les autres femmes tristes et fumeuses de cigarettes que représentait cet artiste. Une grande glace pendait en haut des marches et Leonard se demanda quel effet cela faisait à Juliet d'y voir son visage actuel en plus des décennies d'elle-même. Ne se perdait-elle pas dans ce collage ?

Mis à part les portraits, cette maison de banlieue était tout à fait quelconque. L'affreuse moquette moutarde des années cinquante avait été remplacée par une autre d'un vert aussi discutable et, douze ans plus tôt, Juliet avait fait arracher le papier peint et peindre les murs en un bleu outremer qui mettait les tableaux en valeur. Cependant, elle n'avait jamais manifesté la moindre envie de déménager ou de pousser plus loin la réfection de son intérieur. Sa galerie de Londres était claire, moderne, et l'espace consacré aux expositions repeint une fois, voire deux fois par an. Jusqu'à sa grippe l'année précédente, Juliet avait toujours supervisé le changement de couleur – elle avait tenu à ce que les décorateurs recommencent leur travail lorsque la teinte rouge choisie s'était révélée une nuance trop foncée. Elle avait été la première galeriste à rejeter l'éclat des murs blancs et bientôt la National et la Tate Gallery demandèrent à la consulter. Comment cette femme si résolue, si talentueuse, pouvait-elle continuer à vivre dans cette petite maison sans charme emplie des échos d'anciens soupirs désapprobateurs ?

Même à présent, bien que minée par la maladie, elle portait un pantalon à taille haute à chevrons, un chemisier de soie éme-raude et un foulard Liberty noué autour du cou. On deman-dait souvent à Leonard quelle était, parmi les femmes qu'il avait peintes, celle dont il admirait le plus le style. Au fil des ans, il avait cité divers noms – parfois celui de la fille avec laquelle il couchait, parfois celui de la fille avec laquelle il aurait voulu coucher. En fait, il aurait dû répondre Juliet, mais n'ayant jamais fait son portrait, il n'en avait pas le droit. La maison de Mulberry Avenue regorgeait de portraits, mais aucun signé par lui.

Lorsqu'il redescendit, sa mère était toujours assise à la table de la cuisine, les mains jointes sur les genoux, les yeux dans le vague tel un héron immobile près d'un étang à poissons rouges. Comme elle avait toujours été très active, ce calme l'inquiétait. Il respira à fond et leva le bras pour enlever ses lunettes et les nettoyer, une habitude de son enfance qu'il avait gardée bien qu'il portât depuis longtemps des verres de contact.

« Je t'envoie un taxi, demain matin à neuf heures, dit-il. Il t'emmènera à l'atelier. J'ai décidé de faire ton portrait. »

« Une autre tasse de thé ? »

Juliet secoua la tête. Elle sentait que Leonard était nerveux, ce qui l'arrangeait vu qu'elle éprouvait la même excitation mêlée de crainte. Elle désirait tant aimer son tableau ! Avec les autres peintres, elle était simplement curieuse de découvrir comment ils la voyaient. Leurs versions coïncidaient rarement avec l'image qu'elle se faisait d'elle-même, mais elles étaient toujours intéressantes, quoique parfois déconcertantes. Avec Leonard, c'était différent. Peu de mères ont l'occasion d'apprendre comment leur fils les perçoit. Leonard l'aimait, c'était certain. Mais lui plaisait-elle ? Elle le regarda tripoter ses pinceaux, disposer des bocaux pleins d'eau, mélanger sans fin des couleurs et, pour terminer, saisir un crayon. Elle supposa que, d'habitude, il hésitait moins à commencer et décida de prendre son trouble pour un compliment. Voulait-il qu'elle parle pendant qu'il travaillait ? Certains peintres le souhaitaient, d'autres non. Avec un serrement de cœur, elle se rendit compte qu'elle ignorait aussi ce détail au sujet de Leonard. C'était bizarre la façon dont vos enfants vous devenaient étrangers en grandissant ! Lorsqu'elle pensait à Leonard, elle voyait un petit binoclard de dix ans à l'air sérieux et non pas cet homme vêtu d'un pull-over coûteux, aux yeux entourés de ridules. Au moins les siennes allaient-elles dans le bon sens. Juliet tenait à aimer les gens dont les pattes-d'oie, creusées par le sourire, remontaient au lieu de descendre.

Leonard poussa un léger soupir et posa son crayon. Inutile de forcer les choses, se dit-il. Le tableau ne se ferait que s'il se détendait.

« Si nous bavardions un moment ?

— Comme tu voudras, mon chéri.

— Pourquoi n'as-tu jamais quitté Chislehurst ? Tu as pourtant dû gagner assez d'argent au fil des ans. »

Juliet eut un petit sourire. « En effet. J'ai commencé par racheter les parts des investisseurs, puis celles des associés. Ensuite... eh bien, je suis restée une fille du *shtetl* dans la banlieue. C'était plus facile de détonner dans un environnement familier que n'importe où ailleurs. »

Leonard l'étudia un instant en silence avant de demander. « Combien de portraits de toi possèdes-tu maintenant ? »

Plissant le front, Juliet essaya de calculer.

« Je dois en avoir près d'une centaine.

— Pourquoi ne les as-tu jamais exposés ? On a dû te le demander.

— Ils ont été peints pour moi et pour personne d'autre. » Juliet prit un biscuit dans l'assiette posée sur une table basse.

« Je suis sûr que les gens aimeraient les voir. Quand nous étions petits, tu nous emmenais toujours dans des galeries, disant qu'il fallait partager les bons tableaux. »

Juliet recroisa ses jambes, enleva des miettes de son pantalon. « Tu n'as qu'à les exposer après ma mort. Établis un catalogue accompagné d'un texte pompeux, tu vois le genre ? *Pendant cinquante ans, la Wednesday's Gallery, sa directrice, propriétaire et guide iconoclaste, Juliet Montague, ont fait partie intégrante de la trame de Bayswater Road. Elle a mené sa galerie à travers les périls du pop art*

338

et de l'art abstrait, sans jamais se départir de sa passion pour la peinture figurative… Je veux une exposition au lieu de funérailles. Mais il te faudra attendre. »

Elle menaça son fils du doigt. Leonard eut un sourire contraint.

« Parle-moi des circonstances de ton premier portrait », dit-il en sortant un carnet de dessins et un bout de fusain.

Juliet sourit, s'étira. « Eh bien, j'avais neuf ans et poser pour un peintre était la chose la plus excitante qui me fût arrivée jusque-là. Seulement je trouvais très difficile de rester immobile. Pour me distraire, Mr Milne me racontait ses voyages dans des pays méditerranéens qui semblaient tous invraisemblablement chauds et bleus, comme sortis des *Mille et Une Nuits*. Chaque soir, je rentrais à Victoria Drive et passais des heures dans le placard à linge de ta grand-mère. Comme il contenait aussi la chaudière, c'était l'endroit le plus chaud de la maison. Je m'y enveloppais dans des draps et essayais d'imaginer un jour de canicule en Espagne. Mr Milne m'avait aussi parlé de la pêche aux homards. Il mangeait ces crustacés arrosés de vin blanc, assis au soleil en compagnie de jolies filles. Chaque fois que je mange du homard, je pense à lui. Il faut que tu comprennes l'étroitesse de ma vie d'alors, Leonard. Londres était d'un gris uniforme. On aurait dit qu'avec la guerre, toute couleur avait été rationnée. Soudain ce vieil Écossais – John Maclaughlin Milne – débarque chez Greene et Fils pour troquer un tableau contre une paire de lunettes et je découvre que d'autres parties du monde sont différentes. Il a peint mon portrait, mais il m'a aussi ouvert une fenêtre.

— Et tu n'as jamais voulu peindre toi-même ? »

Juliet rit. « Jamais. Je n'ai aucun talent. Mais ce n'est pas la seule raison. Je suis terriblement curieuse, mon chéri. J'aime savoir comment les autres voient le monde. Ton ciel est-il plus bleu que le mien ? C'est cela qui détermine mon appréciation d'un tableau : la façon dont un artiste voit son environnement. Alors je retourne à mon quotidien revigorée et avec une vision plus juste, plus précise des choses. Ah, c'est donc comme ça, un tournesol ? Je n'y avais jamais pensé. »

Pendant qu'elle parlait, Leonard posa doucement son crayon, prit ses pinceaux et commença à peindre. Il ne représenta pas sa mère, mais une fenêtre au-dessus de son épaule gauche. Dans celle-ci apparut un après-midi méditerranéen dont le soleil projetait de courtes ombres noires sur le mur d'un port devant lequel un homme et une jeune fille mangeaient du homard à une table recouverte d'une nappe à carreaux rouges et blancs. Près d'eux, une enfant s'enveloppait d'un drap comme si c'était une toge. Une paire de lunettes posée sur le sol reflétait un gros tournesol.

Leonard était censé exécuter le portrait de sa mère en une semaine, deux au maximum. Jusque-là, il n'avait jamais passé plus d'un mois sur un tableau, mais deux mois s'écoulèrent, puis un troisième, sans que le tableau fût terminé. De plus en plus de scènes surgissaient derrière la fenêtre peinte − deux jeunes hommes nus plongeaient dans une piscine noire au milieu de phalènes blanches se détachant sur un ciel nocturne. Au bout du quatrième mois, l'assistant de Leonard aida son employeur à agrandir le tableau en attachant une autre toile à la première, puis encore une autre. Bientôt le tableau couvrit tout le mur de l'atelier, mais Leonard n'avait toujours pas commencé à peindre Juliet. Cernée par sa vie, Juliet restait un espace blanc au milieu de la toile.

Je la peindrai aujourd'hui, c'est sûr. Leonard sait qu'il dit cela tous les matins, mais ce jour-là il en a la ferme intention. Le taxi amène sa mère à neuf heures et demie. Pendant qu'ils prennent le thé, Leonard l'écoute parler. Elle lui raconte une histoire de fourrure et de boucles d'oreilles, bleues comme la mer Égée, disparues. Il étudie son visage, ses douces rides, sa peau mûre, les minuscules veines qui hachurent ses joues, ses yeux verts toujours aussi vifs et il ramasse son pinceau et sa palette. La matinée passe à son insu. Lorsqu'il s'arrête, Juliet bâille et déclare qu'il est l'heure d'aller déjeuner. Il se retourne pour regarder son tableau et voit des boucles d'oreilles bleues, le dos d'une jeune femme en manteau de fourrure sur la manche duquel est épinglée une reconnaissance du mont-de-piété et, au-dessus, une bande d'oies sauvages croisant une grosse lune du Dorset. Il se rend compte alors qu'il y a toujours un espace blanc au milieu de sa toile. Après le déjeuner, se promet-il, je la peindrai après le déjeuner.

Agréablement réchauffés par la bouteille de chianti qu'ils avaient partagée, ils retournèrent à l'atelier. Juliet s'installa dans son fauteuil et attendit. Elle ne semblait pas pressée de commencer la séance. Le soleil qui entrait par la fenêtre accrochait le duvet sur ses joues. Leonard la regarda un moment, puis au lieu de prendre son pinceau, il ouvrit un tiroir de son bureau et tendit à sa mère un vieux bloc à dessins.

« Tu te souviens de ça ? Tibor me l'a donné lors de cet été que nous avons passé en Californie. »

Juliet fronça les sourcils. « Oui, vaguement. »

En ouvrant le carnet à la première page, elle découvrit la photo de George Montague de la « Galerie des maris disparus » du *Jewish Forward* collée sur la couverture intérieure. Au-dessous, inscrit dans une écriture enfantine bien nette, elle lut : « Mon père. George Montague. OU parfois Molnár. » Tournant la page, elle vit le croquis d'un homme qui, de toute évidence, était censé être une copie de la photo. Bien que rudimentaire, le dessin était ressemblant. Sur la page suivante, elle trouva un autre George. Elle feuilleta le bloc et divers George la dévisagèrent. Certains souriaient, d'autres affichaient un air sérieux. L'un d'eux portait des lunettes. Vers la fin du carnet, les portraits devenaient plus raffinés. Il y en avait un à l'huile, un autre dans le style des miniatures du dix-huitième siècle.

« En vois-tu un qui lui ressemble ? » demanda Leonard avec douceur.

Juliet posa le carnet sur ses genoux et revint vers le début, tournant lentement les pages, étudiant les différents George l'un après l'autre.

« Chacun possède quelques traits de lui. Aucun d'eux ne le capte entièrement, mais pris tous ensemble, ils le rendent assez bien. »

Le lendemain matin marqua vraiment le début de l'été. Les rideaux étaient tirés et une piéride du chou entra par la fenêtre ouverte, flottant sur un rayon de soleil. La rue résonnait du bruit d'enfants se rendant à l'école et de boîtes à sandwichs entrechoquées, on sentait une odeur d'herbe humide de rosée. Un tuyau d'arrosage se mit à grincer et à bourdonner. Une voiture heurta en marche arrière une poubelle métallique. Le taxi arriverait dans une demi-heure, mais, fatiguée, Juliet décida de rester au lit un moment de plus et d'écouter le matin. Elle fouilla dans sa table de chevet et en sortit une lettre qui, à force d'être lue et relue, se déchirait le long des plis.

Brooklyn, janvier 2005

Chère Juliet,

J'ai bien failli ne pas t'écrire cette lettre. J'allais demander à mon avocat de t'envoyer le tableau accompagné d'une note, puis je me suis dit que c'était lâche. Or lâche je le suis déjà depuis trop longtemps. Je suis sûr que tu m'as haï, et Dieu sait que je le méritais, mais je suppose que le temps adoucit et réduit toute chose. J'ai beaucoup pensé à toi et aux gosses. Au début, cela provoquait en moi une souffrance que rien ne pouvait apaiser. Ni alcool, ni sexe, pas même une partie d'échecs ou un fantastique gain au jeu. Mais le fait est que, si tu attends assez longtemps, tout finit par s'estomper.

Vous êtes restés dans mon esprit tels que vous étiez le matin de mon départ. Je suis sans doute devenu grand-père, mais je pense :

« *Comment est-ce possible ? Ma fille au visage si sérieux et mon petit garçon ne sont guère plus que des bébés.* » *Mon Dieu ! Ils étaient des bébés il y a un demi-siècle !*

Tu savais que j'étais marié avant la guerre, en Hongrie. Je ne te l'ai jamais dit, mais je croyais que tu le savais ou le soupçonnais. Peut-être me racontais-je des histoires à ce sujet aussi. Vera et les enfants – je les croyais tous morts. Lorsque je t'ai épousée, je pensais qu'ils n'étaient plus de ce monde. Je pensais vraiment que j'étais veuf. Ce n'était pas un mensonge puisque j'ignorais la vérité. Penser qu'une chose est vraie n'est pas mentir, n'est-ce pas ?

Il se peut qu'avec cette lettre j'encoure de nouveau ton mépris, mais qu'ai-je à perdre ? Je ne regrette pas de t'avoir épousée, Juliet. Ni alors, ni maintenant. Et toi, n'es-tu pas un tout petit peu contente d'avoir été ma femme ? Nous avons passé de bons moments ensemble, souviens-toi.

J'avais entendu dire qu'une partie de ma famille avait survécu, mais je n'ajoutais pas foi à ces rumeurs. Parce que poursuivre des ombres peut te rendre fou. Or j'étais, nous étions, assez heureux, toi et moi. Je ne prêtai donc aucune attention à ces bruits, je te le jure, et ne partis pas à leur recherche. Puis un beau jour, cinq ans après notre mariage, un vieil ami à moi arriva de Californie. Je ne l'avais pas vu depuis le début de la guerre et, en fait, ne pensais jamais à lui. Si tu m'en avais parlé, j'aurais probablement dit qu'il était mort. Mais le voilà qui entre dans le café, me traîne au bar et commande des verres de schnaps. Il m'apprend que Vera et Jerry sont vivants. Juste ceux-là, pas les autres. Je l'accuse de mentir. Il reste tranquille, boit sa gnôle et me laisse tempêter. Au bout d'un moment, il me dit doucement : « Je le sais parce que je les ai vus. Ils vivent en Californie », et il me tend un bout de papier avec leur adresse. Que pouvais-je faire ? Il fallait que je les rejoigne, mais j'étais coincé en Angleterre. Je devais choisir entre deux familles. Essaie d'avoir un peu de pitié pour un mort. Je t'ai fait beaucoup de mal, je le sais, mais au moins tu n'étais pas obligée de choisir. Moi j'ai vécu avec ce dilemme pendant une cinquantaine d'années. Au début, j'ai essayé d'oublier ma famille américaine. Essayé de jeter leur adresse. Essayé d'être heureux avec toi, Frieda et notre nouveau petit garçon. Cependant, chaque fois que je regardais Leonard, je voyais Jerry. Lors de notre séparation forcée, il commençait tout juste à ramper et je pensais depuis si longtemps qu'il était mort que j'avais cessé de le pleurer. Mais il était vivant, j'avais son adresse, je devais aller le trouver.

Mes affaires n'étaient pas brillantes à Londres. Je t'aimais, mais je savais que tu t'en sortirais. Tu es une débrouillarde, Juliet. Et j'avais raison : il suffit de regarder tout ce que tu as accompli. L'éducation de tes enfants. La galerie. Tu es devenue assez célèbre. J'ai suivi ta carrière dans la presse, dans les commérages d'Anglais en visite. C'est étonnant les renseignements que tu peux glaner de cette façon. J'ai appris que tu étais venu me chercher et avais rencontré Vera. J'ai toujours pensé que vous vous entendriez, vous deux. Contrairement à elle et moi. Parfois je me disais : « J'ai quitté Juliet pour cette femme. Le moins que je puisse faire, c'est rester avec elle. » Mais cela m'a été impossible. J'étais un homme meilleur avec toi. Au fil des ans, mes qualités se sont effritées pour ne laisser que mes défauts. Comme j'aurais voulu te voir lorsque tu es venue me chercher ! Je me flatte de penser que tu es venue pour moi, mais en fait j'ai toujours su que c'était pour le tableau. M'as-tu jamais pardonné de l'avoir emporté ? Je parie que non. Tu m'as peut-être pardonné tout le reste, mais pas ce vol.

Le matin de mon départ, j'avais l'intention de disparaître sans rien prendre. Pas même une photo de toi, de Leonard ou de Frieda. Inutile de me tourmenter, me disais-je. Mais il y avait le portrait. Toi. Accrochée au mur de cet affreux séjour brun, tu me regardais m'apprêter à vous abandonner. Impassible, tu te contentais d'attendre la suite des événements. Je ne pouvais pas te laisser derrière moi. Je ne me souviens même pas de mon geste, mais j'ai désencadré la toile. Les choses épinglées au dos, l'argent et les papiers, je ne les ai remarqués que plus tard. À dire vrai, ils m'ont été bien utiles à un moment délicat dans ma vie. Mais c'était le tableau que je voulais. Il fallait que tu sois avec moi, et tu l'as été toutes ces années. Nous en avons eu, des aventures, ensemble ! Plus de vingt personnes ont voulu t'acheter et j'avoue avoir été tenté. Cependant, quelles que fussent mes difficultés, je n'ai jamais pu me séparer de toi. À présent, je n'ai pas grand-chose à léguer, mis à part ce tableau, et tu es la seule à qui je puisse le donner.

George Montague

Juliet replia la lettre et se cala contre ses oreillers. Pourvu d'un nouveau cadre, le portrait pendait à présent en face de son lit et les deux Juliet, l'une de neuf ans, l'autre de soixante-dix-neuf, pouvaient se regarder mutuellement. George ne s'était pas excusé. Pour le vérifier, Juliet avait lu la lettre plusieurs fois à sa réception. Parfois, elle croyait presque qu'il l'avait fait, mais c'était faux. Cependant, s'il n'était pas parti, s'il n'avait pas volé le tableau, elle n'aurait jamais changé d'existence. Elle aurait vécu tranquillement dans cette maison et, un jour, elle aurait capitulé. Elle aurait appris à confectionner des strudels et des *knishes*, serait devenue membre d'un quelconque comité qui s'occupait des fleurs pour la *schul*, aurait vécu à travers ses enfants, ses petits-enfants, avec pour seul réconfort des bribes de nouvelles et de commérages.

« Je ne te suis pas reconnaissante, dit-elle à haute voix, craignant que George interprétât mal cette prise de conscience. Tu t'es conduit comme un salaud. À cause de toi, j'ai dû garder des secrets toute ma vie, et les enfants aussi. Cela, ainsi que le vol du portrait, je ne te le pardonnerai jamais. »

Une brise agita les rideaux, une grive musicienne se mit à chanter.

« En fait, tu ne m'as pas épousée, George. Ce n'était qu'une comédie. Vera était ta femme, pas moi. Je ne suis pas ta veuve, ne l'ai jamais été, même de ton vivant. Cela n'a plus d'importance pour moi, mais cela en aura pour certains. »

Juliet pensa à sa fille, si préoccupée de l'opinion des autres.

« Par ta faute, tes enfants sont devenus illégitimes, des *mamzerim*. Selon les rabbins, cette tache persistera sept générations. Cette pauvre Frieda n'aimerait pas ça. Je ne crois pas que

Leonard en serait très affecté, mais quand même… Les secrets les plus faciles à garder sont ceux dont tu ignores tout. »

Elle ouvrit le tiroir de sa table de chevet, fouilla parmi les étuis à lunettes et les paquets de mouchoirs en papier, sortit un briquet en argent sur lequel était gravé en lettres cursives *À Max Langford, Artiste de guerre extraordinaire, de la part de ses camarades.* Il était presque à sec, et elle dut le battre trois fois pour l'allumer. Veillant à ne pas se brûler les doigts, elle enflamma la lettre. Des fragments de papier tombèrent sur la courtepointe telle une neige grise. Sans doute serait-elle obligée de nettoyer le lit et de laver les draps, mais, pour le moment, elle était trop fatiguée. Elle rejeta les couvertures, répandant de la cendre partout. « Il faut vraiment que je me lève. J'aimerais tant voir le tableau de Leonard. » Jusque-là, elle avait évité de le regarder. À la fin de chaque journée, elle déclarait : « J'attendrai que tu l'aies terminé, mon chéri. Je suis sûre qu'il est très beau. » En leur for intérieur, Leonard et elle étaient tout aussi désireux que le portrait plût à son modèle et soulagés que le moment de vérité fût retardé. Cette situation, toutefois, devenait absurde. Ce matin même, décida-t-elle, elle regarderait enfin l'œuvre de son fils.

« Ce portrait devrait être le dernier de la collection. C'est logique. Dès que Leonard l'aura terminé, je le lui dirai. »

Elle bâilla et se laissa retomber contre les oreillers. La rue était silencieuse à présent. Dans une demi-heure repasseraient les voitures qui avaient emmené les enfants à l'école. On n'entendait que le gazouillis des oiseaux et le bruissement du mélèze. Elle pouvait presque se croire dans une chambre de cottage, écoutant les soupirs d'un bois sombre. Elle ferma les yeux. Elle avait encore le temps de dormir un peu avant que ne retentisse l'avertisseur du taxi.

Note de l'auteur

Avant de nous marier, David et moi, nous avons maintenu une vieille tradition juive en nous rendant sur la tombe de sa grand-mère Rosie pour l'inviter à nos noces. Par un lugubre et humide après-midi de décembre, quand la pluie cède la place au crépuscule peu après le déjeuner, nous sommes allés au cimetière de Glasgow. L'idée, c'était que Rosie nous rejoindrait alors en esprit sous la chuppah. *Qui veut risquer d'offenser une grand-mère juive ?*

Rosie était quelqu'un d'exceptionnel. En 1948, son mari disparut, la laissant sans argent et avec deux jeunes enfants. Mais Rosie était bien résolue à offrir une meilleure vie aux siens — un exploit pour une femme seule dans les Gorbals. Elle ouvrit un salon de coiffure appelé Rosie's et son fils fut le premier de la famille à aller à l'université.

Cependant, Rosie et son mari ne divorcèrent jamais, de sorte qu'elle resta une aguna *jusqu'à la mort de ce dernier. Ce jour-là, Maureen, la belle-fille de Rosie, vint chez elle à neuf heures et demie du matin pour l'emmener à son travail. Elle trouva sa belle-mère assise en manteau et chapeau à la table de la cuisine, un verre de xérès à la main. Elle lui suggéra de prendre un jour de congé, chose tout à fait inouïe, et Rosie reconnut que c'était une bonne idée. Malgré les torts que son mari avait envers elle, sa mort l'avait bouleversée.*

Malade du cancer, elle resta vivante par la simple force de sa volonté pour assister à la bar-mitsva de David. Je ne l'ai jamais connue, mais son histoire m'a impressionnée au point de me donner envie d'écrire un livre sur une femme inspirée d'elle.

Juliet Montague est un personnage de fiction, mais j'espère qu'elle ressemble en partie à Rosie Solomons.

Photocomposition Belle Page

Achevé d'imprimer en octobre 2014
par DUPLI-PRINT à Domont (95)
pour le compte des éditions Calmann-Lévy
31, rue de Fleurus, 75006 Paris

N° d'édition : 5127337/03
N° d'impression : 2014092358
Dépôt légal : octobre 2014
Imprimé en France